E. Marlitt – Im Hause

E. MARLITT

IM HAUSE DES KOMMERZIENRATES

Roman

DEUTSCHER LITERATUR-VERLAG HAMBURG
OTTO MELCHERT

DLV-Taschenbuch Nr. 67

3. Auflage

Neu bearbeitete Ausgabe

© by Deutscher Literatur-Verlag Otto Melchert, Hamburg 70

Umschlag: Three Lions (D 876/79)

Gesamtherstellung: Elsnerdruck, Berlin

Printed in Germany 1990

ISB N 3-87152-073-X

Die Dezembersonne huschte noch einmal scheu durch die große Schloßmühlenstube und verschwand in dem Schneewolkenbett, das sich träge, aber beharrlich, am Himmel emporhob. Ein mächtiges Bettgestell, an Kopf- und Fußende mit plumpen, bäurisch grellen Rosen- und Nelkensträußen bemalt und ausgefüllt mit Federbetten in bunten Überzügen, stand schräg in das Fensterlicht gerückt, und auf diesem Bett lag der Schloßmüller. Eben hatte ihn die rasche Hand des Arztes von einem Halsübel befreit, das ihn schon einige Male mit dem Erstickungstod bedroht — es war ein schwieriges, sehr gefährliches Unternehmen gewesen, aber der junge Mann, der jetzt sacht den Fenstervorhang niederließ und geräuschlos die Instrumente in das Etui packte, sah befriedigt aus — die Operation war gelungen.

Der Kranke lag still und erschöpft in den Kissen.

»Du bist zufrieden, Bruck?« fragte leise ein Herr, zu dem Arzt in die Fensternische tretend.

Der Arzt nickte. »Alles gut bis jetzt — die robuste Natur des Kranken wird mich unterstützen«, sagte er ruhig. »Und nun verlasse ich mich auf die Pflege — ich muß fort. Der Patient hat vorläufig unter allen Umständen in der gegebenen Lage zu verbleiben. Es darf keine starke Blutung eintreten.«

»Dafür laß mich sorgen«, unterbrach ihn der andere lebhaft. »Ich bleibe, solange eine so peinliche Aufsicht nötig ist. Willst du drüben in der Villa sagen, daß ich nicht zum Tee komme.«

Ein leichtes Rot stieg in die Wange des Arztes, als er etwas niedergeschlagen sagte: »Ich muß den Umweg durch den Park vermeiden und so rasch wie möglich die Stadt zu erreichen suchen.«

»Du hast Flora heute noch nicht gesehen, Doktor.«

»Glaubst du, das wird mir so leicht? Ich —«, er unterbrach sich und preßte die Lippen aufeinander, während er nach dem Etui griff, um es in die Tasche zu stecken. »Ich habe mehrere Schwerkranke«, sagte er gleich darauf sehr ruhig. »Das kleine Mädchen des Kaufmanns Lenz wird heute nacht noch sterben. Dem Kinde kann ich nicht helfen, aber die Eltern zählen die Augenblicke, bis ich komme.«

Er trat an das Bett. Der Kranke hob die Lider und sah ihn

5

vollkommen bewußt an, ja, in den stark hervorquellenden Augen lag ein Schimmer von Dankbarkeit für die so plötzlich fühlbar gewordene Erleichterung. Er wollte seinem Befreier die Hand reichen, aber dieser hielt sie auf der Bettdecke fest, indem er das Verbot bezüglich jeder hastigen Bewegung erneuerte. »Der Kommerzienrat will hierbleiben, Herr Sommer. Er wird dafür sorgen, daß meine Anordnungen streng befolgt werden«, fügte er hinzu.

Dem alten Mann schien das recht zu sein. Doktor Bruck nahm seinen Hut, reichte dem Kommerzienrat die Hand und verließ das Zimmer.

Es war nun still geworden, so geräuschlos, wie es eben in der Schloßmühlenstube sein konnte. Durch den Fußboden lief unausgesetzt jenes leise, taktmäßige Schüttern, das von der Räderarbeit im Mühlenraume ausgeht. Über das Wehr drüben stürzten die Wasser, und dazwischen ruckßten die Tauben und kamen plump gegen die Fensterscheiben geflattert aus den uralten, riesenhaft ausgebreiteten Kastanienwipfeln, in denen sie nisteten. Jenes Lärmgemisch aber existierte nicht für den Kranken – es gehörte so unbewußt zu seinem Leben und Behagen, wie die Luft, wie der regelmäßige Taktschlag seines Herzens. –

Was war das doch für ein abstoßendes Greisengesicht, das der elegante Mann mit den Augen hütete! Nie war ihm das Gewöhnliche des Ausdrucks so widerwärtig aufgefallen wie in diesem Augenblick, als der Schlaf oder die Erschöpfung den Willen aufhob. Nun ja, der Alte war bei Beginn seiner Laufbahn Müllerknecht gewesen, aber jetzt war er ein Mann, dem der Getreidehandel Unsummen in den Schoß geworfen – er war ein Träger der Geldmacht, und vielleicht auch ein wenig in Rücksicht auf diese imponierende Tatsache nannte ihn der Kommerzienrat respektvoll und zuvorkommend »Papa«; denn in Wirklichkeit knüpfte sie nicht ein Tropfen gemeinsamen Blutes aneinander. Der verstorbene Bankier Mangold, mit dessen ältester Tochter erster Ehe der Kommerzienrat vermählt gewesen, hatte als zweite Frau die Schloßmüllerstochter heimgeführt.

Der Kommerzienrat erhob sich und trat an eines der Fenster. Es widerstrebte ihm, fortgesetzt das unsympathische Antlitz und die geballten, knotigen, tief in die Bettdecke gewühlten Fäuste anzusehen, die einst die Peitsche über den Müllerpferden geschwungen hatten. Die letzte Kastanie vor dem Fenster, an welchem er stand, hatte längst die Blätter abgeworfen; ein kleines Medaillon der Äste seitwärts umschloß ein Stückchen seines funkelnden Streifens und zugleich ein Menschenwerk, dem er abermals dienen mußte – ein mächtiger Bau in Würfelform, ein ungeschickter Steinkoloß, über den die Fensterreihen wie einförmige Perlenschnüre hinliefen, stand es in häßlicher Nüchternheit am Ufer. Das war die Spinnerei des Kommerzienrates. Auch er war ein reicher Mann: er beschäftigte Hunderte von Arbeitern dort zwischen den kreisenden Spindeln, aber dieses, sein Eigentum, brachte ihn in eine abhängige Beziehung zu dem Schloßmüller. Die Mühle, vor Jahrhunderten vom Landesherrn erbaut, war mit unglaublichen Vorrechten ausgestattet worden, die, noch heute in Kraft, eine bedeutende Strecke des Flusses beherrschten und den Anwohnern das Leben sauer genug machten. Und auf diesen verbrieften Rechten stand der Schloßmüller mit seinen breiten Füßen. Anfangs nur Pächter, hatte er allmählich und unmerklich die Fangarme seines wachsenden Reichtums ausgestreckt, bis er nicht allein Besitzer der Mühle, sondern auch des Rittergutes selbst geworden war, zu welchem sie gehörte. Und das hatte er durchgesetzt kurz vor der Verheiratung seines einzigen Kindes mit dem angesehenen Bankier Mangold. Für ihn selbst hatten nur der ausgedehnte Waldbesitz und die Ländereien Wert gehabt, die dazu gehörige prächtige Villa inmitten eines stattlichen Parkes war ihm zu allen Zeiten ein Greuel gewesen. Nichtsdestoweniger hatte er bereitwillig »die kostbare Spielerei« instand gehalten, weil er seine Tochter als Herrin da schalten und walten sehen durfte. Jetzt war der Kommerzienrat Mieter der Villa. Er stand wie ein fügsamer Sohn zu dem mürrischen Alten.

Von der Turmuhr des Fabrikgebäudes klangen vier Schläge herüber, und hinter den hohen Scheiben des Kontors schlugen zugleich die Gasflammen auf; es wurde heute sehr früh dämmerig; jener feuchte Dampf, der Schnee bringt, füllte allmählich die Luft und machte den Essenrauch von der Stadt her träge über die Erde hinkriechen, während das Schieferdach der Spinnerei, jede Türstufe und jeder Kieselstein, den schlüpfrigen Glanz intensiver Nässe annahmen. Eben legte Jungfer Suse draußen frisches Scheitholz in das Ofenfeuer; das altväterische Sofa mit den dicken, weichen Federkissen stand so warm und bequem an der Wand, und auf den blankgeputzten Scheiben der Alkoventür blinkte das letzte Restchen des falben Tageslichtes — ah, hinter dieser Alkoventür stand der eiserne Geldspind — hatte er vorhin auch den Schlüssel abgezogen?

Kurz vor der Operation hatte der Schloßmüller sein Testament gemacht. Die Gerichtspersonen und Zeugen waren dem Doktor und dem Kommerzienrat noch auf der Treppe begegnet. Wenn er auch äußerlich bei guter Fassung war, mußte es doch im Innern des Patienten gestürmt haben. Jedenfalls war seine Hand beim Wegräumen der benötigten Dokumente unstet und heftig gewesen, denn ein Papier war auf dem Tisch geblieben. Er hatte übrigens im letzten Augenblick das Versehen noch bemerkt und den Kommerzienrat gebeten, das Schriftstück schleunigst im Schrank zu verschließen. Aus dem Alkoven führte noch eine zweite Tür nach dem Vorsaal, und es verkehrten viele fremde Leute in der Mühle. Erschreckt trat der Kommerzienrat in das schmale Stübchen, er war unverzeihlich leichtsinnig gewesen — die Schranktür stand offen. Wenn das der Alte gesehen hätte, der seinen Geldschrank wie ein Drache hütete! Es konnte wohl niemand das Zimmer betreten haben, sagte sich der Kommerzienrat zu seiner Beruhigung, selbst das leiseste Geräusch wäre ihm nicht entgangen, aber überzeugen mußte er sich dennoch, ob noch alles in Ordnung war.

Er schlug den eisernen Türflügel möglichst lautlos zurück — sie standen sichtlich unberührt, die Geldsäcke des ehemaligen Müllerknechtes, und neben den Stößen von Wertpapieren türmten sich in blinkenden Säulen die Goldstücke aufeinander. Sein bewundernder Blick flog hastig über das Schriftstück, das er vorhin infolge Erregtheit allzu flüchtig in eines der musterhaft geordneten Fächer geworfen hatte — es war das Verzeichnis des Gesamtbesitztums. Welch imponierende Summen reihten sich da aneinander! Sorgsam schob er das Papier auf die anderen Dokumente. Dabei aber geschah es, daß er eines der Goldröllchen umstieß — klirrend rollte eine Anzahl Goldstücke auf die Dielen nieder. Wie abscheulich das klang! Es war fremdes Geld, das er berührt hatte! Schrecken und eine ungerechtfertigte Scham trieben ihm das Blut in das Gesicht. Unverzüglich bückte er sich, um das Geld aufzulesen. In diesem Augenblick warf sich ein schwerer, massiger Körper von rückwärts über ihn her, und harte, grobe Finger würgten ihn am Halse.

»Halunke, Spitzbube! Ich bin noch nicht tot«, zischte der Schloßmüller mit seltsam veränderter Stimme. Ein kurzes Ringen erfolgte, der schlanke junge Mann mußte alle seine Kraft aufbieten, um den Alten abzuschütteln, der wie ein Panther auf ihm hockte, ihm die Kehle so furchtbar zusammenschnürend, daß ein feuriger Funkenregen vor seinen Augen aufstob – ein angstvoller Griff seiner eigenen beiden Hände, dann ein gewaltsamer Ruck und Stoß, und er stand befreit auf seinen Füßen, während der Schloßmüller an die Wand taumelte.

»Sind Sie toll, Papa?« keuchte er empört. »Welche Gemeinheit!« Er verstummte entsetzt, der Verband unter dem erbleichenden Gesicht des Kranken erschien plötzlich scharlachrot – da war die Blutung, die um jeden Preis verhindert werden sollte.

Der Kommerzienrat fühlte seine Zähne wie im Fieber zusammenschlagen. War er schuld an diesem Unglück? »Nein, nein«, sagte er sich erleichtert und umschlang den Kranken, um ihn fürs erste nach dem Bett zu schaffen, aber der Alte stieß erbittert nach ihm und zeigte schweigend auf die Goldstücke, sie mußten Stück für Stück aufgelesen und an Ort und Stelle zurückgelegt werden; die furchtbare Gefahr, in der er schwebte, ahnte er entweder nicht, oder er vergaß sie über der Angst um sein Geld. Erst nachdem der Kommerzienrat vor seinen Augen den Schrank verschlossen und den Schlüssel in seine Hand gedrückt hatte, wankte er in die Stube zurück und sank taumelnd auf sein Lager, und als endlich zwei Müllerburschen und Jungfer Suse auf das Hilferufen des Kommerzienrates herbeistürzten, lag der Schloßmüller bereits lang hingestreckt und stierte mit gläsernen Augen wie entgeistert auf seine Brust.

Die Burschen eilten nach der Stadt, um Doktor Bruck zu suchen, während die Haushälterin Wasser und Leinen herbeischleppte. Vergebliche Mühe! Es half nichts, daß der Kommerzienrat angstvoll Tuch um Tuch auf die Wunde preßte, um den Quell zu verschließen. Es blieb kein Zweifel: die Schlagader war zerrissen. Wie war das gekommen? Trug die wahnsinnige innere und äußere Aufregung des alten Mannes allein die Schuld, oder – der Herzschlag stockte ihm – hatte er bei seiner verzweifelten Abwehr die Schnittwunde am Halse des

Wütenden gepackt und tödlich erweitert? Für einen solchen Moment gab es kein Erinnern; wie kann einer wissen, ob er die Schulter oder den Hals eines heimtückischen Angreifers erfaßt, wenn ihm der Erstickungstod droht und das gewaltsam nach dem Gehirn gedrängte Blut Feuerräder vor seinen Augen kreisen läßt? Aber wozu auch eine so gräßliche Möglichkeit aufstellen? Hatte nicht der Sprung aus dem Bett, die innere kochende Wut vollkommen genügt, das Unglück herbeizuführen, das ja der Arzt selbst schon von einer einzigen allzu heftigen Bewegung abhängig gemacht? Nein, nein, sein Gewissen war rein und unbelastet, er konnte sich nicht den geringsten Vorwurf machen. Er war an den Schrank getreten, einzig und allein aus Besorgnis für das Eigentum des alten Mannes, nicht einmal der Wunsch, diese Schätze zu besitzen, war ihm in jenem flüchtigen Moment gekommen – das wußte er genau. Was konnte er für die gemeinen Gesinnungen des erbärmlichen Kornwucherers, der bei jedem, auch dem achtbarsten Manne, räuberische Gelüste voraussetzte.

Wie bleiern träge Minute um Minute hinschlich! Jetzt war sich der Schloßmüller augenscheinlich bewußt, in welche Gefahr er sich gebracht hatte: er rührte sich nicht, und nur seine Augen richteten sich in angstvoller Spannung auf die Tür, wenn draußen auf dem Vorsaal Schritte erklangen. Er hoffte auf Rettung durch den Arzt, während der Kommerzienrat schaudernd die Veränderung in seinem Gesicht verfolgte. So aschfarben malt nur die Hand des Todes.

Jungfer Suse hatte die Lampe hereingebracht. Sie war wiederholt vor das Tor gelaufen, um nach Doktor Bruck auszuschauen, und nun stand sie zu den Häupten des Bettes und schüttelte sich stumm vor Entsetzen bei dem Anblick, den das weiße Lampenlicht schreckhaft hervortreten ließ. Wenige Minuten darauf sanken die Augen des Schloßmüllers zu, und der Schlüssel, den er bis dahin krampfhaft festgehalten, fiel auf die Bettdecke. Eine Ohnmacht trat ein. Unwillkürlich griff der Kommerzienrat nach dem Schlüssel, um ihn wegzulegen, aber in dem Augenblick, wo er das verhängnisvolle Stückchen Eisen mit den Fingern berührte, kam ihm ein Gedanke, der ihn traf wie ein unvermuteter Schlag: welche Physiognomie erhielt wohl der unglückselige Vorfall in den Augen der Welt? Er kannte es nur zu gut, das zischelnde, flüsternde Weib, die Lästersucht; sie schlich ja auch durch seine Salons, und das starke

Geschlecht am Spieltische freute sich genau mit demselben Behagen bei ihren versteckten, boshaften Fingerzeigen, ihrem zweideutigen Lächeln, wie die teetrinkenden Damen. Und wenn nur ein einziger achselzuckend mit bedenklichem Augenzwinkern sagte: »Ei, was hatte denn auch der Kommerzienrat Römer im Geldschranke des Schloßmüllers zu suchen?«, so genügte das, um sein Blut sieden zu machen. Es blieb aber nicht bei diesem einzigen, er hatte Feinde und Widersacher genug, wie alle, die das Glück bevorzugt, er wußte, daß man sich morgen in der Stadt erzählen werde, die Operation sei gelungen gewesen, aber die Aufregung darüber, daß der Pfleger heimlich über seinen Geldschrank gegangen, habe eine Verblutung des Patienten herbeigeführt. Und da war ein schmutziges Mal auf dem Namen des beneideten Römer, das selbst keine gerichtliche Untersuchung wegwaschen konnte. Er bückte sich über den Ohnmächtigen, dem Jungfer Susanne die Schläfe mit Essenzen wusch, und beobachtete ihn plötzlich mit verändertem Blick. Wenn dieser Mann da nicht selbst so viel Kraft wiedererlangte, um den Vorgang zu erzählen, dann wurde das Ereignis mit ihm begraben − über die Lippen des anderen kam kein Wort.

Endlich schlugen draußen die Hofhunde an, und rasche Schritte kamen über das Steinpflaster und die Treppe herauf. Doktor Bruck blieb einen Augenblick wie versteinert in der Stubentür stehen, dann legte er schweigend seinen Hut auf den Tisch und trat an das Bett.

»Wenn er doch nur erst wieder zu sich käme, Herr Doktor!« flüsterte endlich die Haushälterin beklommen.

»Das wird er schwerlich«, versetzte Doktor Bruck, von seiner Untersuchung aufblickend − jede Spur von Farbe war aus seinem Gesicht gewichen. »Mäßigen Sie sich!« gebot er ernst, als Jungfer Suse in ein Klagelied ausbrechen wollte. »Sagen Sie mir lieber, weshalb der Kranke das Bett verlassen hat!« Er hatte die Lampe vom Tisch genommen und beleuchtete den Fußboden − die Dielen vor dem Bett waren mit Blut bespritzt.

»Das rührt von den vollgesogenen Tüchern her«, erklärte der Kommerzienrat mit blassem Gesicht, aber großer Bestimmtheit, während die Haushälterin heilig und teuer versicherte, daß der Schloßmüller bei ihrem Wiedereintreten noch genauso im Bett gelegen, wie es der Herr Doktor angeordnet habe.

Doktor Bruck schüttelte den Kopf. »Die Blutung ist nicht ohne alle äußere Veranlassung eingetreten, es muß eine heftige Erschütterung eingewirkt haben — «

»Daß ich nicht wüßte — ich versichere dir, nein!« sagte der Kommerzienrat, ziemlich fest dem ausdrucksvollen Blick des Arztes begegnend. »Übrigens, was soll dieser Inquisitorenblick? Ich sehe nicht ein, weshalb ich es dir verheimlichen sollte, wenn der Kranke wirklich in einem Fieberanfall aus dem Bett gesprungen wäre.« Er blieb unbeirrt auf dem Wege, den er eingeschlagen. Fast wollte es ihm die Kehle zusammenschnüren bei seinen letzten Worten. Um den äußeren Ehrenschein zu retten, gab er die wahre innere Ehre hin — er leugnete mit eherner Stirn, aber er war ja auch in Wirklichkeit ohne alle Schuld. Er war der an Leben und Gesundheit Schwerbedrohte gewesen.

Der Arzt wandte sich schweigend von ihm ab. Unter seinen Bemühungen schlug zwar der Schloßmüller die Augen wieder auf, aber er stierte mit wirrem, verloschenem Blick ins Leere, und der Versuch zu sprechen erstarb in einem schwachen Gurgeln und Lallen.

Mehrere Stunden später verließ der Kommerzienrat Römer die Schloßmühle — es war alles vorüber.

2.

Er schritt jetzt durch den Park nach Hause. Die Lichter der Mühle, die noch eine kleine Strecke weit einen schwachen Schein auf seinen Weg herausgeworfen, verschwanden hinter ihm. Eben bog er in die breite Lindenallee ein, welche direkt auf die Villa zulief. Ströme silberweißen Lichtes flossen durch Fenster und Glastüren des unteren Balkonzimmers. Er atmete befreit auf und warf die schlimmen Eindrücke der letzten Stunden weit hinter sich.

In dem Salon dort, am Tee- und Whisttische der verwitweten Frau Präsidentin Urach, hatte sich eine zahlreiche Abendgesellschaft eingefunden. Die mächtigen Glasscheiben und das durchsichtige Bronzegeflecht des Balkongeländers gestatteten einen Einblick in den Salon.

Der immer rascher dahinschreitende Mann überblickte mit

einer Art von innerlich zitterndem Wonnegefühl die Versammelten – nicht, daß blonde und dunkle Locken, weiche, schlanke Frauen- und Mädchengestalten sein Auge entzückt hätten, die Frühlingsgenien des Deckengemäldes streckten vielmehr ihre mit Anemonen und Maiblumen gefüllten Händchen über Matronenhäubchen, über gebleichte Scheitel und Glatzköpfe hin –, aber welche Namen waren da vertreten! Offiziere von hohem Rang, pensionierte Hofdamen und Herren vom Ministerium saßen an den Spieltischen, oder umgaben, ihre steifen Rücken in den blauen Samt der Lehnstühle gedrückt, plaudernd den wärmenden Kamin. Und alle diese Leute waren in seinem Hause, im Hause des Kommerzienrates Römer. Der rubinfunkelnde Wein in den Gläsern war aus seinem Keller, und die frischen, duftenden Erdbeeren, welche die betreßten Diener in großen Kristallschalen eben herumreichten, hatte er bezahlt. Die Frau Präsidentin Urach war die Großmama seiner verstorbenen Frau, sie erfüllte mit unumschränkter Macht über seine Kasse die Pflichten der Wirtin im Hause des Witwers.

Der Kommerzienrat trat in das Haus, ließ sich von einem herbeieilenden Diener den Mantel abnehmen und öffnete die Tür eines Zimmers. Der ganze Raum war rot; Tapeten, Möbelbezüge, selbst der Teppich, der sich über den Fußboden hinspannte, trug die satte dunkle Purpurfarbe. Unter der Hängelampe stand ein Schreibtisch, ein Möbel in chinesischem Geschmack schwarz lackiert, mit Goldgeäder und feinen Goldarabesken. Es war ein Arbeitstisch. Aufgeschlagene Bücher, Papierhefte und Zeitungen bedeckten seine breite Platte, auch ein dickes Manuskript mit hingeworfenem Stift lag da. Die eine lange Wand barg eine ansehnliche Bibliothek mit schön gebundenen Büchern und Folianten in Schweinsleder.

Als der Kommerzienrat auf die Schwelle trat, blieb die Dame, die offenbar da auf und ab gegangen war, inmitten des Zimmers stehen. Die Dame war sehr schön, wenn auch nicht mehr in der ersten Jugend. Sie hatte ein feines Römerprofil. Das aschblonde Haar war kurz geschnitten und bauschte sich, von der Stirn zurückgestrichen, in kleinen durchsichtigen Locken um Kopf und Hals. Das war Flora Mangold, die Schwägerin des Kommerzienrates Römer, die Zwillingsschwester seiner verstorbenen Frau. Sie sah ihrem Schwager mit sichtlicher Spannung entgegen.

»Nun, Flora, du bist nicht drüben?« fragte er, mit dem Daumen die Richtung des Salons bezeichnend.

»Was denkst du denn? Ich werde mich wohl in Großmamas Teeklatsch setzen«, erwiderte sie herb und geärgert.

»Es sind auch Herren drüben, Flörchen — «

»Als ob die sich auf den Klatsch nicht noch besser verstünden, trotz Orden und Epauletten!«

Er lachte. »Du hast schlechte Laune, meine Liebe«, sagte er und ließ seine schlanke Gestalt in einen Lehnstuhl sinken.

Sie aber warf plötzlich mit einer heftig schüttelnden Bewegung den Kopf zurück. »Moritz, sage mir die Wahrheit — ist der Schloßmüller unter Brucks Messer gestorben?«

Er fuhr empor. »Welche Idee! Nun wahrhaftig, euch Frauen ist doch nie ein Unglück schwarz genug.«

»Moritz, ich bitte mir's aus«, unterbrach sie ihn mit stolzer Kopfbewegung.

»Nun ja, alle Achtung vor deiner Begabung und deinem ungewöhnlichen Verstand, aber machst du es denn besser als die anderen?« Er durchmaß aufgeregt das Zimmer — diese ungeahnte Auffassung des Ereignisses traf ihn vernichtend. »Unter Brucks Messer gestorben!« wiederholte er mit erregter Stimme. »Ich sage dir, gegen zwei Uhr hat die Operation stattgefunden, und vor kaum zwei Stunden ist der Tod eingetreten. Übrigens fasse ich nicht, wie gerade du den Mut findest, einen solchen Gedanken so mitleidlos auszusprechen.«

»Gerade ich!« betonte sie. »Gerade ich, weil ich nichts Totgeschwiegenes in meiner Seele dulde — das solltest du wissen. Ich bin zu stolz, um die dunkle Verschuldung eines anderen mitzuwissen und zu verhehlen — sei dieser andere, wer er wolle! Aber du hast das Wort mitleidlos gebraucht — verdächtiger konntest du dich nicht ausdrücken. Mitleid haben mit der Stümperei der Wissenschaft, das ist absurd, geradezu unmöglich. Darüber aber bist du doch, so gut wie ich, im klaren, daß Brucks Ruf als Arzt bereits stark gelitten hat durch die gänzlich mißratene Kur der Gräfin Wallendorf.«

»Ja, ja, die gute Frau hat ihrer Liebhaberei für Gänseleberpastete und Champagner um keinen Preis entsagt.«

»Das behauptet Bruck — die Verwandten haben es widerlegt.« Sie preßte die Handflächen an die Schläfen, als schmerze sie der Kopf heftig. »Sei es denn, wie du sagst, daß er nicht sofort unter Brucks Händen den Geist aufgegeben hat — die

14

Sachverständigen werden mit Recht behaupten, er habe eben nur vermöge seiner robusten Natur einen verlängerten Kampf gekämpft. Willst du als Laie das besser wissen? Leugne doch nur nicht, daß du dieselbe Überzeugung hegst! Du solltest dich nur sehen, wie blaß du bist vor innerer Bewegung.«

In diesem Augenblick tat sich eine Seitentür auf und die Präsidentin Urach erschien auf der Schwelle. Trotz ihrer siebzig Jahre war sie eine merkwürdig jugendliche Großmama.

Sie kam nicht allein. Neben ihr schlüpfte ein wunderliches Wesen herein, eine im Wachstum sehr unterdrückte Gestalt, nicht gerade unproportioniert in den Gliedern, aber doch auffallend klein und erschreckend mager, und auf diesem dürftigen Körper saß der starkentwickelte Kopf einer jungen Dame von vielleicht vierundzwanzig Jahren. Die drei im Zimmer anwesenden Frauenköpfe trugen ein und denselben Familienzug – man erkannte sofort die enge Beziehung zwischen der Großmutter und den Enkelinnen.

»Wir haben drüben erfahren, daß du endlich zurückgekommen bist, lieber Moritz; sollen wir noch länger warten?« fragte die Präsidentin mit ihrer schönen, immer noch weichen Frauenstimme.

Noch vor zehn Minuten hatte er, mit dem festen Vorsatz, schleunigst in den Frack zu schlüpfen, das Haus betreten, jetzt sagte er zögernd und unsicher: »Teuerste Großmama, ich möchte Sie bitten, mich für heute zu entschuldigen – der Vorfall in der Mühle – «

»Nun ja, der Vorfall ist traurig genug, aber weshalb sollen auch wir darunter leiden? Ich weiß wahrhaftig nicht, wie ich dich vor meinen Freunden entschuldigen soll.«

»Sie werden doch nicht so schwer von Begriff sein, die guten Freunde, um nicht zu verstehen, daß Käthes Großpapa gestorben ist?« warf Henriette über die Schulter herüber ein.

»Henriette, ich verbitte mir ernstlich deine naseweisen Bemerkungen«, sagte die Präsidentin. »Du magst meinetwegen deinen feuerfarbenen Haarschmuck ein wenig moderieren, denn Käthe ist deine Stiefschwester, mir und Moritz aber liegt diese Verwandtschaft so weltenfern, daß wir für uns dem Trauerfall offiziell keinerlei Bedeutung zugestehen können, so sehr ich ihn auch beklage. Je weniger über den Vorfall gesprochen wird, desto besser für Bruck.«

»Mein Gott, seid ihr denn alle so ungerecht gegen den Doktor?« rief der Kommerzienrat in ausbrechender Verzweiflung. »Ihm ist auch nicht der geringste Vorwurf zu machen.«

»Lieber Moritz, darüber mußt du meinen alten Freund, den Medizinalrat von Bär, hören!« unterbrach ihn die Präsidentin und klopfte ihm leicht auf die Schulter. Sie winkte bedeutungsvoll mit den Augen nach Flora, die an ihren Schreibtisch getreten war.

»Oh, geniere dich nur nicht, Großmama! Glaubst du denn, ich sei so blind und dumm, um mir nicht selbst zu sagen, wie Bär urteilt?« rief das schöne Mädchen bitter. Ihre Lippen zuckten wie im Krampf. »Übrigens hat Bruck bereits sich selbst gerichtet. Er hat es nicht gewagt, mir heute abend noch unter die Augen zu treten.«

Henriette hatte bis dahin mit dem Rücken gegen die anderen gestanden. Jetzt wandte sie sich um, und eine Röte schoß in ihr fahles Gesicht und erlosch ebenso rasch wieder. Das Mädchen hatte wunderschöne tiefe Augen, Augen voll leidenschaftlicher Empfindung. Diese großen flimmernden Sterne richteten sich mit einem Gemisch von scheuem Schrecken und jäh aufglühendem Haß auf das Gesicht der Schwester.

»Nun, diesen Verdacht wird er widerlegen – er kommt noch, Flora«, sagte der Kommerzienrat sichtlich erleichtert. »Er wird dir selbst sagen, daß er den Tag über wie gehetzt gewesen ist. Du weißt ja, daß er mehrere Schwerkranke in der Stadt hat, darunter das arme, kleine Mädchen des Kaufmanns Lenz, das heute nacht noch sterben wird.«

Die junge Dame stieß ein leises, bitteres Lachen aus. »Wird es sterben? Wirklich, Moritz? . . . Nun sieh, Bär war auch hier bei mir, ehe er zur Großmama ging. Er sprach auch von dem Kind, das er gestern gesehen hatte, und meinte, der Fall sei leicht, er fürchte nur, Bruck sei auf falscher Fährte! Bär ist eine Autorität.«

»Ja, eine Autorität voll zitternden Neides«, sagte Henriette erbittert. Sie war rasch hinzugetreten und legte ihre Hand auf den Arm ihres Schwagers. »Gib es auf, Moritz, Flora zu bekehren! Du siehst doch, sie will ihren Bräutigam schuldig finden.«

»Ich will? . . . Boshaftes Geschöpf! Ich gäbe sofort mein halbes Vermögen hin, wenn ich noch so denken könnte wie zu Anfang meiner Brautschaft, so stolz, so zuversichtlich zu Bruck aufsehend«, rief Flora leidenschaftlich. »Aber seit dem Tode der Gräfin Wallendorf trage ich stillschweigend die fort-

gesetzte Qual der Zweifel, des Mißtrauens, mit mir herum –
heute zweifle ich nicht mehr, denn ich bin überzeugt. Jene
Schwäche des Weibes kenne ich freilich nicht, das nur liebt,
ohne zu fragen: Ist der Geliebte der Hingebung auch wür-
dig? . . . Ich bin ehrgeizig, glühend ehrgeizig, das können alle
wissen! Wie andere strebende und denkende Frauen es möglich machen, ruhig und gleichmütig mit einem unbedeutenden
Mann durchs Leben zu gehen, ist mir stets unfaßbar gewesen –
ich würde zeitlebens erröten unter den Blicken der Menschen.«

»Oh – so verschämt würdest du sein? Sieh, sieh! – Allerdings, dazu gehört auch mehr Mut, als vor einem kecken Audi-
torium von Studenten über Ästhetik und dergleichen zu lesen«, rief Henriette jetzt in der Tat mit einem boshaften Lächeln.

Flora ließ einen Blick voller Verachtung über die kleine
Schwester hinstreifen. »Solch eine kleine Viper läßt man ruhig
zischen. Was weißt du von einem Ideal?« sagte sie achselzuk-
kend. »Aber recht hast du, wenn du glaubst, mein Platz sei
weit eher auf dem Katheder, als an der Seite eines Mannes, der
sich als Stümper in seiner Wissenschaft erweist – eine solche
Fessel ertrage ich nicht.«

»Kind, das ist deine Sache«, erklärte die Präsidentin gelassen, während der Kommerzienrat bestürzt zurückfuhr. »Niemand hat dich gezwungen, deinen Kopf in diese Fessel zu stek-
ken.«

»Das weiß ich sehr genau, Großmama. Ich weiß auch, daß
du es weit lieber gesehen hättest, wenn ich die Frau des an
Geld und Körper bankrotten Kammerherrn von Stetten geworden wäre. Ich gebe dir ebensogern zu, daß ich mich nie
von irgendeinem Menschen beeinflussen oder gar leiten lasse,
weil ich am besten wissen muß, was mir frommt.«

»Das wird dir auch stets unbenommen sein«, versetzte die
Großmama mit vornehmer Kälte. »Nur eines gebe ich dir zu
bedenken: du wirst eine entschiedene Gegnerin an mir haben,
wenn die Sache auf einen Eklat hinausläuft. Darin kennst du
mich hoffentlich. Ich ertrage weit eher inneren Unfrieden als
einen Familienskandal nach außen. Ich lebe mit euch zusammen und habe gern die Repräsentation dieses Hauses übernommen. Dafür verlange ich aber auch die unbedingteste
Rücksicht für meine Stellung und meinen Namen. Ich will

nicht, daß man in der Gesellschaft über uns flüstert und tuschelt.«

Der Kommerzienrat wandte sich rasch ab. Er trat an das eine unverhüllte Fenster und starrte in die Nacht hinaus. Er hatte vorhin mit sich gekämpft, ob er nicht Flora wenigstens den Vorfall wahrheitsgetreu mitteilen solle — jetzt wußte er, daß gerade ihr gegenüber kein Laut über seine Lippen kommen durfte. Er mußte sich eingestehen, daß das ehrgeizige schöne Mädchen sofort ein Geständnis in die Welt hinausschreien würde, weniger aus Liebe, als um den Schein von uns zu wenden, daß sie sich hinsichtlich der Wahl ihres Herzens oder eigentlich ihres Verstandes geirrt habe.

Währenddessen stand Henriette, das kleine, mißgestaltete Mädchen, mit Augen voll Grimm und Spott vor der Großmutter. »Also nur aus Rücksicht auf das Gerede der Leute wünschest du, daß sich meine Schwester tadellos aus der Affäre zieht? Damit kommt sie ja sehr wohlfeil weg. Übrigens brauchst du des Aufsehens wegen wirklich nicht so entsetzlich ängstlich zu sein, Großmama — man muß im Salon leben wie wir, um zu wissen, daß die Gesellschaft es mit so manchen vornehmen Sündern hält wie mit dem alten Meißener Porzellan: je öfter gekittet, desto begehrter!«

»Ich werde dich wohl ersuchen müssen, den Rest des Abends auf deinem Zimmer zu verbringen, Henriette«, zürnte die Präsidentin jetzt ernstlich. »Mit dieser verbitterten Stimmung kann ich dir die Rückkehr in den Salon nicht gestatten.«

»Wie du befiehlst, Großmama!« sagte sie lächelnd. »Gute Nacht, Großmama — gute Nacht, Moritz!«

Mit trotzig zurückgeworfenem Kopf ging Henriette hinaus, aber schon auf der Schwelle stürzten ihr die Tränen über die Wangen.

»Gott sei Dank, daß sie geht!« rief Flora. »Man braucht wirklich das höchste Maß der Selbstbeherrschung, um nicht ihr gegenüber die Geduld zu verlieren.«

»Ich vergesse nie, daß sie eine Kranke ist«, bemerkte die Präsidentin zurechtweisend.

»Und in einer Art hatte sie doch auch recht, Flora«, wagte der Kommerzienrat einzuwerfen.

»Denke darüber, wie du willst, Moritz!« entgegnete die junge Dame kalt. »Ich habe dich nur dringend zu bitten, mir durch deine Einmischung die inneren Kämpfe nicht zu erschweren. Wie bereits gesagt, bin ich gewohnt, mit mir und anderen allein fertig zu werden. Übrigens dürft ihr ruhig sein — du und die Großmama — es widerstrebt mir selbst, hart und gewaltsam vorzugehen, ich habe eine geräuschlose Verbündete, und das ist — die Zeit.«

Sie nahm ein Kelchglas vom Schreibtische und netzte die fast weiß gewordenen Lippen mit einigen Tropfen Rotwein, während die Präsidentin sich anschickte, in den Salon zurückzukehren.

»Apropos, Moritz!« rief sie, die Hand auf das Türschloß legend. »Was wird nun mit Käthe geschehen?«

»Darüber müssen wir das Testament entscheiden lassen«, versetzte er aufatmend. »Ich bin völlig ahnungslos, wie der Schloßmüller verfügt hat. Käthe ist seine einzige Erbin. Ob er sie aber auch als solche bestätigt, das fragt sich, er ist ihr ja immer gram gewesen, weil ihre Geburt seiner Tochter das Leben gekostet hat . . . Auf jeden Fall wird sie für einige Zeit hierherkommen müssen.«

»Gib dir keine Mühe — die kommt nicht. Die hängt noch heute so fest an den Rockfalten ihrer alten, unausstehlichen Gouvernante wie zu Papas Lebzeiten«, sagte Flora.

»Nun, vielleicht ist's auch besser, sie bleibt, wo sie ist«, meinte die Präsidentin lebhaft. »Aufrichtig gestanden, ich habe mich nie recht für sie erwärmen können, nicht etwa, weil sie das Kind der ›anderen‹ war — darüber habe ich stets gestanden, aber sie kroch mir zuviel drüben in der Mühle herum, hatte die Zöpfe und Kleider stets voll Mehlstaub und war ein recht eigenwilliges kleines Ding.«

»Ja, so ein rechter Querkopf aus dem Volk, und doch — Papas Liebling«, warf Flora mit bitterem Lächeln hin.

»Scheinbar, Kind, weil sie seine Jüngste war«, sagte die Präsidentin, die grundsätzlich nie den Gedanken aufkommen ließ, daß einer ihrer Angehörigen je zurückgesetzt werden könne, »er hat euch ebenso liebgehabt. Nun, Moritz, wirst du mitkommen?«

Er bejahte hastig. Beide entfernten sich, Flora aber schellte ihrer Kammerjungfer. »Ich will mich in mein Schlafzimmer zurückziehen und dort arbeiten — trage Schreibzeug und diese Papiere hinüber!« befahl sie. »Selbstverständlich bin ich für niemanden zu sprechen.«

3

Der Schloßmüller hatte in der Tat seine Enkelin, Katharina Mangold, testamentarisch zu seiner Universalerbin ernannt und den bereits von ihrem verstorbenen Vater für sie bestellten Vormund auch seinerseits bestätigt. – Dieser Vormund war der Kommerzienrat Römer. Bei der Eröffnung des Testaments war diesem doch sehr wunderlich zumute gewesen, und er hatte den Kopf geschüttelt über die Widersprüche, die ungeahnt in der Menschenseele nebeneinander liegen. Der alte Mann hatte verfügt, daß, falls die beabsichtigte Operation seinen Tod nach sich ziehen sollte, sofort sein gesamter Besitz an Liegenschaften, mit Ausnahme der Schloßmühle, verkauft werde. Bezüglich dieser Ausnahme hatte er bemerkt, die Mühle habe ihn zum reichen Manne gemacht, und seine Enkelin brauche sich nicht zu schämen, sie ihrem künftigen Ehemanne mitzubringen. Bezüglich der Villa und des dazu gehörigen Parks solle jedoch der Kommerzienrat Römer, sofern er darauf reflektiere, die Vorhand haben, und sei ihm der Besitz mit fünftausend Talern unter dem Taxwert zuzuweisen. Diese fünftausend Taler habe er nicht allein als Entschädigung für seine vormundschaftliche Mühewaltung, sondern auch als ein Zeichen der »Erkenntlichkeit« des Testators anzusehen, da er sich niemals hochmütig, wie »die anderen in der Villa«, sondern weit eher wie ein anhänglicher naher Verwandter gezeigt habe. Ferner sollte aufgrund des Testaments das Gesamtvermögen in Staatsobligationen und anderen soliden Papieren angelegt und die Wahl derselben dem Ermessen des Vormundes, als eines tüchtigen und umsichtigen Geschäftsmannes, überlassen sein.

Die junge Erbin lebte seit sechs Jahren entfernt von der Heimat. Ihr sterbender Vater hatte sie der Gouvernante, einem Fräulein Lukas, übergeben, welche die Erziehung des Kindes seit dessen erstem Lebensjahr in den Händen gehabt und in der Tat Mutterstelle an ihm vertreten hatte. Bankier Mangold hatte sehr wohl gewußt, daß er seinen Liebling, der sich stets scheu von den weit älteren Stiefschwestern ferngehalten, dieses Schutzes nicht berauben dürfe, und deshalb verfügt, daß Katharina mit nach Dresden gehen solle, wo die Erzieherin nach langjährigem Brautstand mit einem Arzt gerade um jene Zeit ihren eigenen Hausstand begründete . . . Das junge Mädchen hatte in ihren Briefen an den Vormund nie den Wunsch ausgesprochen, die Heimat wiederzusehen: ebensowenig war es ihrem Großvater, dem Schloßmüller, eingefallen, sie je zurückzufordern. Nun nach seinem Tode hatte der Vormund ihre Rückkehr auf einige Zeit gefordert, er hatte ihr zugleich mitgeteilt, daß er sie selbst mit Eintritt der wärmeren Jahreszeit, Ende April, abholen wolle, weil — was er selbstverständlich verschwieg — die Präsidentin Urach sich entschieden gegen etwaige Begleitung der ehemaligen Gouvernante verwahrte. Das Mündel war mit allem einverstanden gewesen.

Es war im Monat März, da kam eine junge Dame von der Stadt her und bog in den breiten Fahrweg ein, der nach der Schloßmühle führte. Es war durchaus keine Elfe oder Sylphide, das Menschenkind, das so kräftig und sicher dahergeschritten kam, eine anliegende, mit Pelz besetzte schwarze Samtjacke bezeichnete die kräftigen, aber schön geschwungenen Linien ihres Körpers, und auf dem lichtbraunen Haar saß, ein wenig schief gerückt, eine Mütze von Marderfell. Das Gesicht war weit entfernt, regelmäßig zu sein, aber diese Mängel wurden aufgewogen durch die jugendfrische Gesichtsfarbe.

Die junge Dame trat in das offene Hoftor der Schloßmühle. Eine Schar Hühner, die, einer Spur verstreuter Getreidekörner nachgehend, eben auf dem Fahrweg hinausspazieren wollte, stob gackernd vor ihr auseinander, und die Hofhunde fuhren mit wütendem Gebell aus ihrem trägen Halbschlummer empor. Vor dem einen Fenster der Knappenstube, und auf dem hölzernen, ausgetretenen Freitreppchen, das von dieser Stube direkt in den Hof führte, saß ein weißbestäubter Müller und schnitt sich tüchtige Brocken von Brot und Käse.

»Mohr! Wächter!« rief die junge Dame mit schmeichelnder Stimme über den Hof hinüber. Die Hunde gebärdeten sich wie toll und rissen winselnd an der Kette.

»Was wünschen Sie?« fragte der Müller, sich schwerfällig erhebend.

Sie lachte leise in sich hinein. »Ich wünsche gar nichts, Franz, als Ihnen und Suse guten Tag zu sagen.«

Im Nu flogen Brot, Käse und Messer hinter das Treppengeländer. Der Mann war nicht groß. Er war kleiner als das junge Mädchen — er sah sprachlos in das blühende Gesicht, das er zum letztenmal gesehen, wie es, noch nicht einmal in der Höhe seiner breiten Schultern, auf einem schmächtigen Kindeskörper gesessen. »Kurios«, sagte er, in unbeholfener Verlegenheit den Kopf schüttelnd, »die Grübchen in den Backen und die Augen sind's noch, aber, aber das unmenschliche Wachstum!« Er ließ seine Augen scheu und ungläubig messend an der hohen Gestalt emporgleiten. »Na ja, da hat eben der Trieb von der Sommer-Großmutter her dahintergesteckt, die war auch so wie Milch und Blut und — wollt ihr wohl still sein, ihr Rakker!« unterbrach er sich scheltend und drohte mit der Faust nach den unaufhörlich bellenden Hunden. »Die Schlingel kennen Sie wirklich noch, gnädiges Fräulein —«

»Besser als Sie«, versetzte sie, zu den Hunden tretend und den hoch an ihr aufspringenden Tieren schmeichelnd. »Sie titulieren mich ja wunderlich, Franz. Ich bin nicht avanciert in Dresden, das kann ich Ihnen versichern.«

»Aber die Fräuleins drüben in der Villa lassen sich ja auch so benennen«, sagte er mit steifem Nacken und starrköpfig.

»Ah so!«

»Und Sie sind doch zehnmal mehr. So jung und schon so reich, so unmenschlich reich! Die Mühle da, die schönste weit und breit — Sapperment, das will was heißen! Herrje — nur ein Mädchen, und kaum achtzehn Jahre alt, und das Kommando über eine solche Mühle!«

Sie lachte. »Das steht mir allerdings zu, und ich will Ihnen das Leben schon sauer machen, alter Franz . . . Wo steckt denn Suse?«

»Die hat Stubenarrest, hat's wieder einmal in der rechten Seite, das arme alte Frauenzimmer. Die Hausmittel wollen nicht mehr recht helfen. Doktor Bruck ist eben bei ihr.«

Die junge Dame reichte ihm die Hand und trat sofort in das Haus. Die schwere Bohlentür fiel rasselnd, mit gellendem Geklingel hinter ihr zu, und der Lärm hallte von allen vier Wänden des weiten Flurs zurück . . . Unter den Füßen der Eingetretenen schütterte der Boden sehr stark. Das Tosen und Stampfen des Mahlwerks dröhnte dumpf durch die kleine, klaffende Tür im gewölbten Steinbogen, und der Duft des frisch zermalmten Kornes füllte durchdringend die Luft. In tiefen Zügen sog ihn das junge Mädchen ein — eine ganze Flut von Erinnerungen überwältigte sie. Sie wurde blaß vor innerer Bewegung und blieb mit gefalteten Händen einen Augenblick stehen.

Sie fand die Tür der Eckstube droben verschlossen, aber aus dem schmalen Gange, der das Hintergebäude mit dem Vorderhause verband, scholl Susens weinerlich klagende Stimme. Ach ja, dort war die Schlafkammer der alten Jungfer, das dunkle Stübchen mit den runden, in Blei gefaßten Fensterscheiben und der Aussicht auf das graue Schindeldach eines Holzschuppens. Sie schüttelte unwillig den Kopf und betrat den Gang.

Eine heiße, dumpfe, mit Rauch erfüllte Krankenluft schlug ihr beim Öffnen der Tür entgegen, und dort in dem häßlichen Zwielicht, welches das erblindete fahlgrüne Fensterglas verbreitete, stand ein Mann, mit dem Rücken ihr zugewandt. Er war sehr groß und breit in den Schultern. Jedenfalls war er im Begriff zu gehen, denn er hielt Hut und Stock in der Hand. Ah, das war also Doktor Bruck, von dem Schwager Moritz vor acht Monaten, bei Gelegenheit der Verlobungsanzeige, geschrieben hatte, daß er ihre schöne Schwester Flora schon als Gymnasiast heimlich geliebt, selbstverständlich aber damals nicht gewagt hatte, zu dem geistreichen, viel gefeierten Mädchen emporzusehen, und nun sei er doch am schwer erkämpften und errungenen Ziel – das war er also.

Hatte das Seidenkleid der jungen Dame gerauscht – oder wehte ein reinerer Luftstrom mit ihr herein, die in der Tat so frühlingsfrisch auf die Schwelle trat, als gehe der Veilchenhauch, den man bereits in den letzten Märztagen zu spüren meinte, von ihr aus – der Arzt drehte sich rasch um.

»Doktor Bruck? Ich bin Käthe Mangold«, sagte sie, sich kurz und flüchtig vorstellend. Dabei ging sie rasch an ihm vorüber und streckte Suse, die, in Bettkissen gepackt, zusammengekrümmt auf einem Lehnstuhle hockte, beide Hände entgegen.

Die Alte starrte sie mit blöden Augen an.

»Ich komme da herein, wie vom Himmel geschneit, nicht wahr, Suse? Aber gerade zur rechten Zeit, wie ich sehe«, sagte sie und strich der Kranken die unordentlich um die Stirn hängenden Haare unter die Nachthaube. »Wie kommt es, daß ich dich hier finde, in dieser elenden Hinterstube? Hat man dir nicht gesagt, daß du in der Eckstube wohnen und im Alkoven schlafen sollst?«

»Jawohl, das hat der Herr Kommerzienrat gesagt, aber es müßte doch bei mir rappeln«, sie tippte mit dem Zeigefinger auf die Stirn, »wenn ich mich mutterseelenallein in die gute Eckstube setzen wollte wie eine Gnädige oder gar wie die selige Schloßmüllerin selber.«

Die junge Dame verbiß ein schalkhaftes Lächeln. »Aber, Suse, hattest du nicht auch beim Großpapa das Recht, dich in der Wohnstube aufzuhalten? . . . Ist ein Zimmerwechsel zulässig, Herr Doktor?« wandte sie sich ohne weiteres an den Arzt.

»Dringend nötig sogar, aber ich bin bisher auf einen entschiedenen Widerstand der Kranken gestoßen«, versetzte er achselzuckend. Er hatte eine sonore und sanfte Stimme.

»Nun, dann wollen wir aber auch keinen Augenblick verlieren«, sagte Käthe. Sie nahm das Pelzbarett ab, legte es auf Susens Bett, und zog die Handschuhe aus.

»Nicht um die Welt bringen Sie mich 'nüber«, protestierte die Haushälterin. »Fräulein Käthchen, tun Sie mir das nicht an!« bat sie weinerlich. »Die Stube ist mein Augapfel, ich putze und blinke alle Tage drin auf, seit mir der Herr Kommerzienrat gesagt hat, daß Sie kommen wollten. Erst vorgestern habe ich neue Vorhänge drin aufstecken lassen.«

»Nun gut, so bleib! Ich hatte mir vorgenommen, wie in meiner Kindheit nachmittags den Kaffee in der Mühle zu trinken. Wenn du aber so eigensinnig bist, dann komme ich gar nicht. Darauf kannst du dich verlassen. Ich bleibe ohnedies nur vier Wochen in M. – und dann magst du deine ›aufgeblinkte‹ Stube mit den geschonten Gardinen vorführen, wem du Lust hast.«

In Gesicht und Haltung des jungen Mädchens lag so viel Entschiedenheit, daß man sofort sah, sie habe nicht zum erstenmal mit einer widerspenstigen Kranken zu tun.

Suse zog aufseufzend den Stubenschlüssel unter ihrem Kopfkissen hervor und reichte ihn der jungen Dame, die nun auch rasch ihre Samtjacke abstreifte. »Die Eckstube ist jedenfalls nicht geheizt«, sagte Käthe und griff nach dem Holzkorb, der neben dem Ofen stand.

»Nein, das können Sie unmöglich«, sagte Doktor Bruck mit einem Blick auf ihren eleganten Anzug. Er legte rasch Hut und Stock auf den Tisch.

»Es wäre sehr beschämend für mich, wenn ich das nicht könnte«, versetzte sie ernsthaft, aber mit erröteten Wangen.

Sie ging hinaus, und wenige Minuten darauf prasselte ein tüchtiges Feuer im Ofen, während Doktor Bruck die Fenster der Eckstube öffnete, um den lauen Märzodem erst noch einmal durch den mit dumpfer Scheuerluft erfüllten Raum strömen zu lassen.

Käthe trat ein. »Ich bitte, sich zu überzeugen, daß ich salonfähig geblieben bin, Herr Doktor«, sagte sie, nicht ohne einen Anflug von Spott ihm ihre schlanken, rosigen Hände mit dem tadellos weißen Leinwandstreifen am Armgelenk hinstreckend.

Ein Lächeln ging über sein ernstes Gesicht, aber er schwieg und war bemüht, das südliche Eckfenster wieder zu schließen, durch welches der Zugwind die Eingetretene so derb anblies, daß das braune Lockengeringel von ihrer Stirn wegwehte. Auch der Vorhang blähte sich auf und flog in die Stube herein. Käthe griff mit flinken Händen zu und suchte den steifen Faltenwurf wieder zu ordnen.

»Die gute Suse — wenn sie nur wüßte, welchen Streich sie mir spielt mit diesen Gardinen!« sagte sie halb lächelnd, halb verdrießlich. »Ich muß das Zeug nun wohl oder übel hängenlassen, denn sie hat es sicher vom Vormund für mich erpreßt. Gemusterte Mullgardinen vor solchen Fensterbögen, in der schönsten mitteralterlichen Wohnstube, die sich denken läßt! . . . Ich hatte mir vorgenommen, sie wieder einzurichten, wie sie vor drei Jahrhunderten gewesen sein mag — mit runden, bleigefaßten Glasscheiben, mit Klappsitzen von Eichenholz, hier zu beiden Seiten der Fensternischen in die Wand eingefügt und mit Polstern belegt, und nun denken Sie sich die alte Suse mit ihrem Spinnrad in dem einen Fenster! . . . Ich hatte mir das wirklich sehr hübsch und anheimelnd ausgedacht — nun werde ich's bei ihr nicht durchsetzen.«

»Aber ich begreife nicht — sind Sie denn nicht die Herrin?«

»Oh, die kann ich niemals herauskehren, wenn es dergleichen Wünsche gilt — ich kenne mich schon«, versetzte sie fast kleinlaut. »Darin bin ich entsetzlich feig.« Der Kontrast zwischen diesem aufrichtigen Bekenntnis und der äußeren gebietenden Erscheinung der jungen Dame war so groß, daß es in der Tat eines scharfen Blickes in ihre rehbraunen Augen bedurfte, um sich zu überzeugen, daß sie vollkommen wahr spreche. Sie hatte ein nicht sehr großes, aber schöngeschnittenes klares Auge mit einem kühlen Blick. Wie ruhig und praktisch traf sie die Anstalten zur Aufnahme der Kranken! Das Sofa wurde als Bett eingerichtet, der plumpe, mit Leder bezogene Lehnstuhl des Schloßmüllers aus der Fensterecke tiefer in das Zimmer gerückt, damit kein Zuglüftchen die Patientin streife; sie holte einen kleinen Tisch aus dem Alkoven und die weißgescheuerte Fußbank unter dem hochbeinigen Kanapee hervor

— das geschah so unbefangen und selbstverständlich, als sei sie nie von der Mühle fort gewesen. Dabei wischte sie den leichten Staub, der sich während Suses Kranksein abgelagert hatte, von den Möbeln und schloß auch die anderen Fenster. »Hier auf dem Steinsims müssen notwendig Blumen stehen; ihr Duft soll meine arme Suse erquicken. Ich werde Schwager Moritz um einige Hyazinthen- und Veilchentöpfe aus dem Wintergarten bitten —«

»Da werden Sie sich an die Frau Präsidentin Urach wenden müssen. Sie hat allein über den Wintergarten zu verfügen.«

Das junge Mädchen sah ihn groß an. »So streng ist die Etikette da drüben? Zu Papas Lebzeiten war der Wintergarten Gemeingut der Familie.« — Sie zuckte die Achseln. — »Damals freilich war die vornehme Schwiegermutter meines Vaters nur dann und wann Gast in der Villa.« Sie warf den Kopf in den Nacken, als könne sie damit eine augenblickliche unangenehme Empfindung abschütteln, und setzte heiter hinzu: »Nun, dann um so besser, daß ich zuerst in die Mühle ging, um mich zu akklimatisieren.«

Er verließ die Fensternische und trat zu ihr. »Ob man Ihnen aber drüben nicht sehr verargen wird, daß Sie sich nicht sogleich in den Schutz der Familie begeben haben?« fragte er mit jenem Anteil, der zart einen Rat, einen Wink zu geben versucht, ohne zudringlich zu werden.

»Dazu hat man doch wohl nicht das Recht«, versetzte sie rasch und lebhaft. »Dieses ›Drüben‹ ist für mich gleichbedeutend mit der Fremde, in der ich den Familienschutz, wie Sie ihn nennen — nämlich das Gefühl der Zusammengehörigkeit —, nicht voraussetzen kann, auch nicht bei den Schwestern. Wir kennen uns gar nicht näher. Nicht einmal das dürftige Band eines Briefwechsels besteht zwischen uns. Ich habe nur mit Moritz korrespondiert. Als Papa noch lebte, wurde Henriette bei ihrer Großmama erzogen, und wir sahen uns äußerst selten. Meine Schwester, die Kommerzienrätin Römer, wohnte in der Stadt und starb auch sehr früh. Und Flora? Sie war sehr schön und sehr gescheit, sie war eine hochgefeierte junge Dame und machte bereits die Honneurs in unserem Hause, als ich noch tief in den Kinderschuhen steckte. Ich habe nie gewagt, sie anzureden oder auch nur ihre wunderschönen Hände zu berühren, und noch heute fühle ich, daß es sehr unbescheiden von mir sein würde, wollte ich den Umgangston zwischen ihr und

26

mir beanspruchen, wie er sonst zwischen Schwestern üblich ist.«

Sie unterbrach sich und sah ihm erwartungsvoll in das Gesicht, aber sein weggewendeter Blick schweifte über die Gegend draußen. Er ermutigte sie mit keiner Silbe – hatte er doch auch um das seltene Mädchen dienen müssen.

»Wie die Sachen stehen – die Villa ist ja nicht mehr mein Vaterhaus – kann ich dort nur als Besuch gelten, wie jeder andere auch«, hob sie nach einer augenblicklichen Pause wieder an. »Hier in der Mühle stehe ich auf meinem eigenen Grund und Boden, da ist Heimgefühl, und das alte Schieferdach droben und Franz und Suse werden mich und meine unmündigen achtzehn Jahre wohl ebenso treu beschirmen, wie es die Villa mit ihrer strengen Etikette nur immer vermag.«

Allmählich kam eine behagliche Wärme vom Ofen her. Käthe zog ein Fläschchen aus der Tasche und goß einige Tropfen Kölnischwasser auf die heiße Eisenplatte, und ein lieblicher, luftreinigender Duft verbreitete sich. Die Alkoventür stand noch offen, und durch den breiten Spalt sah man gerade auf die bunten Nelkensträuße der Bettstelle, die drinnen in der Nähe des Fensters stand. Jetzt erst fiel der Blick des jungen Mädchens auf die plumpen, wohlbekannten Blumengebilde, die einst das Entzücken ihrer Kinderseele gewesen waren – die Rosenfrische wich von ihren Wangen.

»Dort ist mein Großpapa gestorben«, flüsterte sie. Doktor Bruck schüttelte den Kopf und zeigte schweigend nach dem südlichen Eckfenster.

»Sie waren bei ihm?« fragte sie hastig und trat ihm näher.

»Ja.«

»Er ist so plötzlich gestorben, und Moritz hat mir den Trauerfall in so wenig eingehender Weise angezeigt, daß ich nicht einmal weiß, was die Ursache seines Todes gewesen ist.«

Der Doktor stand so, daß sie nur sein Profil sehen konnte, dennoch konnte sie bemerken, wie sich diese Lippen fest aufeinanderlegten, als werde es ihnen schwer, zu antworten. Nach einem augenblicklichen Schweigen wandte er ihr langsam und voll das Gesicht zu und sah sie ernst an. »Man wird Ihnen sagen, er sei an meiner Ungeschicklichkeit im Operieren gestorben«, sagte er mit einer Stimme, der die innere Bewegung allen Klang nahm.

Das junge Mädchen fuhr vor Schrecken und Bestürzung zurück.

»Einzig und allein um Ihrer eigenen Beruhigung willen
möchte ich Ihnen die Versicherung geben, daß das durchaus
unwahr ist«, fuhr er mit sanftem Ernst fort, »aber wie kann ich
von Ihnen verlangen, daß Sie mir glauben sollen? Wir sehen
uns heute zum erstenmal und wissen nichts voneinander.«

Er hatte wohl keine Antwort erwartet, denn er wandte sich
ab, aber mit so viel Würde und stolzer Gelassenheit, daß in
Käthe ein Gefühl plötzlicher Beschämung aufstieg. »Darf ich
die Kranke nun herüberbringen?« fragte sie mit unsicherer
Stimme.

Er bejahte, und sie verließ mit raschen Schritten das Zimmer. Drüben in der Hinterstube wischte sie sich die Tränen von
den Wimpern und ließ sich den erschütternden Vorgang von
der Haushälterin erzählen.

»Die Geschichte hat dem Doktor in der Stadt schrecklichen
Schaden gebracht«, sagte Suse schließlich. »Erst gab's keinen
Besseren und er hatte alle Hände voll zu tun, und nun sagen sie
auf einmal, er verstehe seine Sache nicht. So sind eben die
Menschen, Fräulein Käthchen. Und er ist nicht schuld an dem
Unglück. Es war alles gut, ich hab's ja mit eigenen Augen gesehen. Aber da sollte sich der Schloßmüller ganz ruhig verhalten
– ja, der und ruhig! Ich weiß am besten, wie er beim kleinsten
Ärger gleich kirschbraun wurde. Da darf nur der Franz draußen zu laut gesprochen haben, oder der Wagen ist zu schnell in
den Hof gefahren – da hat schon die Wut in ihm gekocht. So
war er. Ich hab' genug mit ihm ausgestanden, und zum Dank
dafür hat er mich auch mit keinem Pfennig bedacht« – sie
lachte scharf und zornig auf – »wenn Sie nicht für mich sorg-
ten, da könnte ich jetzt betteln gehen.«

Käthe hob unwillig warnend den Zeigefinger.

»Nun meinetwegen auch – ich will still sein«, grollte die
Alte und ließ es still geschehen, daß das junge Mädchen ihren
vertrockneten Körper wie ein hilfloses Kind in Decken und
Kleider einmummte. »Es tut mir nur leid, daß so ein guter Herr
wie der Herr Doktor deswegen nun angeschwärzt wird und
sein Brot verliert, und seine arme Tante, für die er sorgt und arbeitet, dauert mich auch. Sie hat ihn von ihrem bißchen Vermögen studieren lassen, die alte Frau Diakonus. Sie wohnt bei

ihm. Er ist immer ihr ganzer Stolz gewesen – und nun muß sie das miterleben.« –

Käthe machte der Mitteilung, die sehr ins Breite zu gehen drohte, ein Ende, indem sie die Kranke vorsichtig aus dem Lehnstuhl hob. Halb getragen von den starken Armen des jungen Mädchens, hinkte Suse über den Vorsaal. Die Tür der Eckstube war offen, und am Fuß der herniederführenden Stufen stand Doktor Bruck mit ausgestreckten Händen, um die Leidende in Empfang zu nehmen und ihr herabzuhelfen.

Nach wenigen Minuten saß Suse bequem und weich gebettet in der luftigen Stube und bemühte sich vergeblich, ihre Freude darüber zu verbergen, daß sie nun wieder jeden Sack zählen konnte, der drunten im Hof auf- und abgeladen wurde.

Die junge Dame sah nach ihrer kleinen goldenen Uhr. »Es wird Zeit, mich in der Villa vorzustellen, sonst gerate ich möglicherweise mitten in den stolzen Teezirkel der Frau Präsidentin«, sagte sie mit der anmutigen Geste eines leichten Schauders und zog die Handschuhe aus der Tasche. »In einer Stunde komme ich wieder und koche dir eine Suppe, Suse –«

»Mit den feinen Händen?«

»Mit den feinen Händen, versteht sich. Glaubst du denn, ich lege sie in Dresden in den Schoß? . . . Hast doch meine Lukas gekannt, Suse – sie ist heute wie damals. Da heißt es, Hand und Fuß rühren und die Zeit auszunutzen. Du solltest sie nur einmal sehen! Sie ist eine Frau Doktorin geworden, die ihresgleichen sucht.«

4.

Auf der Spinnerei schlug es fünf, als Käthe in Doktor Brucks Begleitung wieder in den Hof trat. Es war kälter geworden, und die uralte, halbverwischte Sonnenuhr am Giebel, die heute, im goldenen Frühlingslicht neu auflebend, mit scharfem Finger die Stunden bezeichnet hatte, sah wieder trübselig und verwittert aus.

Das helle Geklingel der Türschelle lockte Franz heraus auf die kleine Freitreppe, und auch seine Frau folgte ihm neugierig, um die heimgekehrte junge Herrin zu begucken. Käthe bat sie, während ihrer Abwesenheit nach der Kranken zu sehen, was auch heilig und teuer versprochen wurde. In diesem Augenblick rauschte es in den Lüften, und gleich darauf stürzte eine schöne Taube herab und blieb hilflos auf dem Steinpflaster liegen.

»Schwerenot«, fluchte Franz, indem er die Treppe herabsprang und das Tierchen aufhob. Es war flügellahm geschossen. »Da guck her, Frau!« sagte er zu der Müllerin. »'s ist keine von unseren — ich dachte mir's gleich. 's ist ein gottheilloses Volk da drüben. Die schießen der armen Dame ihre Prachttauben nur so vor der Nase weg. Na, ich sollte nur der Herr Kommerzienrat sein!« Er schüttelte die Faust.

»Wer ist denn die arme Dame, Franz? Und wer schießt nach ihren Tauben?« fragte Käthe mit großen Augen.

»Er meint Henriette«, sagte Doktor Bruck.

»Und drüben aus der Spinnerei wird geschossen!« platzte Franz ingrimmig heraus.

»Wie, die Fabrikarbeiter meines Schwagers?«

»Ja, ja, die sein Brot essen, Fräulein. 's ist eine Sünde und Schande. Da haben Sie die Bescherung, Herr Doktor! Da sehen Sie nun, was das für eine Brut ist. Sie wollen bei denen alles mit Liebe und Güte durchsetzen — ja, da werden Sie weit kommen. Was haben denn so brave Leute wie Sie von der Gutheit? Lange Nasen macht Ihnen die Gesellschaft . . . Die Faust aufs Auge! 'runter müssen sie. Das ist meine Meinung.«

»Streikt man auch hier?« fragte Käthe den Doktor.

»Nein, die Sache liegt anders«, sagte Doktor Bruck, den Kopf schüttelnd. »Mehrere der ersten Arbeiter, im Besitz einiger Kapitalien, hatten Moritz gebeten, ihnen beim Zerschlagen des Rittergutes zu einem Stück Land zu verhelfen, das, an sich öde und von geringem Ackerwert, ziemlich nahe der Fabrik unbenutzt liegt. Sie wollten Häuser bauen mit Mietwohnungen auch für die ärmeren Arbeiterfamilien, die den teuren Mietzins in der Stadt nicht mehr erschwingen können. Der Kommerzienrat hat ihnen auch Versprechungen gemacht.«

»Verzeihen Sie, Herr Doktor, daß ich Sie unterbreche«, fiel Franz ein. »Ich hab' mir's gleich gedacht, daß das die Frau Präsidentin nicht zugibt. Wer läßt sich denn auch eine solche Nachbarschaft gefallen, wenn er nicht muß? Und richtig — die Damen drüben sind furchtbar böse geworden und haben's ein für allemal nicht gelitten, daß die Bauplätze abgegeben worden sind. Es sollen neue Anpflanzungen gemacht werden, hat's geheißen, und damit war die Sache abgemacht. Nun sind sie

30

wütend in der Fabrik und tun Schabernack und rächen sich, wo sie können.«

»Freilich eine erbärmliche Rache! — Du armes Ding!« sagte Käthe und nahm die Taube aus Franzens Hand.

»Das Beklagenswerte dabei ist, daß diese Roheit einzelner auf einen ganzen Stand strafend zurückwirkt. Man wird der Präsidentin keinen Vorwurf mehr darauf machen dürfen, daß sie solche Elemente nicht in ihrer Nähe dulden will«, sprach Doktor Bruck mit verfinstertem Gesicht.

»Das sehe ich nicht ein. Es gibt Boshafte und Rachsüchtige in allen Ständen«, versetzte das junge Mädchen rasch und lebhaft. »Ich verkehre oft in den unteren Klassen, mein Pflegevater hat viele arme Patienten, und wo außer seinen Medikamenten auch kräftige Suppen und sonstige Nachhilfe in der Pflege not tun, da unterstützt ihn meine liebe Doktorin nach Möglichkeit, und ich gehe selbstverständlich auch mit. Man stößt auf viel Undank und Roheit, das ist wahr, oft jedoch auch auf brave und edle Gesinnung. Not und Elend sind aber meist so herzerschütternd —«

»Ist nicht so schlimm, wie Sie denken, Fräulein — das Volk verstellt sich«, unterbrach Franz mit einer wegwerfenden Handbewegung.

Käthe maß ihn einen Augenblick schweigend von unten herauf mit einem sprechenden Blick. »Sieh, was für ein vornehmer Herr der Franz geworden ist!« sagte sie mit unverkennbarer Ironie. »Von wem sprechen Sie denn? Sind Sie nicht selbst aus dem Volke? Und was waren Sie denn früher in der Schloßmühle? Ein Arbeiter wie die Leute in der Spinnerei auch, ein Arbeiter, der schweigend manches Unrecht leiden mußte, wie ich sehr genau weiß.«

Dem Müller schoß das Blut in das bestäubte Gesicht. Er stand in sprachloser Verblüfftheit vor der jungen Dame, die ihm so kurz und bündig, so schlagend seinen Standpunkt bezeichnete. »Na, Fräulein, nichts für ungut! Es war nicht so böse gemeint«, sagte er endlich und streckte ihr in unbeholfener Verlegenheit seine breite Hand hin.

»In Wirklichkeit sind Sie auch nicht so schlimm, Sie haben Glück gehabt und kehren nun den Schloßmühlenpächter heraus, der Geld in der Tasche hat«, entgegnete sie und legte einen Augenblick ihre schmale Hand in die seine, aber die kleine Falte des Unwillens auf ihrer Stirn glättete sich nicht so rasch wieder. Sie zog ein weißes Tuch aus der Tasche, schlug es um die Taube und knüpfte die vier Enden zusammen. »Ich werde Henriette den kleinen Invaliden mitbringen«, sagte sie, das Tuch vorsichtig in die Hand nehmend.

Der Doktor öffnete eine kleine Seitentür in der Hofmauer, die in den Park führte, und ließ die junge Dame voranschreiten. Draußen blieb sie wie angewurzelt stehen. »Ich finde mich nicht zurecht«, rief sie bestürzt. »Was tun die Leute dort?« Sie zeigte weit hinüber nach einer Erdvertiefung von gewaltigem Umfang, aus der die Köpfe zahlreicher Arbeiter auftauchten.

»Sie graben einen Teich. Die Frau Präsidentin liebt die Schwäne auf breitem Wasserspiegel.«

»Und was baut man da drüben nach Süden hin?«

»Ein Palmenhaus.«

Sie sah nachdenklich vor sich hin. »Moritz muß sehr reich sein.«

»Man sagt es.« Das klang so kühl und objektiv, als vermeide er absichtlich, seinen Antworten auch nur den leisesten Mitklang eines eigenen Urteils zu geben. »Ich werde Sie führen«, sagte er, als sie unschlüssig ihre Augen über die gänzlich veränderte Gegend schweifen ließ. Er reichte ihr seinen Arm, und sie legte unbedenklich ihre Hand darauf. So schritt Schwester Flora neben ihm . . . wunderlich! Erst jetzt fiel ihr der Gedanke, daß sie in wenigen Minuten der ihr geistig so weit überlegenen Schwester gegenübertreten sollte, unbeschreiblich bang und schwer auf das Herz.

Sie blieb stehen und sagte nach einem tiefen Atemholen befangen lächelnd: »Oh, ich Hasenfuß! Ich glaube gar, ich fürchte mich. – Ob ich wohl Flora gleich beim Eintreten begegnen werde?«

Sie sah, wie ihm das Blut jäh und dunkel in das Gesicht stieg. »Soviel ich weiß, ist sie ausgefahren«, antwortete er mit bedeckter Stimme, und gleich darauf setzte er, jeder neuen Frage vorbeugend, hinzu: »Sie werden das ganze Haus heute noch in einer gewissen Aufregung finden – der Fürst hat Moritz vor wenigen Tagen den Adel verliehen.«

»Wofür denn?« stieß sie überrascht heraus.

»Nun, er hat bedeutende Verdienste um die Hebung der Industrie im Lande«, versetzte er so rasch und ernstlich, als gelte es, ein ungünstiges Urteil abzuwenden. »Dabei ist Moritz ein

Mensch von großer Herzensgüte — er tut sehr viel für die Armen.«

Käthe schüttelte den Kopf. »Sein Glück macht mir angst.«

»Sein Glück?« wiederholte er betonend. »Es kommt darauf an, wie er selbst diese Wechselfälle ansieht.«

»Oh, ganz gewiß als etwas Beseligendes«, antwortete sie entschieden. »Ich weiß aus seinen Briefen, daß ihm die Erwerbung weltlicher Güter Hauptlebenszweck ist. Seine letzte Zuschrift zum Beispiel war eine geradezu verzückte, weil — mein Erbe sich über alles Erwarten reich herausgestellt hat.«

Er ging schweigend neben ihr her. Dann fragte er mit einem Seitenblick: »Und Sie — bleiben denn Sie kalt, diesem Reichtum gegenüber?«

Käthe bog den Kopf mutwillig vor und sah ihm ins Gesicht. »Sie erwarten wahrscheinlich eine sehr gesetzte Antwort von mir großem Mädchen, so ein recht ernstes Ja, aber das kann ich mit dem besten Willen nicht herausbringen. Ich finde es nämlich über die Maßen hübsch, reich zu sein.«

Er lachte leise und fragte nicht weiter. Sie gingen rasch vorwärts und erreichten bald die Lindenallee. »Ach, dort die liebe, altmodische Bekannte steht auch noch«, rief das junge Mädchen, nach einer fernen Holzbrücke zeigend, die ihren schmucklosen, morschen Bogen über den Fluß schlug.

»Sie führt zu dem Grundstück am jenseitigen Ufer —«

»Ja, nach dem Gras- und Obstgarten. Ein hübsches altes Haus steht drin. Es hat als Wirtschaftsgebäude zu dem ehemaligen Schloß gehört, ist ganz von Wein umsponnen und hat breite Steinstufen vor der Tür . . . Köstlich anheimelnd und still ist's dort. Suse hatte ihren Bleichplatz im Garten, im Frühling war er ganz blau von Veilchen. Dort habe ich stets die ersten gesucht.«

»Das dürfen Sie auch jetzt noch — die kleine Besitzung ist seit heute morgen mein Eigentum.« Er warf einen warmen Blick hinüber.

Käthe dankte ihm, sah aber sehr nachdenklich auf die Kiesel nieder, über die sie hinschritten . . . Sollte ihre schöne Schwester als junge Frau in dem Hause wohnen? Flora Mangold, die Anspruchsvolle, der kein Salon hoch und weit, keine Ausschmückung reich genug sein konnte, in dem einsamen Haus mit den großen grünen Kachelöfen und den ausgetretenen Dielen? Wie mußte sie sich geändert haben — um seinetwillen!

Ein fernes Geräusch schreckte sie auf. Sie sah die Villa vor sich liegen. Von der Promenade her kam das Getöse eines heranrollenden Wagens immer näher. Es waren zwei prächtige Pferde, die gleich darauf um die nördliche Hausecke jagten. Geschirr und Wagen funkelten in Silberschmuck und im Glanze der Neuheit. Eine Dame hielt die Zügel in fester Hand, ihre Gestalt, um die sich dunkelfarbener, pelzverbrämter Samt schmiegte, saß so leicht und sylphenhaft dort, als schwebe sie über den Polstern. Von ihrer Stirn zurück wehten weiße Federn, und um das klassische Gesicht, den unbedeckten Hals, der sich glänzend weiß aus der dunklen Pelzeinfassung hob, flatterten krause blonde Locken.

»Flora! Ach, wie wunderschön ist meine Schwester!« rief Käthe enthusiastisch und streckte unwillkürlich die Rechte nach der Vorüberfliegenden aus, aber weder Flora, noch der Kommerzienrat, der mit verschränkten Armen neben ihr saß, hörten den Zuruf. Der Wagen bog um die entgegengesetzte Ecke, dann hörte man ihn drüben vor dem Portal halten.

Ein kleiner Kiesel tanzte vorbei — die Stockspitze des Doktors hatte ihn wie im Spiele fortgeschleudert. Jetzt erst fiel es Käthe auf, daß er nicht mehr an ihrer Seite ging. Mit einer lebhaften Gebärde wandte sie sich um. Er schritt unbeirrt, noch genau in dem Tempo wie vorher, aber in seiner Haltung schien er noch stolzer emporgereckt, noch strenger reserviert. Er mußte sie eben beobachtet haben, denn er wandte rasch und fast verlegen seine Augen weg. Mit Mühe verbiß sie ein Lächeln. Sie wußte, daß sie ihn bei einem vergleichenden Gedanken ertappt hatte, der ungefähr so lauten mochte: »Gott, was für eine vierschrötige Jungfrau neben meiner Elfe!«

»Ich bin erstaunt über den sicheren Mut, mit welchem Flora fährt«, sagte sie, als er wieder neben ihr ging.

»Weit mehr zu bewundern ist die Todesverachtung ihres Begleiters. Es war eine Probefahrt, und der Kommerzienrat hat die jungen Pferde gestern erst gekauft.« Er war bitter gereizt. Sie hörte das plötzlich in seiner Stimme und schwieg ganz erschrocken.

5.

Es fiel kein Wort mehr von beiden Seiten. Sie erreichten bald das Haus und traten durch eine Seitentür ein, während drüben der Wagen vom Portal wegfuhr. Ein Bedienter berichtete ihnen, daß die Damen und »der gnädige Herr« im Wintergarten seien, also in den Räumen der Frau Präsidentin.

Käthe hatte ihre ganze heitere Ruhe und Sicherheit wiedergefunden. Sie nahm eine Visitenkarte aus der Brieftasche und reichte sie dem Mann hin. »Für den Herrn Kommerzienrat«, sagte sie.

»So steif?« fragte Doktor Bruck lächelnd, während der Lakai geräuschlos über den dicken persischen Korridorteppich schlüpfte und hinter einer Tür verschwand. »So steif!« bestätigte sie ernsthaft. »Da ist die weiteste Distanz die beste. Ein biederes Hereinpoltern würde mir jedenfalls sehr schlecht bekommen. Ich fürchte nun selbst, ›den gnädigen Herrn‹ mit meiner unzeremoniellen Ankunft sehr in Verlegenheit zu bringen.«

Sie hatte sich nicht geirrt. Der Kommerzienrat kam im Sturmschritt aus den Gemächern. Mit dem bestürzten Ausruf: »Mein Gott, Käthe!«

Die Richtung seines Blickes war geradezu lächerlich − er suchte den Kopf der wie vom Himmel fallenden Mündel offenbar um zwei Fuß zu tief − und nun trat sie so hochgewachsen und festen Schrittes auf ihn zu und begrüßte ihn mit einem fast frauenhaft stolzen Kopfneigen.

»Lieber Moritz, sei nicht böse, daß ich der Abrede zuwider handle! Aber um mich abholen zu lassen, dazu bin ich nun doch schon ein wenig zu groß.«

»Recht hast du, Käthe. Die Zeit, wo ich dich an der Hand führte, ist vorüber«, sagte er gleichsam in den Anblick ihres Gesichtes verloren. »Nun, sei mir tausendmal willkommen!« Jetzt erst reichte er auch Bruck begrüßend die Hand.

»Bemühe dich nicht, Moritz! Das habe ich bereits selber besorgt«, unterbrach ihn das junge Mädchen. »Der Herr Doktor machte gerade Krankenbesuch bei Suse, als ich in die Mühle kam.«

Das Gesicht des Kommerzienrates verlängerte sich. »Die Mühle war dein Absteigequartier?« fragte er betreten. »Aber liebes Kind, die Großmama Urach hat mit der liebenswürdigsten Bereitwilligkeit erklärt, sich deiner anzunehmen. Mithin verstand es sich von selbst, daß du dich ihr sofort vorstelltest, statt dessen gehst du zu deiner alten Flamme, der Jungfer Suse! Ich bitte dich, sage das drin lieber nicht!« setzte er hastig hinzu.

»Verlangst du das ernstlich von mir?« Die fest klingende Mädchenstimme stach seltsam ab von seinem scheuen Flüsterton. »Ich kann doch nicht leugnen, wenn die Sache zur Sprache kommen sollte . . . Auf das Verheimlichen verstehe ich mich wirklich nicht, Moritz −« Sie verstummte für einen Moment, erschrocken über die Feuerglut, die ihm in das Gesicht schoß. Dann aber sagte sie resolut: »Habe ich einen Fehler begangen, so will ich mich auch dazu bekennen, es wird mich ja nicht gleich den Kopf kosten.«

»Wenn du einen gutgemeinten Wink so tragisch nehmen willst, dann habe ich allerdings nichts mehr zu sagen«, entgegnete er. »Den Kopf wird es freilich nicht kosten, aber deine Stellung in meinem Hause erschwerst du dir. Übrigens ganz wie du willst! Sieh du selbst, wie du dich mit diesem herben ›Gradedurch‹ in unseren hochfeinen Gesellschaftskreisen zurechtfindest!«

Schon bei den letzten Worten hatte sein Ton mehr scherzhaft als pikiert geklungen. Er bot ihr galant den Arm und führte sie nach dem ehemaligen Speisezimmer, das neben dem Wintergarten lag.

Zwischen den zwei Säulen, die einen Mittelweg in das Zimmer frei ließen, stand Flora. Sie war noch im Straßenkleid und augenscheinlich im Begriff, das Zimmer zu verlassen.

Beim Eintreten des hochgewachsenen Mädchens öffnete sie zuerst ihre graublauen Augen weit vor Erstaunen, aber auch ebenso rasch kniff sie die Lider zu einem blinzelnd prüfenden Blick zusammen, wobei ein sarkastisches Lächeln um ihre Lippen huschte.

»Nun rate, Flora, wen ich da bringe!« rief der Kommerzienrat.

»Da brauche ich mir nicht lange den Kopf zu zerbrechen − das ist Käthe, die sich allein auf den Weg gemacht hat«, versetzte sie in ihrer eigentümlich nachlässigen und doch so überaus bestimmten Art und Weise. »Wer die alte Sommer gekannt hat, der weiß, daß das stämmige Mädchen da mit dem weiß und roten Apfelgesicht ihre Enkelin sein muß, Augen und Haare aber hat sie genau wie Klothilde, deine verstorbene Frau, Moritz.«

Mit einer geschmeidigen Bewegung löste sie sich gleichsam aus dem Blumenrahmen, trat auf die Schwester zu, und den Kopf in den Nacken zurückbiegend, bot sie ihr die Lippen zum

Kuß. Ebenso nachlässig wie bei dem kühlen Begrüßungskuß nach sechsjähriger Trennung war ihr Wesen dem miteingetretenen Doktor gegenüber. »Grüß Gott, Bruck!« sagte sie und reichte ihm die Rechte, aber nicht wie eine Braut, sondern wie ein Kollege dem anderen. Er erfaßte die Hand mit leichtem Drucke und ließ es ruhig geschehen, daß sie sofort wieder zurückgezogen wurde.

Die äußere Zurückhaltung zwischen dem Brautpaar schien sich von selbst zu verstehen. Flora wandte unbefangen den Kopf zurück. »Großmama«, rief sie mit lächelndem Spott, »unser Goldfisch macht dir und deinen Bekannten die Freude, sich vier Wochen früher anstaunen zu lassen.«

Die Präsidentin war bereits bei Floras ersten Worten hinter einer Kameliengruppe hervorgetreten. Ohne daß sie es vielleicht selbst wußte, hatte sie die Angekommene mit jener Spannung gemustert, welche die meisten Menschen einem sogenannten Glückskind gegenüber an den Tag legen. Floras boshaft übermütiger Zuruf machte diesen Ausdruck sofort verschwinden. Die alte Dame zog unwillig die Brauen zusammen, und ein feines Rot der Verlegenheit flog über ihr bleiches Gesicht hin.

»Ich erinnere mich nicht, ein so auffälliges Interesse gerade für jene Eigenschaft deiner Schwester gezeigt zu haben«, sagte sie kühl und mit einem streng verweisenden Blick. »Wenn ich mich über Käthes Kommen freue und sie freundlich willkommen heiße, so geschieht das, weil sie meines lieben verstorbenen Mangold Kind und eure Schwester ist.«

Sie ging mit erhobenen Händen auf Käthe zu, als beabsichtige sie eine Umarmung, allein diese verbeugte sich so tief und zeremoniell, als stehe sie zum erstenmal in ihrem Leben vor der stolzen Schwiegermutter ihres Vaters. Ein scharfer Blick hätte in dieser einen Gebärde leicht das scheue Zurückweichen vor jeglicher Berührung erkannt, die Präsidentin aber sah darin offenbar nur das Anzeichen einer tiefen Achtung. Sie zog die Hände zurück und hauchte einen Kuß auf die Stirn des jungen Mädchens. »Bist du wirklich allein gekommen?« fragte sie. Ihre Augen suchten unruhig forschend die Tür, als müsse noch irgendeine nicht gerade willkommene Reisebegleitung eintreten.

»Ganz allein. Ich wollte einmal selbständig meine Flügel probieren, und das hat meine Doktorin gern erlaubt.«

»Ei, das glaube ich dir gern; das ist ja ganz im Sinne der alten Lukas«, sagte die Präsidentin mit einem leisen, ironischen Lächeln. »Sie war ja auch stets sehr selbständig . . . Dein guter Papa hatte sie ein ganz klein wenig verzogen, mein Kind. Sie tat, was ihr gefiel, selbstverständlich immer nur das Rechte – «

»Und das Verständige. Aus dem Grunde mag ihr wohl auch der Papa seine jüngste wilde Hummel anvertraut haben«, setzte Käthe mit jener heiteren Unbefangenheit hinzu, die ihr ganzes Wesen charakterisierte. Aber gerade dieser Freimut, diese Leichtigkeit und Sicherheit schienen unangenehm zu berühren.

Die Präsidentin zog die Schultern leicht empor. »Dein Papa hat sicher dein Bestes gewollt, liebe Käthe, und meine Sache ist es nie gewesen, irgendeine seiner Maßregeln zu bemäkeln. Aber er war eine vornehme Natur und hielt streng auf gute Formen – ob es ihn nun doch nicht einigermaßen in Verlegenheit gebracht hätte, wenn ihm sein heiteres Töchterchen plötzlich so ohne weiteres, so frank und frei in das Haus geflattert wäre?«

»Wer weiß?« versetzte Käthe. »Der Papa würde doch wissen, wes Geistes Kind diese Tochter ist«, – ein mutwilliger Strahl blitzte aus ihren braunen Augen – »Müllerblut, das schlägt sich tapfer und wohlgemut durch die Welt, Frau Präsidentin.«

Der Kommerzienrat räusperte sich und strich eifrig seinen schönen Lippenbart, während die Präsidentin so betreten aussah, als habe unvermutet ein allzu kräftiger Luftzug ihr vornehmes Gesicht angeblasen. Flora aber brach in ein helles Gelächter aus. »Kind Gottes, du bist kostbar naiv«, rief sie, die Hände zusammenschlagend. »Ja, ja: ›Das Wandern ist des Müllers Lust, das Wandern‹«, trug sie vor. »Mit einer solchen Äußerung müßte unsere Jüngste nächstens in Moritzens großer Abendgesellschaft debütieren, Großmama. Da würden sie die Ohren spitzen!« Sie blinzelte die alte Dame schadenfroh an, die jedoch ihr Gleichgewicht schon wiedergefunden hatte.

»Ich vertraue dem angeborenen Takt deiner Schwester, mein Kind«, sagte sie, ihre Hand nebenbei nun auch dem Doktor zur Begrüßung hinstreckend. Dazu lächelte sie mit jenem feinen Zusammenziehen der Lippen, von welchem man nie wußte, ob es süß oder sauer war.

»Takt, Takt – der wird viel helfen«, wiederholte Flora, den

Kopf spöttisch wiegend. »Die gute Lukas hat es eben nicht ver-standen, ihr ein wenig Weltklugheit einzupauken – da fehlt's. Übrigens bin ich wirklich froh, daß du allein gekommen bist, Käthe. Ich hoffe, es wird sich so besser mit dir leben lassen, als wenn du am Rock deiner alten hausbackenen Gouvernante hingst.«

Käthe hatte das Barett abgenommen, die schwüle Blumen-luft trieb ihr das Blut heiß in die Wangen. Jetzt mit der dicken goldbraunen Haarflechte über der Stirn sah sie noch größer aus.

»Hausbacken? Meine Doktorin?« rief sie lebhaft. »Eine poe-sievollere Frau läßt sich nicht denken.«

»Ei, was du sagst! Sie schwärmt wohl den Mond an, schreibt empfindsame Verse ab und so weiter. Oder dichtet sie gar selbst? Wie?«

Das junge Mädchen richtete die glänzenden Augen mit klu-gem Blick auf das Gesicht der Spötterin. »Verse nicht, aber die Manuskripte ihres Mannes schreibt sie ab, weil die Setzer der medizinischen Zeitschriften seine wunderlichen Krakelfüße absolut nicht entziffern können«, sagte sie nach einem kurzen Moment schweigender Prüfung. »Sie schreibt auch keine eige-nen Verse oder Novellen – dazu fehlt ihr die Zeit, und doch dichtet sie . . . Ach, du lächelst noch genauso wie früher, Flora, aber das Spottlächeln scheucht mich nicht mehr in die Ecken. Ich habe eine streitbare Ader und behaupte weiter: Sie dichtet doch in der Art und Weise, wie sie das Leben nimmt und ihm stets eine Seite abzugewinnen weiß, von der ein verklärendes Licht ausgeht, wie sie ihr einfaches Heim ausschmückt – aus jedem Eckchen guckt ein schöner Gedanke – und wie sie es unsäglich gemütlich für ihren braven Mann und mich alten Kindskopf und die wenigen auserwählten Freunde des Hauses zu erhalten versteht.«

In diesem Augenblick flog ein ganzer Regen von frischen Veilchen gegen die Brust des jungen Mädchens und rieselte auf den Fußboden nieder.

»Bravo, Käthe!« rief Henriette. Sie stand im Wintergarten und preßte die bleichen Hände auf ihre heftig atmende Brust. »Ich möchte dir gleich um den Hals fliegen, aber – sieh mich doch an! – müßte das nicht zum Totlachen sein? Du, so kern-gesund an Leib und Seele, und ich –« Ihre Stimme versagte.

Käthe warf das Barett, das sie noch in der Linken hielt, von sich und flog zu ihr. Sie umschlang zärtlich die schwache Gestalt, aber die Tränen des Erbarmens wurden weislich unterdrückt.

Flora biß sich auf die Lippen. »Das Jüngste« war nicht nur imposant an Leibesgestalt geworden, es hatte auch in den hellen Augen und auf den Lippen den seltenen Freimut innerer Unabhängigkeit, der manchmal so unbequem werden kann. Ihr kam plötzlich die kleine Ahnung, als trete mit dem kraftvollen Mädchen dort eine schattenwerfende Gestalt in ihr Leben.

Sie nahm hastig den Hut ab. »Hast du das poetische Reisebündelchen da wirklich von Dresden mitgebracht?« fragte sie trocken, mit einem blinzelnden Seitenblick nach dem zusammengeknüpften weißen Tuch am Arme der Angekommenen.

Das junge Mädchen löste die verschlungenen Enden und reichte Henriette die Taube hin. »Ein kleiner Patient, der dir gehört«, sagte sie. »Das arme Ding ist flügellahm geschossen. Es fiel im Schloßmühlenhof auf das Pflaster.«

Da war bereits die Einkehr in der Mühle verraten, allein die Präsidentin schien die letzten Worte ganz zu überhören, sie zeigte tief empört auf das verwundete Tierchen und sagte, nach dem Kommerzienrat zurückgewendet, mit strafendem Vorwurf: »Das ist nun die vierte, Moritz.«

»Und noch dazu mein Liebling, mein Silberköpfchen!« rief Henriette und wischte sich eine Träne des Schmerzes und der Erbitterung von den Wangen.

Der Kommerzienrat war blaß vor Schreck und Ärger. »Liebe Großmama, ich bitte Sie dringend, machen Sie mir daraus keinen Vorwurf mehr!« rief er fast heftig. »Ich tue, was möglich ist, um diesen bodenlosen Nichtswürdigkeiten auf die Spur zu kommen und sie zu verhindern, aber der Täter versteckt sich hinter der Phalanx von zweihundert erbitterten Menschen« – er zuckte die Achseln – »da läßt sich gar nichts tun. Ich habe deshalb auch Henriette wiederholt gebeten, ihre Tauben einzuschließen, bis die Aufregung vorüber ist.«

»Also wir werden in der Tat die Nachgebenden sein müssen? Es wird immer besser«, sagte die alte Dame, zog an der Schleierwolke, die ihr um Gesicht und Hals lag, als ob ihr die innere Aufregung unerträglich warm mache. »Sagst du dir nicht selbst, Moritz, daß eine solche Gleichgültigkeit die Verwegenheit geradezu herausfordert? Man wird das geduldige

Taubenschießen nachgerade langweilig finden und sich edleres Wild aussuchen.«

»So ist es«, rief Flora. »Meine Jungfer hat heute morgen beim Öffnen der Läden wieder einmal einen Drohbrief auf meinem Fenstersims gefunden. Sie sah sich gezwungen, ihn mit der Feuerzange anzufassen und mir zur Einsicht hinzuhalten – so unappetitlich war der Wisch. Wissen möchte ich aber doch, weshalb die Menschen gerade mich so ganz besonders mit ihrem Klassenhaß beehren.«

Käthe konnte den Gedanken nicht unterdrücken, daß es sich hier wohl weniger um den Haß gegen die bevorzugte Klasse als gegen die Persönlichkeit selbst handle.

»Die gehässigen Angriffe sind doppelt lächerlich durch den Umstand, daß gerade ich mich für die soziale Frage lebhaft interessiere«, fuhr Flora unter kurzem Auflachen fort. »Ich habe schon manchen zugunsten der Arbeiterklasse wirkenden Artikel in die Welt hinausgeschickt.«

»Mit dem Schreiben allein macht man das heute nicht mehr«, sagte Doktor Bruck vom Fenster herüber. »Die besten Federn haben sich stumpf geschrieben, und die Wogen der Bewegung gehen immer höher und schwemmen die Theorien vom Papier.«

Aller Augen richteten sich auf ihn. »Ei, und was soll man tun?« fragte Flora spitz.

»Sich die Leute und ihre Forderungen selbst ansehen. Was nutzt es, wenn du aus dem Heer von Denkschriften und Broschüren über dieses Problem das ›Für und Wider‹ an deinem Schreibtisch mühsam zusammensuchst –«

»Oh, bitte –« In ihren Augen entzündete sich plötzlich ein grelles Feuer.

»Deine Artikel werden diesen Leuten schwerlich zu Gesicht kommen, und wenn auch – was helfen sie ihnen? Worte bauen ihnen keine Heimstätte. Gerade den Frauen in den Familien der Arbeitgeber fällt ein bedeutender Teil der Lösung zu.«

Die Präsidentin strich mit ihren schlanken Händen langsam über die atlasspiegelnde Fläche ihres Überkleides und sagte gelassen: »Ich gebe sehr gern, nur bin ich nicht gewohnt, meine Almosen direkt in die Hand der Heischenden zu legen, und so mag es kommen, daß man nicht weiß, wie viel und wie oft ich gebe. Dieses Verkennen läßt mich übrigens sehr ruhig, selbst wenn es mich verantwortlich machen möchte für die Roheiten, denen wir augenblicklich ausgesetzt sind.«

»Die Roheiten sind abscheulich. Niemand kann sie strenger verurteilen als ich«, versetzte Doktor Bruck kalt, »aber – «

»Nun ›aber‹? Sie behaupten doch, wir Frauen im Hause des Arbeitgebers hätten sie provoziert?«

»Ja, Frau Präsidentin, Sie haben den Arbeitgeber abgehalten, seinen Leuten helfend entgegenzukommen, die Forderung der Arbeiter war keine unbillige, sie wollten auch keine Almosen, sondern mit Hilfe des Fabrikherrn sich selbst emporarbeiten.«

Die alte Dame klopfte ihm leicht auf die Schulter. »Sie sind ein Idealist, Herr Doktor.«

»Nur ein Menschenfreund«, versetzt er flüchtig lächelnd und griff nach seinem Hut.

Seine Braut hatte ihm längst den Rücken gewendet und war an das andere Fenster getreten. Kein Frauengesicht war mehr geeignet, den Ausdruck der Feindseligkeit anzunehmen als dieses Profil, das die Lippen so fest über den Zähnen zu schließen vermochte . . . Der Mann dort hatte mit dürren Worten gesagt, sie suche an ihrem Schreibtisch mühsam fremde Ideen zusammen – unerhört, bei ihrer Begabung! Sie hatte allerdings nie ihre feinen Sohlen mit dem Arbeitsstaub in des Schwagers Spinnerei befleckt. Aber wozu denn auch? Mußte man denn alles in Wirklichkeit gesehen und erlebt haben, was man schilderte? Lächerlich! Wozu waren denn Geist und Phantasie da? . . . Bis heute hatte der Doktor ihre literarischen Bestrebungen mit keiner Silbe berührt – und nun griff er dieses Wirken plötzlich so plump, so verständnislos an – er! Sie rang schwer mit sich. »Ich begreife nicht, Großmama, wie du dich zu der Bezeichnung ›Idealist‹ versteigen konntest«, rief sie mit funkelnden Augen herüber. »Ich dächte, Bruck hätte vorhin das große Thema trocken genug beleuchtet. Nach seinem Programm sollen wir schleunigst Komfort und Eleganz abstreifen und in Sack und Asche gehen, wir sollen uns beileibe nicht geistig beschäftigen, sondern Volkssuppen kochen. Daß wir die Stille und Abgeschlossenheit unseres Parkes verteidigen, ist Todsünde – es versteht sich von selbst, daß wir die hoffnungsvolle Schuljugend direkt unter unseren Fenstern turnen und lärmen lassen.« Sie lachte kurz und hart auf. »Übrigens verrechnet sich solch ein Menschenfreund mit seinen

42

Sympathien ganz gewaltig. Sollte es wirklich zu einem Zusammenstoß kommen, dann wird das Gespenst mit ihm ebenso kurzen Prozeß machen wie mit uns auch.«

»Ich habe nicht viel zu verlieren«, sagte der Doktor mit halbem Lächeln.

Flora kam raschen Schrittes herüber.

»Oh, seit heute morgen darfst du das nicht mehr sagen, Bruck«, entgegnete sie beißend. »Bist ja Hausbesitzer geworden, wie mir Moritz mitteilte. Allen Ernstes — hast du wirklich deine Drohung wahr gemacht und die entsetzliche Baracke drüben am Fluß erstanden?«

»Meine Drohung?«

»Nun, anders kann ich's doch nicht nennen, wenn du mir ein solches Schreckbild für die Zukunft hinstellst? Ich frage dich ernstlich: Wer soll darin wohnen?«

»Du brauchst sie mit keinem Fuß zu betreten.«

»Das werde ich auch niemals — darauf kannst du dich verlassen. Eher —«

»Ich habe das Haus für meine Tante bestimmt und werde nur ein Zimmer für mich reservieren, das mir für meine freien Stunden einen ungestörten Arbeitswinkel im Grünen bietet«, sagte er darauf ruhig.

»Also ein spezielles Sommerasyl! — Und im Winter, Bruck?«

»Im Winter werde ich mich mit dem grüntapezierten Zimmer begnügen müssen, das du in unserer zukünftigen Wohnung selbst für mich bestimmt hast.«

»Aufrichtig gestanden — ich mag die Wohnung nicht mehr. Gerade um dieses Eckhaus tost der Straßenlärm unaufhörlich und wird mich stören, wenn ich arbeiten will.«

»Nun, dann werde ich dem Hauswirt Abstandsgeld zahlen und eine andere suchen«, entgegnete er mit unerschütterlichem Gleichmut.

Flora wandte sich achselzuckend von ihm weg und zwar so, daß Käthe ihr voll ins Gesicht sehen konnte. Fast schien es, als stampfe die Braut den Boden. Sie warf den Kopf in den Nacken mit einem Augenaufschlag nach der Zimmerdecke, als ob sie verzweifelt ausrufen wollte: »Gott im Himmel, ist ihm denn gar nicht beizukommen?«

In diesem Augenblick schellte die Präsidentin so stark, daß das Geklingel scharf und anhaltend vom Ende des langen Kor-

ridors hereindrang. Die alte Dame sah streng und beleidigt aus
– in ihrem Beisein durfte es zu solchen taktlosen Auseinander-
setzungen nicht kommen. »Du magst nicht gerade vorteilhaft
über die Gastfreundschaft und den guten Ton im Hause deines
Schwagers denken, Käthe«, sagte sie zu dem jungen Mädchen.
»Man hat dir weder die Reisejacke abgenommen, noch einen
Stuhl angeboten. Statt dessen mußt du, gleichviel ob du Lust
hast oder nicht, unnütze Erörterungen anhören und auf dem
kalten Steinfußboden stehen, während dort die dicken, warmen Teppiche liegen.« Sie zeigte nach den zwei entgegenge-
setzten Zimmerecken, welche Gruppen von Polstermöbeln
und in der Tat kostbare, schwellende Smyrnateppiche ausfüll-
ten, dann gab sie dem eintretenden Bediensteten Befehl für die
Hausmamsell hinsichtlich der schleunigen Instandsetzung einiger Gastzimmer.

Damit war die atemlose, herzbeklemmende Spannung gelöst, welche sich bei dem zugespitzten Wortwechsel der Zuhö-
renden bemächtigt hatte. Der Kommerzienrat beeilte sich, der
Angekommenen das Jackett abzunehmen, und Henriette verließ mit einer tiefen Fieberglut auf den eingefallenen Wangen
den Wintergarten, um ihre Taube fortzutragen.

»Wollen Sie nicht zum Tee bleiben, Herr Doktor?« fragte
die Präsidentin den Arzt, der sich abschiednehmend vor ihr
verbeugte. Er entschuldigte sich mit einigen Krankenbesu-
chen, die er noch zu machen habe. Gründe, bei denen es sarka-
stisch um Floras Lippen zuckte, aber das schien er nicht zu bemerken, er reichte ihr die Hand, ebenso dem Kommerzienrat,
vor Käthe aber neigte er sich ritterlich ehrerbietig.

»Hör mal, Flora, für künftig verbitte ich mir dergleichen unerquickliche Szenen, wie wir sie eben mit ansehen mußten«,
sagte die Präsidentin stirnrunzelnd mit sehr verschärfter
Stimme, nachdem sich die Tür hinter den Hinausgehenden geschlossen hatte. »Du hast dir die vollkommene Freiheit ge-
wahrt, auf dein Ziel loszusteuern, wie es dir paßt und gefällt –
gut – von meiner Seite ist dir bisher nicht das Geringste in den
Weg gelegt worden, aber ich protestiere energisch, sobald du
Lust zeigst, die widerwärtige Sache vor meinen Augen auszu-
fechten. Wie gesagt, ich verbitte mir das ernstlich! Soll ich dir
wiederholen –«

»Liebe Großmama«, unterbrach sie die junge Dame spöttisch und verächtlich, »wiederhole nicht! . . . Du willst doch

nur sagen: ›In diesem Hause kann gemordet werden; es kann brennen — gleichviel, wenn nur die Frau Präsidentin Urach leuchtend wie ein Phönix aus der Asche hervorgeht‹ . . . Verzeihung, Großmama! Ich will es in meinem ganzen Leben nie wieder tun. Das Haus ist ja groß genug, man kann außer deinem Gesichtskreis auf die Mensur gehen. Ach, wenn es mir nur nicht so entsetzlich schwer gemacht würde! Ich fürchte, eines schönen Tages verliere ich doch die Geduld —«

»Flora!« rief der Kommerzienrat mit einer Art von bittender Mahnung.

»Schon gut, mein Herr von Römer! Ich habe selbstverständlich jetzt auch Rücksicht auf deine neue Standeswürde zu nehmen. Gott, was alles lastet auf meinen Schultern!«

Sie griff nach ihrem Hut, um zu gehen. Vor Käthe hielt sie den Schritt an.

»Siehst du, mein lieber Schatz«, sagte sie und legte der jungen Schwester den Zeigefinger unter das Kinn, »so geht es dem armen Frauenzimmer, wenn es sich für einen kurzen Moment mit der Sentimentalität einläßt und zu lieben sich einbildet. Es hat plötzlich den Fuß im Tellereisen und sieht wehklagend zu, daß die abgedroschene Lehre: ›Drum prüfe, wer sich ewig bindet!‹ eine abscheuliche neue Wahrheit enthält — denke an deine Schwester, und nimm dich in acht, Kind!«

Damit ging sie hinaus, und Käthe sah ihr mit großoffenen Augen nach. Was für eine seltsame, unbräutliche Braut war doch die schöne Schwester! —

6.

Nahe der westlichen Grenze des Parkes lagen die Überreste des ehemaligen alten Herrenhauses Baumgarten. Von dem ganzen einst wohlbefestigten und mit Wassergräben umgebenen Ritterschloß stand nur noch ein Turm von bedeutender Größe, an den sich der geschwärzte Mauerrest eines Seitenflügels festklammerte. Vor sechzig Jahren war der Bau niedergerissen und die schön behauenen Granitblöcke des alten Schlosses beim Neubau verwendet worden. Den Turm mit seinem Ruinenanhängsel hatte man als Schmuck der Parkanlagen respektiert. Er erhob sich auf einem grün berasten künstlichen Hügel.

Diese Ruine inmitten eines Wasserringes hatte jedenfalls ihren Zweck als Dekoration erfüllt, aber nach dem damaligen Besitzer war eine praktische, nutzheischende Generation gekommen — sie hatte das Wasser aus dem Graben abgeleitet und in dem vortrefflichen Schlammboden Gemüse gepflanzt. Das war nach dem Ausspruch des Schloßmüllers das einzig Vernünftige gewesen, das er bei seinem Ankauf im Park vorgefunden, und als solches hatte er auch das einträgliche Stückchen Boden sofort zur eigenen Benutzung beansprucht. Käthe war als Kind sehr gern in dem kleinen Tal, wie sie den Graben nannte, umhergewandert, sie war mit Suse stundenlang pflückend durch die Wildnis der Stangenbohnen und jungen Erbsen geschlüpft, ahnungslos, daß bei einem plötzlichen Durchbruch vom Fluß her die Fluten hereinströmen und sie und Suse und die ganze Herrlichkeit verschlingen könnten.

Heute nun, am fünften Tage nach ihrer Ankunft, betrat sie zum erstenmal wieder diese entlegene Parkpartie und stand wie geblendet. Noch hingen die Hopfenranken blätterlos wie ein fahles Netz um die Mauern, und der Hügelrasen, winterdürr und zerwühlt, zeigte noch keine grüne Halmspitze, aber die Aprilsonne lag breit und glänzend auf dem ruinengekrönten Hügel und hob ihn malerisch vor dem Tannenwald ab, der im Hintergrund sich über eine lange Bergwand hindehnte. Das kleine Tal aber war verschwunden. Ein breiter, funkelnder Wassergürtel umflutete wieder wie vorzeiten den Hügel, als habe die regsame Menschenkraft nie seinen stillen Grund in Besitz gehabt.

Eine Brücke, in Ketten hängend, schwang sich über den Graben, und drüben, vor ihrem schmalen Ausgang quer hingestreckt, lag eine riesige Bulldogge. Den Kopf auf die Vorderpfoten gelegt, beobachtete sie mit wachsamen Augen das jenseitige Ufer.

»Da siehst du nun Moritzens Tuskulum, Käthe«, sagte Henriette, die an Käthens Arm hing. »Einst Burgverlies mit den üblichen Marterwerkzeugen und Todesseufzern, vor noch vier Monaten unbestrittener Wohnsitz verschiedener Eulen und Fledermäuse und meiner Tauben, und jetzt Salon, Schlafgemach und sogar Schatzkammer des Herrn Kommerzienrats von Römer.«

Flora war auch mitgekommen. »Wem's gefällt!« sagte sie trocken und achselzuckend. »Übrigens eine merkwürdig originelle Idee für einen Krämerkopf — meinst du nicht, Käthe?«

Sie schritt an den Schwestern vorbei über die Brücke. Ein Stoß ihres schönen Fußes scheuchte den Hund aus dem Wege, dann stieg sie den Rasenhang hinauf.

Unwillkürlich glitt Käthens Blick von ihr weg auf Henriette, die sich dicht an ihre Seite geschmiegt, und das Herz tat ihr weh. Die hinfällige Gestalt mit ihren edlen Linien in dem knapp anliegenden Überkleid von glänzenden Farben, balancierte förmlich auf übermäßig hohen Absätzen. Sie atmete so kurz und hastig und sah so grellbunt, so kokett und dadurch fast lächerlich aus. Aber sie hatte in den letzten zwei Tagen an häufig wiederkehrenden Erstickensanfällen gelitten, und sie wollte doch nicht krank sein — die Welt sollte nun einmal nicht wissen, daß sie leide. Sie konnte mitleidigen Blicken oder teilnehmenden Bemerkungen gegenüber so zornig und beißend werden, und doch hatte sie schwerer als sonst gelitten, denn Doktor Bruck, der sie behandelte und ihr stets Linderung zu verschaffen wußte, war verreist, und zwar wenige Stunden nach seinem neulichen Weggang aus der Villa. Er sei von einem Freund telegraphisch nach I. . . . berufen worden und werde mehrere Tage ausbleiben, hatte er seiner Braut in einem kurzen Brief mitgeteilt. Der ärztliche Beistand des Medizinalrates von Bär aber war von der Kranken energisch zurückgewiesen worden — »lieber sterben!« hatte sie, mit ihrer Erstikkungsangst kämpfend, geflüstert. Käthe hatte die Schwester fast allein gepflegt und hütete sie seitdem mit zärtlicher Sorgfalt. Jetzt legte sie ihren Arm sanft um die gebrechliche Gestalt und führte sie über die Brücke, nach der Ruine.

Wie oft war sie als Kind den Rasenhang hinaufgelaufen und durch das Gestrüpp gekrochen! Wie oft hatte sie durch das weite Schlüsselloch der Turmpforte gelugt! In den Kellern des Turmes sollte noch Pulver aus dem Dreißigjährigen Krieg liegen und an den Wänden herum läge »lauter grausiges Zeug«, hatten die Dienstleute gesagt. Aber es war immer rabenschwarze Finsternis drin gewesen, und eine dicke, schwere Luft hatte das lauschende Kindergesicht erschreckend angehaucht. Hatten nun gar ein Paar Eulenflügel sich von droben geregt, dann war sie, wie von Furien gejagt, den Hügel hinabgesprungen und hatte sich mit beiden Händen, von Grauen geschüttelt, an Suses Schürze angeklammert . . . Jetzt stand sie drin, am Fuße einer teppichbelegten Wendeltreppe, und bestaunte mit großen Augen die Wunder, die das Geld des reichen Kaufmannes bewirkt. Draußen scheinbar zusammensinkendes Trümmerwerk, und innen ein vollkommenes Ritterheimwesen. Der einst mit den Augen nicht zu durchdringende Raum war ein weites Gewölbe, das mit seinen starken Steinbögen die ganze Last der oberen Stockwerke trug. Der Bau war ein sogenannter Bergfried, in Zeiten der höchsten Gefahr ein Zufluchtsort für die Burgbewohner gewesen. Als solcher hatte er damals in seinen oberen Gemächern jedenfalls nur die allernotwendigste Einrichtung enthalten, jetzt aber durfte er sich an Prachtentfaltung getrost mit den ehemaligen Bankettsälen im Haupthaus messen.

Als die beiden Schwestern in das erste Zimmer des oberen Stockwerks traten, da lehnte Flora bereits, eine glimmende Zigarette in der Rechten, graziös nachlässig zwischen den purpurfarbenen Kissen eines Ruhebettes und sah zu, wie der Kommerzienrat in der silbernen Maschine den Nachmittagskaffee braute. Er hatte die drei Schwägerinnen dazu eingeladen.

»Nun, Käthe?« rief er dem jungen Mädchen entgegen und deutete mit dem ausgestreckten Arm bezeichnend rundum über das Neugeschaffene.

Sie stand auf der Schwelle, einen schwarzen Schleier lose über die goldbraunen Flechten geworfen, hellen, lachenden Auges und so hoch und kraftvoll, als entstamme sie selbst dem alten Reckengeschlecht derer von Baumgarten.

»Hochromantisch, Moritz! Die Täuschung ist vollkommen«, antwortete sie heiter. »Der da unten«, sie zeigte durch das nächste Fenster hinab auf den flimmernden Wassergürtel, »könnte einen durch seine ernsthafte Verteidigungsmiene erschrecken, wüßte man nicht, daß ein Kommerzienrat des neunzehnten Jahrhunderts dahintersitzt.«

Er zog die feinen Augenbrauen finster zusammen, und sein Blick streifte unsicher ihr Gesicht — sie bemerkte es nicht. »Hübsch und löblich ist es ganz gewiß nicht gewesen, daß sich Kohl und Rüben früher auf seinem Grunde breitmachen durften«, fuhr sie fort, »das weiß ich nun, wenn mich auch das kleine Tal in der Erinnerung anheimelt. Aber ist es nicht ein interessantes, wunderliches Spiel des Wechsels, daß der Kaufmann die Schranken erneuert, die das alte Rittergeschlecht zuletzt selbst mißachtet und als überflüssig entfernt hat?«

»Vergiß nicht, meine liebe Käthe, daß ich nunmehr der Ritterschaft angehöre!« versetzte er leicht gereizt. »Traurig genug, daß sich die alten Geschlechter dem Zeitgeist anbequemt und ehrwürdige Einrichtungen achtlos aufgegeben haben. Es ist ein unverantwortlicher Raub an uns, die wir die Nachfolgenden sind.«

»Schwachkopf! Er ist katholischer als der Papst«, murmelte Henriette ergrimmt. Sie schritt tiefer ins Zimmer, während Käthe mechanisch die Tür hinter sich fester zuzog, ohne den halb erschrockenen, halb nachdenklichen Blick von dem sichtlich erregten Mann am Kredenztisch wegzuwenden. Sie hatte ihn als Kind gern gehabt, wie alle Menschen, die mit ihm verkehrten. Früh verwaist, aus einer braven Handwerkerfamilie stammend, von bestechend schönem Äußeren und einschmeichelndem Wesen, war er in das Geschäft des Bankiers Mangold als Lehrling gekommen und schließlich dessen Schwiegersohn geworden. Käthe hatte ihn immer nur fügsam bis zur Unterwürfigkeit ihrem Vater gegenüber gesehen, auch war er stets gleichmäßig freundlich und hilfreich selbst gegen die untersten Dienstleute gewesen – und jetzt schwebte um den schöngeschwungenen Männermund dort ein scharf ausgeprägter Zug von widerwärtigem Hochmut.

Henriette hatte sich auf einen niedrigen polsterbelegten Schemel gekauert, und die Arme auf die Knie legend, sagte sie: »Liebster Moritz, ich bitte dich, tue nicht so entsetzlich herausfordernd! Es könnte irgendeine alte Ahnfrau darüber aufwachen und sehen, wie der tapfere Nachfolger und Burgherr Kaffee kocht und das züchtige Burgfräulein bequem dort liegt und Zigaretten raucht – na, die würde Augen machen!«

Flora veränderte ihre Stellung nicht um eine Linie; sie nahm nur langsam die Zigarette aus dem spöttisch lächelnden Mund. »Stört es dich, Schätzchen?« fragte sie in gemacht gleichgültigem Ton und stäubte mit dem Ringfinger die Asche ab.

»Mich?« – Henriette lachte hart auf. »Du weißt, daß ich mich durch dein geniales Tun und Treiben nicht genieren lasse – die Welt ist weit, Flora, man kann sich aus dem Wege gehen und –«

»Pst, nicht so bissig, Kleine! Ich fragte aus purem Mitleid, weil du brustkrank bist.«

Ein fliegendes Rot erschien und verschwand in jähem Wechsel auf den schmalen Wangen der Kranken, und in ihren Augen funkelten Tränen — sie bezwang sich mühsam.

»Du übst dich im Rauchen und wirst das vielleicht drei bis vier Wochen konsequent durchführen, weil es Leute gibt, die Tabakrauch im Frauenmund verabscheuen. Du suchst Händel, willst erzürnen, es ist der letzte Hebel, den du ansetzest —«

Flora richtete sich aus ihrer halb liegenden Stellung auf. »Ist es nicht meine Sache, ob ich gefallen oder abstoßen will?«

»Weit entfernt! In deinem Fall bleibt dir nur noch die Aufgabe, zu beglücken«, brauste Henriette empört auf.

»Lächerlich! Trage ich hier vielleicht den Ehering?« — sie zeigte auf den elfenbeinweißen Goldfinger der Rechten. »Gott sei Dank, nein! Übrigens hast du am allerwenigsten Ursache, dich aufzuregen. Du bist krank, armes Ding, und mehr als je auf deinen Arzt angewiesen, aber er zieht es vor, eine Vergnügungsreise zu machen und auf unmotivierte Weise wochenlang fortzubleiben.«

Jetzt mischte sich auch der Kommerzienrat in den Wortwechsel der erbitterten Schwestern. »Unmotiviert, Flora, weil er dir den Grund seiner Reise nicht des langen und breiten mitgeteilt hat?« rief er ärgerlich. »Bruck spricht nie über seinen Beruf und die damit verknüpften Vorkommnisse, das weißt du. Er ist ohne Zweifel an ein Krankenbett gerufen worden.«

»Nach L. . . ., wo man berühmte Universitätsprofessoren haben kann? Ha, ha, ha! Eine kostbare Idee! Mache dich doch nicht lächerlich mit dergleichen Illusionen, Moritz! Übrigens ist das ein Punkt, über den ich grundsätzlich nicht mehr mit euch streite — basta!« Sie streckte ihre Rechte nach der Kaffeetasse aus und schlürfte den köstlich duftenden Trank. Henriette aber schob grollend die gebotene Labung zurück, stand auf und trat an die Glastür.

Sie riß den Türflügel auf, und die krampfhaft geballten Hände gegen die Brust drückend, sog sie angstvoll gierig die frische Luft ein, aber eine augenblickliche Erstickungsnot machte sich doch geltend. Käthe und der Kommerzienrat eilten, die Leidende zu unterstützen, und auch Flora erhob sich. Sie warf unwillig die Zigarette in den Aschenbecher. »Du gehörst von Rechts wegen ins Bett, Henriette, ich habe dich gleich gewarnt, aber du hast ja nie Ohren für einen wohlgemeinten Rat. Ebenso eigensinnig bist du bezüglich der ärztlichen Hilfe —«

»Weil ich meine kranke Lunge nicht dem ersten besten Giftmischer anvertraue«, ergänzte Henriette in mattem, aber sehr entschiedenem Ton.

»O weh, das geht meinem armen alten Medizinalrat an die Ehre«, rief Flora lächelnd. Sie zog die Schulter hoch. »Immerhin, Kind, wenn es dir Vergnügen macht! Ich kann ja auch nicht wissen, wie er seine Mixturen mischt, so viel aber darf ich behaupten, daß er noch nie einem Patienten ungeschickterweise nahezu — den Hals abgeschnitten hat.«

Der Kommerzienrat fuhr mit bleichem Gesicht herum und hob unwillkürlich die Hand, als wolle er sie auf den lästernden Frauenmund pressen. Er schien sprachlos — sein Blick streifte scheu Käthes Gesicht.

»Du Herzlose!« stieß Henriette hervor.

»Herzlos bin ich nicht, aber unerschrocken genug, böse Dinge beim Namen zu nennen, selbst wenn die harten Worte auf eigene Wunden zurückschlagen sollten. Denke an jenen schlimmen Abend und frage dich, wer recht behalten hat! Ich wußte, daß ein tiefer Sturz aus den Höhen fälschlich erträumter Berühmtheit erfolgen mußte — er ist erfolgt, zermalmender, rettungsloser als ich selbst gefürchtet, oder wollt ihr auch die einstimmige Verurteilung von seiten des Publikums wegdisputieren. Daß ich aber nicht mit stürzen will, wird jeder begreifen, der mich kennt . . . Ich kann nicht beschönigen und vertuschen, wie es zum Beispiel die Großmama so vortrefflich versteht, ich will es auch gar nicht. Keine Rolle ist lächerlicher als die jener ahnungslosen Frauenseelen, die da noch öffentlich anbeten, wo, wie die Welt sich zuzischelt, längst nichts mehr zu verehren ist.«

Sie schlug auch den anderen Türflügel zurück und trat hinaus auf den Söller. »Übrigens hat es ja in seiner Hand gelegen, mich zu bekehren«, fuhr sie fort. »Aber er hat es vorgezogen, auf meine erste und einzige dahin zielende Frage stolz wie ein Spanier mit einem Eisesblick zu antworten —«

»Diese Antwort sollte dir genug sein —«

»Ganz und gar nicht, mein lieber Moritz, ich finde sie sehr bequem und wohlfeil. Aber ich will dir zeigen, daß mir der gute Wille nicht fehlt, indem ich dir hiermit noch einmal wiederhole, was ich gleich zu Anfang verlangt habe: Beweise mir und der Welt, daß er seine Schuldigkeit getan hat, denn du warst Zeuge!«

Er trat rasch von der Türschwelle zurück und legte die Hand schützend über die Augen. Das Sonnenlicht, das den Balkon grell überströmte, belästigte ihn unerträglich. »Du weißt allzu gut, daß ich das nicht in der Weise kann, wie du es forderst – ich bin kein Mediziner«, sagte er mit tief gedrückter Stimme.

»Kein Wort mehr, Moritz!« rief Henriette. An ihrem Körper bebte jede Fiber. »Mit jedem Verteidigungsversuch gibst du zu, daß diese edle Braut einen Anschein von Berechtigung für sich hat, feig und wankelmütig zu sein.« Ihre großen Augen, in denen das innere Fieber aufglühte, richteten sich haßerfüllt auf das schöne Gesicht der Schwester. »Im Grunde kann man nur wünschen, daß deine grausamen Manöver möglichst rasch zum Ziele führen möchten, das heißt, daß er infolge deiner sichtlichen Entfremdung freiwillig das Verhältnis lösen hilft, denn er verliert wahrlich nichts an deiner kalten Seele, die sich nur an äußere Erfolge klammert, aber er liebt dich und wird weit eher mit vollem Bewußtsein in eine unglückliche Ehe gehen, als sich von dir trennen – das beweist sein ganzes Verhalten –«

»Leider«, warf Flora über die Schulter herüber ein.

»Und aus dem Grunde werde ich zu ihm stehen und deine Machenschaften vereiteln, wo ich kann«, vollendete Henriette mit gesteigerter Stimme.

Der mitleidige Seitenblick, mit welchem Flora das tief erregte gebrechliche Mädchen langsam maß, funkelte förmlich in grausamem Spott, aber es war auch, als komme ihr bei dieser Musterung eine überraschende Erkenntnis. Sie legte plötzlich den rechten Arm um Henriettes Schulter, zog die Widerstrebende an sich heran und flüsterte ihr mit einem sardonischen Lächeln ins Ohr: »Beglücke du ihn doch, Kleine! Ich werde ganz gewiß keinen Einspruch erheben – davor bist du sicher.«

Bis zu welchem frevelhaften Übermute konnte sich doch solch eine eitle Frauenseele versteigen, die sich gefeiert und heiß begehrt wußte! Käthe stand nahe genug, um das Gezischel zu verstehen, und so passiv sie sich auch bisher verhalten, jetzt sprühte ein ehrlicher Zorn aus ihren Augen.

Flora fing den Blick auf. »Schau, was das Mädchen für Augen machen kann! Versteht du denn keinen Spaß, Käthe?« sagte sie halb belustigt, halb betroffen. »Ich tue deinem verhätschelten Pflegling nichts, obschon ich das gute Recht hätte,

Henriettes kleine Bosheiten endlich einmal derb abzufertigen . . . Höre, Moritz«, unterbrach sie sich lebhaft und winkte den Kommerzienrat zu sich heraus auf den Söller, »dort hinter dem Gehölz muß ja wohl Brucks Errungenschaft, das alte Wirtschaftsgebäude, liegen – ich sehe starken Rauch über den Bäumen.«

»Aus dem einfachen Grunde, weil Feuer auf dem Herd brennt«, versetzte lächelnd der Kommerzienrat, »die Tante Diakonus zieht seit gestern ein.«

»In das verwahrloste Nest, wie es ist?«

»Wie es ist. Übrigens war der Schloßmüller ein viel zu guter Wirt, um seine Bauten verfallen zu lassen. In dem Haus fehlt kein Nagel, kein Ziegel auf dem Dach.«

»Nun, Glück zu! Im Grunde ist die Sache so übel nicht. Die vorweltlichen Ausstattungsmöbel der Tante und das Bild des seligen Diakonus passen an die Wände, Platz genug für die Einmachbüchsen und Backobst wird ja auch dort sein, und das Scheuerwasser fließt direkt unerschöpflich am Hause vorbei.« Sie affektierte einen leichten Nervenschauer. »Es wird gut sein, die Türen zu schließen«, sagte sie, rasch in das Zimmer zurücktretend, »der Wind trägt den Rauch und Dampf herüber. Puh!« Damit schlug sie die Türflügel zusammen.

Währenddessen hatte Henriette still das Zimmer verlassen. Käthe griff nach ihrem Sonnenschirm – sie wußte, daß die Kranke stets allein sein wollte, wenn sie sich stillschweigend aus dem Kreise der anderen entfernte. Das junge Mädchen beschloß deshalb, rasch einen Gang zu Suse zu machen.

»Nun, meinetwegen, geh in deine Mühle«, rief der Kommerzienrat ärgerlich, nachdem er vergeblich versucht hatte, sie zurückzuhalten, »aber erst sieh hierher!« Er zog seitwärts an einem schweren Gobelinbehang – dahinter, in einer tiefen Mauernische, stand ein neuer Geldschrank. »Der gehört dir, du Gebenedeite! Alles, was dein Großvater an Haus und Hof, an Wald und Feld besessen hat, da drin liegt es, in Papier verwandelt. Diese Papiere arbeiten bienenfleißig Tag und Nacht für dich. Sie ziehen unglaubliche Geldströme aus der Welt in diesen stillen Winkel . . . Der Schloßmüller hat seine Zeit wohl begriffen – das beweist sein Testament, aber wie fabelhaft seine Hinterlassenschaft in der Form anwachsen wird, das hat er schwerlich geahnt.«

»Somit bist du auf dem Wege, die erste Partie im Lande zu

werden, Käthe«, rief Flora. »Schau, du mußt nicht böse sein, Kind, aber ich fürchte, du bist moralisch allzuviel gedrillt worden, um mit Geist deinen Goldregen vor der Welt funkeln zu lassen.«

»Das wollen wir abwarten«, lachte das junge Mädchen. »Einstweilen habe ich noch kein Recht, eigenmächtig auch nur einen Taler da herauszunehmen«, sie zeigte auf den Schrank, »aber in bezug auf die Schloßmühle möchte ich, wenn auch nur für einen Tag, majorenn sein, Moritz!«

»Ist sie dir unbequem, schöne Müllerin?«

»Meine Mühle? So wenig unbequem wie mein junges Leben, Moritz! Aber ich war gestern im Mühlengarten − er ist so groß, daß Franz die an die Chaussee stoßende Hälfte aus Mangel an Zeit vernachlässigen muß. Er will dir den Vorschlag machen, das Stück zu verkaufen, es gäbe prächtige Bauplätze zu Villen und würde gut bezahlt werden, meinte er, ich aber finde, daß die Landhäuser ganz gut auch woanders stehen können, und möchte das Grundstück lieber deinen Leuten geben, die gern in der Nähe der Spinnerei bauen wollen.«

»Ach − verschenken, Käthe?«

»Fällt mir nicht ein. Du brauchst gar nicht so spöttisch mitleidig zu lächeln, Moritz. Ich werde mich wohl in der Villa Baumgarten mit ›Sentimentalitäten und Überspanntheit‹ blamieren! . . . Übrigens wollen ja die Leute auch gar kein Geschenk oder Almosen, wie Doktor Bruck sagt −«

»Ei, wie Doktor Bruck sagt? Ist der auch schon dein Orakel?« rief Flora, aus den Kissen emporschnellend.

»Ich weiß auch, welchen Wert das Selbsterworbene hat − was ich mir selbst erringen kann, ziehe ich dem bestgemeinten Geschenk weit vor«, fuhr sie fort, ohne auf Floras Einwurf zu antworten, »und schon aus dem Grund sollen die Leute zahlen, was sie für deinen Grund und Boden geben wollten.«

»Da machst du ja glänzende Geschäfte, Käthe«, lachte der Kommerzienrat. »Mein unfruchtbares Stück Uferland wäre schon mit der Summe, die darauf geboten worden ist, schlecht genug bezahlt gewesen − nun gar der prächtige Gartenboden neben der Mühle! . . . Nein, Kind, so gern ich auch möchte − mein vormundschaftliches Gewissen gestattet mir nicht, dich auch nur für eine Stunde majorenn sein zu lassen.«

»Nun, da mögen sich die Baulustigen einstweilen behelfen, wie sie können«, sagte sie weder überrascht noch ärgerlich.

»Ich weiß, ich werde in drei Jahren darüber noch genauso denken wie heute, dann aber kann es sich schon ereignen, daß ich auch noch den dummen Streich mache, den Leuten das Baugeld ohne Prozente vorzustrecken.«

Sie grüßte ruhig lächelnd und ging hinaus.

7.

Langsam stieg sie die gewundene Treppe hinab, die in ihrer oberen Hälfte das Mauerwerk so schmal durchschnitt, daß sich wohl nur der Schatten der wandelnden Ahnfrau an dem Herabsteigenden vorbeizudrücken vermochte . . . Die arme Ahnfrau, hier hatte sie nichts mehr zu suchen, hier war sie verscheucht, und wenn auch der neugebackene Edelmann sie kraft seiner Besitzrechte reklamierte, wenn er auch, um der Auszeichnung willen, daß die gespenstische weiße Frau sich um sein Wohl und Wehe kümmere, noch einmal so tief in seinen strotzenden Geldsäckel griff, als ihn bereits der Adel gekostet. Drunten hing es an den Wänden, das Rüstzeug ihres ritterlichen Geschlechts, die Waffen, mit denen die alten Recken um Ehre und Schande, um Gut und Blut gekämpft. Jetzt funkelten und gleißten sie feiernd am Nagel, und das Rüstzeug des neuen Geschlechts im alten Turme waren — die modernen Geldschränke.

Ja, das seltsam fremdartige Element, das drüben in der Villa durch alle intimen Familiengespräche zitterte — das Geldfieber, der Spekulationsgeist —, es war auch in das ernsthaft kopierte Ritterwesen verschleppt worden. Das historische Pulver aus dem Dreißigjährigen Krieg lag auch noch drunten, um die kostbaren Weinflaschen im kühlen Turmkeller sehen zu lassen.

Sie hatte die zierlichen Anlagen vor der Ruine verlassen und schritt auf dem wenig gepflegten Weg neben dem weidenbesetzten Flußufer. Noch den Hauch scharfer Winterkälte ausströmend und den geschmolzenen Schnee aus den Bergen mit sich schleppend, schossen die Wassermassen lehmfarben neben ihr hin, aber die Elritzen zuckten flühlingslebendig und blank wie Silberstäbchen durch die trübe Flut; an den Weidengerten saßen die weichflaumigen Blütenkätzchen, und unter dem schützenden Laubgebüsch hatte das Leberkraut den gan-

zen zarten Schmelz seiner himmelblauen Blumen ausgebreitet
– die gaben schon einen Frühlingsstrauß.

Die Blumen in der Hand, wandelte sie langsam weiter bis
zur alten Holzbrücke ... Dort streckte sich Susens Bleichplatz, die mit Obstbäumen bestandene Rasenfläche, hin. Der
Kommerzienrat hatte recht gehabt: in dem niedrigen Holzgitter, das den Garten umfriedete, fehlte kein Stab, und an dem
Hause kein Ziegel ... Und es war doch ein hübsches, altes
Haus, die verlästerte Baracke! Es lag so geborgen hinter dem
rauschenden Fluß, und der Laubwald im Hintergrund, der sogenannte Stadtforst, der ziemlich nahe an das Holzgitter her-
anrückte, gab ihm den anmutig einsamen Charakter einer För-
sterei. Niedrig war es allerdings; es hatte nur eine Fensterreihe
– direkt darüber erhob sich das Dach mit den vergoldeten
Windfahnen und den massiven Schloten, von denen der eine in
der Tat rauchte. In dem Hause hatte seit langen Zeiten kein
Feuer in Herd und Ofen, kein Licht auf dem Tisch gebrannt. Zu
des Schloßmüllers Lebzeiten war jahraus, jahrein Getreide in
den Stuben aufgeschüttet worden, die Läden hatten wie fest-
gemauert vor den Fenstern gelegen, und nur alljährlich bei der
Obsternte hatte die streng verschlossene Haustür tagsüber of-
fengestanden. Da war dann auch die kleine Käthe hineinge-
schlüpft in die sogenannte Obstkammer und hatte sich das
Schürzchen mit Birnen und Äpfeln gefüllt ... Heute nun waren die Läden zurückgeschlagen, und das junge Mädchen sah
zum erstenmal Glasscheiben blinken in den großen, von Stein-
rahmen umfaßten Fenstern. Das war nun Doktor Brucks Haus.

Ohne zu wissen wie, hatte sie die Brücke überschritten und
umging das Gebäude von drei Seiten. In der Flügeltür, welche
die Fassade in zwei gleiche Hälften teilte und von der die Stein-
treppe breit auf den Rasenplatz herabstieg, stand eine Frau,
eine feine, schlanke, fast mädchenhaft zierliche Erscheinung.
Sie hatte einen Tisch neben sich stehen, auf dem Bücher und
Bilder aufgehäuft lagen, und war mit Abstäuben derselben beschäftigt. Befremdet sah sie auf die Näherkommende und ließ
unwillkürlich das Bild sinken, das sie eben mit dem Staubtuch
säuberte – es war Floras Fotografie.

Das konnte doch unmöglich Tante Diakonus sein! Nach Flo-
ras, mit beißender Ironie getränkter Schilderung hatte sich
Käthe ein kleines, gebücktes, wenn auch immer noch rasches
Hausmütterchen mit küchengeschwärzten Händen gedacht.

56

Käthe wurde immer befangener und stammelte, an den Fuß der Treppe tretend, eine Entschuldigung. »Ich habe als Kind hier gespielt, und bin vor einigen Tagen aus Dresden zurückgekehrt und – das ist meine Schwester«, setzte sie, auf das Bild zeigend, hastig hinzu, und dann brach sie in ein frisches, helles Lachen aus und schüttelte den Kopf.

Und die Dame lachte auch. Sie legte das Bild auf den Tisch, und die Stufen herabsteigend, streckte sie dem jungen Mädchen beide Hände entgegen. »Dann sind Sie Brucks jüngste Schwägerin.« Ein leiser Schatten flog über ihr Gesicht. »Ich habe nicht gewußt, daß Besuch in der Villa Baumgarten eingekehrt ist«, fügte sie mit einem kaum hörbaren Anflug von Bitterkeit hinzu.

In diesem Augenblick zog auch ein Wolkenschatten über Käthens Seele hin – war sie denn so ein Garnichts, ein solch verschollenes, nicht mitgeltendes Glied der Familie Mangold, daß Doktor Bruck es nicht der Mühe wert gefunden hatte, seine Begegnung mit ihr zu erwähnen? . . . Sie folgte schweigend der einladenden Handbewegung der Dame, die ihr vorausging und eine Tür in dem weiten Hausflur öffnete.

»Das ist mein Stübchen, meine Heimat bis ans Ende«, sagte sie mit einer herzensfreudigen, gleichsam aufatmenden Betonung. »Ehe mein Mann als Diakonus in die Stadt versetzt wurde, lebten wir in einer kleinen Pfarre auf dem Lande. Es ging uns sehr knapp, aber es war doch die schönste Zeit meines Lebens . . . Die staubige Luft und das Geräusch der Stadt haben meinem Nervenleben nicht gutgetan; meine stille Sehnsucht nach grüner Einsamkeit wurde nahezu krankhaft. Ich habe das nie ausgesprochen, und doch hat der Doktor heimlich gesorgt und gespart, und vor einigen Tagen führte er mich hierher in das Haus.« Bei den letzten Worten klang ihre Stimme verschleiert und tiefbewegt. Sie war also doch die Tante, und ihren Neffen nannte sie stolz »den Doktor«. Und jetzt lächelte sie anmutig. »Ein wahres Schlößchen ist's, nicht wahr?« fragte sie zutraulich. »Sehen Sie doch die Flügeltüren und die prächtige Stuckarbeit an der Decke! Und die alte Ledertapete da mit den geschwärzten Goldleisten ist jedenfalls sehr kostbar gewesen. Wir haben nun tüchtig gescheuert, gelüftet und einige Öfen geheizt, um die alten Wände zu durchwärmen, sonst ist nichts, nicht ein Nagel, verändert worden. Dazu reichten die Mittel nicht – und es wäre auch sehr überflüssig gewesen.«

Käthe hatte längst mit stillem Behagen die ganze Einrichtung überflogen. Die dunkelgewordenen Mahagonimöbel paßten just zu der gelben Ledertapete. An der Mittelwand, nicht weit von dem weißglasierten, weitbauchigen, auf verschnörkelten Füßen ruhenden Ofen, stand das kattunbezogene Sofa, und darüber hing in der Tat das Porträt des seligen Diakonus, ein schlicht gemaltes Pastellbild, das den alten Herrn in seiner Amtstracht vorstellte. Ein köstlicher Schmuck aber waren die Pflanzengruppen an den zwei hohen und breiten Fenstern, die Azaleen- und Palmenarten, die prachtvollen Gummibäume, warm und kräftig vergoldet von dem die klaren Filetgardinen durchbrechenden Sonnenlicht. Die Goldfische in der Glasschale und der Singvogel im Messingkäfig, diese Pfleglinge einsamer Frauen, fehlten auch hier nicht. Auf den Fenstersimsen blühten Frühlingsblumen, buntfarbige Hyazinthen und die träumerisch gesenkten Häupter der weißen Narzisse — das Nähtischchen aber stand in einer förmlichen Nische von Lorbeerlaub.

»Meine Zöglinge — ich hab' sie fast vom Samenkorn an erzogen«, sagte die Tante, dem Blick des jungen Mädchens folgend. »Die schönsten und liebsten habe ich selbstverständlich dem Doktor ins Zimmer gestellt.« Sie schob die angelehnte Tür des Nebenzimmers zurück und führte Käthe hinüber.

»Selbstverständlich?« Wie das klang! Sie hatte ihm »selbstverständlich« auch das schönste Zimmer im Hause ausgesucht, das Eckzimmer, an dessen östlich gelegenen Fenstern der Fluß vorbeirauschte. Über den breiten Wasserstreifen hinaus tat sich eine der hübschesten Parkpartien auf, und fern, hinter Lindenwipfeln, glänzte bläulich das Schieferdach der Villa . . . Käthe fühlte plötzlich ihre Wangen in heißer Scham brennen; hier bot zärtliche Fürsorge alles auf, dem Mann verstohlen das Süßeste, das Geliebteste nahe zu rücken, und dort drüben sann ihre treulose Schwester Tag und Nacht darauf, ihn aus seinem Himmel zu stoßen. Mit dem frivolen »Beglücke du ihn doch!« hatte sie vorhin ihre Anrechte verächtlich ausgeboten.

Ob die warmherzige, zartempfindsame Frau, die da neben ihr stand, es wohl ahnte oder vielleicht auch nur instinktmäßig fühlte, daß über kurz oder lang ein unabwendbares Leid, wie es ihn schwerer nicht treffen konnte, über ihren Liebling hereinbrechen werde? Sie zeigte nach der leeren Spiegelwand.

Die Frau Diakonus glitt immer noch ordnend, aber so ge-

sollte glauben, sie habe längst das Schlafzimmer verlassen und kein Wort von allem gehört, was gesprochen worden. Verstohlen flog ihr Blick hinüber in das Eckzimmer, wo die beiden eben an den Schreibtisch traten. In diesem Augenblick hörte sie den Doktor sagen: »Sieh da, die ersten Frühlingsblumen! Hast du gewußt, daß ich die hübschen blauen Blümchen so gern habe?«

Ein Ausruf des Staunens unterbrach ihn. »Ich nicht, Leo — Käthchen, deine junge Schwägerin, hat die Blumen in das Glas gestellt . . . Nein, bin ich zerstreut und vergeßlich!« Die alte Dame eilte herüber, aber schon drückte Käthe draußen die Tür hinter sich zu und schlüpfte durch den Flur ins Freie.

Nun ging sie langsam und beruhigt unter den Fenstern hin. Ein Fensterflügel stand offen. Plötzlich schob eine schöne, kräftige Männerhand ein weißes Glas mit blauen Blumen auf den Sims zwischen die Töpfe. Es war ihr kleiner Frühlingsstrauß, den der Doktor von seinem Schreibtisch entfernte und hierher brachte.

Sie fuhr heftig zusammen. Flüchtig und unbedacht, wie sie war, hatte sie sich in ein sonderbares Licht gestellt. Daß sie die Blumen auf seinen Tisch gesetzt, mußte er offenbar für die Zudringlichkeit eines unbesonnenen jungen Mädchens halten. Sofort blieb sie stehen, und den feuchten Glanz unterdrückter Zornestränen in den Augen, streckte sie die Hand zum Fenster empor — diese Bewegung machte den Doktor aufsehen.

»Wollen Sie die Freundlichkeit haben, mir die Blumen herauszugeben, Herr Doktor? Sie gehören mir. Ich hatte sie für einen Moment aus der Hand gelegt und dann vergessen«, sagte sie, mühsam ihre Aufregung verbergend.

Im ersten Moment schien es, als erschrecke er leicht beim Klang der Stimme, die ihn so unerwartet ansprach. »Ich werde Ihnen die Blumen bringen.« Die tiefe, gelassene Stimme entwaffnete sie sofort — er hatte ihr nicht weh tun wollen.

Gleich darauf kam er die Stufen herab. Er reichte dem jungen Mädchen das Glas mit einer höflichen Verbeugung.

Sie nahm die Blumen heraus. »Es sind die ersten, kleine, vorwitzige Dinger, die nicht schnell genug in die scharfe Aprilluft herauskommen können«, sagte sie lächelnd. »Man muß sich vielmal bücken und sie mühsam zusammensuchen, freut sich dann aber auch mehr daran als an einem ganzen Treibhaus voller Blumen.« — Nun erst war sie beruhigt, nun glaubte er ganz gewiß nicht mehr, daß sie auf die neue Verwandtschaft hin seinen Schreibtisch plump vertraulich attackiert habe.

Jetzt erschien auch die Tante am offenen Fenster. Sie entschuldigte sich und bat das junge Mädchen in warmen Worten, recht oft zu kommen.

»Fräulein Käthe geht ja schon in wenigen Wochen nach Dresden zurück«, antwortete der Doktor hastig an Käthes Stelle.

Sie stutzte. Hatte er Furcht, sie werde bei ihren Besuchen mit der ahnungslosen alten Frau über sein seltsames Verlobungsverhältnis sprechen? Diese Annahme verdroß sie, aber er tat ihr so leid um seiner inneren Leiden willen, die er so streng in seiner Brust verschloß. Und sie konnte ihn nicht einmal beruhigen.

»Ich werde länger bleiben, Herr Doktor«, versetzte sie ernst. »Ja, es ist leicht möglich, daß sich mein Aufenthalt in Moritzens Haus über viele Monate ausdehnt. Als Henriettens Arzt werden Sie ja am besten beurteilen können, wann ich meine kranke Schwester ohne Sorge verlassen und zu meinen Pflegeeltern zurückkehren kann.«

»Sie wollen Henriette pflegen?«

»Wie es sich von selbst versteht«, ergänzte sie. »Schlimm genug, daß ihre Pflege bis heute ausschließlich in fremden Händen gewesen ist. Die Arme verbringt ihre Nächte lieber hilflos, als daß sie sich entschließt, Beistand herbeizurufen, weil die sauren, mürrischen Mienen der verschlafenen Gesichter sie beleidigen. Das darf nicht mehr vorkommen − ich bleibe bei ihr.«

»Sie denken sich die Aufgabe jedenfalls viel zu leicht − Henriette ist sehr krank«, er strich sich mit der Hand so langsam über die Stirn, daß die Augen für einen Moment nicht sichtbar waren, »es werden schwere, bange Stunden zu überwinden sein.«

»Ich weiß es«, sagte sie leise, und tiefe Blässe deckte sekundenlang ihr Gesicht. »Aber ich habe Mut − «

»Daran zweifle ich nicht«, unterbrach er sie. »Ich glaube ebenso an Ihre Geduld wie an Ihre ausdauernde Barmherzigkeit, aber es läßt sich nicht ermessen, zu welchem Zeitpunkt die Kranke − keine Pflege mehr brauchen wird. Deshalb darf ich nicht zugeben, daß Sie die Sache so energisch in die Hand nehmen. Sie können es physisch nicht durchsetzen.«

»Ich?« Sie hob und streckte unwillkürlich ihre Arme und sah stolz lächelnd auf sie nieder. »Kommt Ihnen Ihre Befürchtung nicht selbst grundlos vor, wenn Sie mich ansehen, Herr Doktor?« fragte sie mit einem heiteren Aufblick. »Ich bin von derbem Schrot und Korn, ich bin nach meiner Großmutter Sommer geartet, die war ein Bauernkind oder vielmehr ein Holzknechtstöchterlein, ist barfuß gelaufen und hat die Axt im Walde besser geschwungen als ihre Brüder − ich weiß es von Suse.«

Er sah von ihr fort zum offenen Fenster hinüber. Da stand die alte Frau Diakonus selbstvergessen hinter ihren Hyazinthen und Narzissen, und ihr Blick hing wie verzaubert an dem Mädchen. − Sein Gesicht verfinsterte sich auffallend.

»Übrigens steht es mir ja gar nicht zu, bestimmend auf Ihre Entschlüsse einzuwirken. Das ist Sache Ihres Vormundes. Moritz soll entscheiden, er wird voraussichtlich darauf bestehen, daß Sie zur festgesetzten Zeit in das Haus Ihrer Pflegeeltern zurückkehren.« Der Doktor sprach die letzten Worte, ganz gegen seine gewohnte Milde und Gelassenheit, ziemlich schroff.

Die Tante zog sich unwillkürlich in das Zimmer zurück. Käthe dagegen blieb ruhig stehen. »Aber warum denn so unbeugsam, Herr Doktor? Warum wünschen Sie denn, daß Moritz gar so hart mit mir verfährt? Und sollte Moritz wirklich die Befugnis zustehen, mich von der Erfüllung meiner schwesterlichen Pflicht abzuhalten? Ich glaube es nicht . . . Nun weiß ich aber einen Ausweg: Veranlassen Sie Henriette, mich nach Dresden zu begleiten! Dort teile ich mit meiner Doktorin die Pflege der Patientin. Das wird doch meinen Nerven nicht schaden?« Sie lächelte ganz leise.

»Gut, ich werde einen Versuch machen«, sagte er sehr bestimmt. »Dann gebe ich Ihnen mein Wort, daß ich sobald wie möglich auf und davon fliegen werde«, versetzte sie ebenso fest mit einem sprechenden Blick, vor dem er, wie auf einem Unrecht ertappt, die Augen niederschlug.

Sie grüßte herzlich zu der alten Dame hinüber, verbeugte sich leicht gegen den Doktor und verließ den Garten.

8.

Und nun war es ganz dunkel geworden. Auf dem Turm der Spinnerei hatte es sieben geschlagen, und Käthe saß noch in einem Bogenfenster der Schloßmühlenstube.

Doktor Bruck war, nachdem er den Deutsch-Französischen Krieg als Regimentsarzt mitgemacht und dann längere Zeit einer der berühmten ärztlichen Kapazitäten in Berlin assistiert hatte, auf Wusch seiner Tante nach M. zurückgekehrt. Der Ruf und seine imposante Erscheinung hatten ihn zu einem gesuchten Arzt und zu einer wünschenswerten Partie für die Damenwelt gemacht. Es war keineswegs Herablassung der stolzen Flora Mangold gewesen, ihm die Hand zu reichen. Sie hatte ihren schmerzhaft verstauchten Fuß nur dem neuen Doktor anvertrauen wollen. Noch im Krankenhaus hatte sie sich mit ihm verlobt.

Käthe sprang plötzlich auf, ihre Gedanken kreisten beharrlich um das unnatürliche Verlöbnis. Sie stieg die Treppe hinab und verließ die Mühle. Der Zugwind blies ihre heißen Wangen nachtfrisch.

Schon von weitem sah sie die Lichter der Villa durch das Geäst flimmern, und als sie das Haus betrat, da schollen Klavierakkorde durch den Korridor. Das Instrument war prachtvoll, aber es wurde durch barbarische Hände mißhandelt. Die Präsidentin hatte heute einen kleinen Empfangsabend. Die Ältesten saßen um den Whisttisch, und die junge Welt musizierte, plauderte und amüsierte sich.

Käthe machte schleunigst Toilette und betrat den Salon. Es hatten sich heute nur wenige eingefunden: nur ein Spieltisch war besetzt, und der Teetisch, um den sich die jungen Damen zu gruppieren pflegten, sah einsam und verlassen aus.

Henriette saß hinter der Teemaschine. Sie hatte wieder grellrote Schleifen in ihrem blonden Haar und ein ärmelloses Samtjäckchen von der gleichen Farbe über einem hellblauen Seidenkleid. Das graue, schmale Gesichtchen sah fast spukhaft aus dem theatermäßigen Putz, aber ihre schönen Augen glänzten überirdisch. »Bruck ist wieder da«, flüsterte sie mit bewegter Stimme Käthe ins Ohr und zeigte durch den anstoßenden Musiksalon, in welchem noch immer der Konzertflügel behandelt wurde, nach Floras Zimmer. »Käthe, er sieht aus, als sei er noch gewachsen, so hoch und so überlegen.« Sie war unerklärlich aufgeregt. »Alle sind heute so mürrisch. Moritz hat eine Depesche bekommen und ist sehr zerstreut, und die Großmama hat entsetzlich schlechte Laune, weil ihr Salon leer ist. Ach, und ich bin so froh, so froh! . . . Weißt du, Käthe, daß ich vorgestern bei dem schlimmen Anfall geglaubt habe, Bruck sähe mich als Leiche wieder? Nur das nicht! Ich will nicht sterben, wenn er nicht da ist.«

Sie sprach zum erstenmal vom Sterben, und es war gut, daß die Finger drüben in erneuter Kraft über die Tasten flogen, denn der letzte Ausruf der Kranken hatte laut und leidenschaftlich geklungen. Käthe stieß sie verstohlen an — die Präsidentin warf einen scharfen, mißbilligenden Blick über die Augengläser hinweg nach dem Teetisch. Henriette nahm sich augenblicklich zusammen. »Ah, bah, kann mir das jemand verdenken?« sagte sie, spöttisch die Schultern emporziehend. »Niemand stirbt gern allein. Der Arzt ist dazu da, daß man bis zum letzten Augenblick Hoffnung aus seinem Zuspruch schöpft.«

Käthe wußte genug. Die Kranke ging nicht mit ihr nach Dresden. Sie wies die Tasse Tee zurück, die ihr Henriette mit hastigen Händen füllte, und zog eine angefangene kleine Stickerei aus der Tasche.

»Ach, laß den Kram doch stecken!« sagte Henriette ungeduldig. »Glaubst du, ich bleibe hier sitzen und sehe in grenzenloser Langmut zu, wie du den weißen Faden aus- und einziehst?« Sie erhob sich und schob ihren Arm in den der Schwester. »Gehen wir in das Musikzimmer! Margarete Giese schlägt uns noch das Instrument und die Nerven entzwei, wenn wir der Quälerei nicht ein Ende machen.«

Sie gingen in den Salon, aber die Dame am Klavier, die in ihren eigenen Leistungen schwelgte, blieb unangefochten . . . Die breite Flügeltür, die in Floras Arbeitszimmer führte, stand, wie gewöhnlich an den kleinen Empfangsabenden, weit offen. Man konnte das ganze Zimmer übersehen. Es schien mit seinem gedämpften Ampellicht fast dämmerig neben den erleuchteten anderen Räumen, und seine dunkle Purpurfarbe nahm in den Ecken ein düsteres Schwarz an.

Flora stand mit nachlässig verschlungenen Händen am Schreibtisch, während der Kommerzienrat bequem im nächsten Lehnstuhl lag. Doktor Bruck aber blätterte stehend in einem Buch. Er sah ungewöhnlich bleich aus, der von oben herabfallende Lampenschein ließ zwei finstere Stirnfalten und einen tiefen Schatten unter seinen Augen scharf hervortreten, und doch erschien sein ausdrucksvoller Kopf merkwürdig jung.

Henriette ging ohne weiteres hinüber, Käthe aber, welche

sie mit sich zog, setzte nur zögernd den Fuß auf die Schwelle. Flora war offenbar sehr übler Laune. Ihr Blick lief auch sofort mit sarkastischem Ausdruck über die Gestalt der Schwester hin, die heute zum erstenmal das normale Schwarz der Kleidung mit dem hellen Grau der Halbtrauer vertauscht hatte.

»Komm nur herüber, Käthe!« rief sie, ohne ihre Stellung zu verändern. »Bist zwar wie gewöhnlich in starrer Seide, siehst aus wie ein papierner Christengel und machst den robustesten Menschen nervös mit dem ewigen Rauschen und Knistern. Sage mir nur um des Himmels willen, warum du immer diese entsetzlich schweren Stoffe trägst«, unterbrach sie sich, »die passen doch zu deinem Küchenamt in Dresden wie die Faust aufs Auge.«

»Das ist meine Schwäche, Flora«, antwortete Käthe ruhig lächelnd. »Es mag schon kindisch sein, aber ich höre so gerne Seide um mich rauschen — es klingt so majestätisch. Bei meinem ›Küchenamt‹ trage ich sie selbstverständlich nicht, wie du dir wohl selbst sagen wirst.«

»Schau, wie stolz sie das ›Küchenamt‹ zugibt! Närrisches Ding! Ich möchte dich einmal sehen in der Leinenschürze hinter rußigen Töpfen. Nun, jeder nach seinem Geschmack — ich danke.« Ihre großen Augen richteten sich langsam und lauernd auf das Gesicht des Doktors, der eben ruhig das Buch zuschlug.

Käthe fühlte, wie sich Henriettes kleine Hand auf ihrem Arm zur Faust ballte. »Ach, geh doch, Flora!« rief sie scheinbar heiter und amüsiert. »Vor noch fünf Monaten hast du oft genug zwischen Christels Kochtöpfen drunten in der Küche gewirtschaftet — ob gerade geschickt, das will ich nicht behaupten —, aber das gutgemeinte Bestreben und die hübsche weiße Latzschürze stand dir prächtig.«

Flora biß sich auf die Lippen. »Du faselst wie gewöhnlich und bist damals nicht fähig gewesen, eine scherzhafte Anwandlung als das zu nehmen, was sie hat sein sollen — eine kleine Kaprize.« Sie schlug die Arme unter, und den Kopf gedankenvoll gesenkt, ging sie langsam einige Schritte.

Der Kommerzienrat sprang auf. »Nun, Flörchen, ist es dir gefällig, mit hinüberzukommen?« fragte er. »Der Salon ist heute zum Verzweifeln leer — aus guten Gründen; es ist ja diplomatische Soiree beim Fürsten«, beruhigte er sich selbst. »Wir müssen aber ein wenig Leben hineinzubringen suchen, sonst haben wir die Großmama einige Tage verstimmt und schlecht gelaunt.«

»Ich habe mich bereits für eine halbe Stunde noch entschuldigt, Moritz«, sagte sie ungeduldig. »Ich muß den Artikel, den ich unter der Feder habe, heute noch schließen. Das Manuskript läge längst fertig, wenn Bruck nicht dazwischengekommen wäre.«

Der Doktor war an den Schreibtisch getreten. »Eilt das so sehr? Und weshalb?« fragte er, nicht ohne einen leisen Anflug von Humor in Gesicht und Stimme.

»Weshalb, mein Freund? Weil ich mein Wort halten will«, versetzte sie spitz. »Ah, das amüsiert dich! Es ist allerdings nur Frauenarbeit, und du begreifst natürlich nicht, wer in aller Welt auf eine solche Bagatelle warten mag.«

»So denke ich nicht über die Frauenarbeit im allgemeinen –«

»Im allgemeinen!« persiflierte sie hart auflachend. »Ach ja, der allgemeine, landläufige Begriff: Kochen, Nähen, Strikken«, zählte sie an den Fingern her.

»Du hast mich nicht ausreden lassen, Flora«, sagte er gelassen.

Anscheinend gleichmütig nahm sie eine Stahlfeder, probierte sie auf dem Daumennagel und steckte sie in den Federhalter. Dann zog Flora einen Kasten auf und ergriff mit etwas unsicher tappender Hand einen kleinen Gegenstand.

Henriette riß plötzlich mit einem gewaltsamen Ruck ihren Arm aus dem der Schwester und trat einen Schritt vorwärts, während der Kommerzienrat so rasch aus dem Zimmer ging, als habe er etwas zu besorgen vergessen. Käthe erschrak – sie sah, wie Floras Finger dort leicht bebend nach dem Federmesser griffen und die Spitze der aus dem Kasten genommenen Zigarre abschnitten.

»Auch ein Messer, das wir wohl nicht führen sollen, zu diesem Zweck nämlich«, sagte Flora mit erzwungenem Scherz halb über die Schulter nach dem Doktor hin, der während des Sprechens einmal im Zimmer auf und ab gegangen war. Sie brannte die Zigarre an und schob sie zwischen die nervös lächelnden Lippen.

Die Klavierspielerin im Nebenzimmer hatte längst ihr rauschendes Musikstück beendet und trat in diesem Augenblick auf die Schwelle des Salons. »Flora, du rauchst, du, die den Zigarrenqualm nie ausstehen konnte!« rief sie und schlug die Hände zusammen.

»Meine Braut scherzt«, sagte Doktor Bruck vollkommen ruhig. »Sie wird es bei diesem einen Versuch bewenden lassen, ein Mehr könnte teuer zu stehen kommen.«

»Willst du es mir verbieten, Bruck?« frage sie in kaltem Ton, aber in ihren Augen glomm ein unheimliches Feuer auf. Sie hatte die Zigarre für einen Moment aus dem Mund genommen und hielt sie zierlich zwischen den Fingern.

Der Doktor schien nur darauf gewartet zu haben. Mit unzerstörbarem Gleichmut, ohne alle Hast, nahm er ihr die Zigarre aus der Hand und warf sie in den Kamin. »Verbieten, als dein Verlobter?« wiederholte er achselzuckend. »Noch steht mir das Recht nicht in dem Maße zu. Ich könnte dich bitten, aber ich bin kein Freund von Wiederholungen. In diesem Falle verbiete ich sie einfach als Arzt – du hast alle Ursache, deine Lunge zu schonen.«

Flora stand einen Augenblick wie erstarrt vor seiner Kühnheit, und jetzt, bei seinen letzten Worten, durchzuckte es sie sichtlich, aber sie beherrschte sich sofort. »Das ist ja eine haarsträubende Diagnose, Bruck«, rief sie spöttisch lächelnd. »Und davon hat mir der abscheuliche Medizinalrat, der mich seit meiner Kindheit behandelt, nicht ein Wort gesagt. Ach was, damit schreckt man Kinder! Übrigens habe ich keine Ursache, das Leben so zu lieben, daß ich mir zu seiner Erhaltung irgendeinen Genuß versagen möchte – im Gegenteil! Ich werde nach wie vor rauchen, es ist mir dies bei meinem schriftstellerischen Beruf nötig, und dieser Beruf ist mein Glück, mein moralischer Halt; in ihm lebe und atme ich –«

»Bis dich ein unvermeidlicher Wendepunkt deinem eigentlichen Beruf zuführt«, warf der Doktor ein. Seine Stimme klang hart wie Stahl.

Ein erschreckendes Rot überflammte ihr Gesicht, sie öffnete die Lippen zu einer rücksichtslosen Antwort, aber ihr Blick fiel auf Fräulein Giese, die Klavierspielerin, das mokante Hoffräulein, das mit spitzem Gesicht und spitzen Schultern vorgeneigt auf der Schwelle stand, als sauge sie mit Ohren und Augen, ja, mit allen Poren, aus diesem scharfen Wortwechsel und den verlegenen Gesichtern der Umstehenden den Stoff zu einem vergnüglichen Hofklatsch, und der war nichts weniger als erwünscht. Flora wandte sich plötzlich mit einer graziös schmollenden Bewegung ab. »Ach, geh doch, Bruck!« schalt sie. »Wie prosaisch! Kommst eben von einer Vergnügungsreise zurück, hast dich amüsiert –«

Sie verstummte – Bruck hatte mit festem Druck ihr Handgelenk umfaßt. »Willst du die Freundlichkeit haben, meinen Beruf aus dem Spiel zu lassen, Flora?« fragte er, seine Worte scharf betonend.

»Ich sprach von Vergnügen«, antwortete sie impertinent und zog ihre Hand aus der seinen.

Das Gesicht der Präsidentin mit seinem kühlen Ausdruck flößte Käthe bei einem unerwarteten Entgegentreten stets eine Art von scheuem Schrecken ein, in diesem Augenblick aber atmete sie freier auf, als die alte Dame plötzlich in das Zimmer trat. Sie kam ungewöhnlich rasch, sichtlich verdrießlich und ärgerlich. »Ich werde wohl künftig meine Spieltische hierher stellen müssen, wenn ich nicht will, daß meine Freunde vernachlässigt werden«, sagte sie in sehr gereiztem Ton. »Wie kannst du zu so früher Stunde schon die Teemaschine im Stich lassen, Henriette? Es wird mir nichts übrigbleiben, als meine Jungfer dahinter zu setzen. Und dich, Flora, begreife ich nicht, wie du dich an den Schreibtisch zurückziehen magst, wenn wir Gäste haben. Wirst du wirklich von deinem Verleger so gedrängt, daß du abends arbeiten mußt, dann schließe deine Tür, wenn die Sache nicht sehr nach Ostentation und gelehrter Koketterie aussehen soll!« Sie mußte sehr aufgebracht sein, daß sie sich so unumwunden aussprach.

Flora legte ihr Manuskript zurecht und tauchte die Feder ein. »Beurteile das, wie es dir beliebt, Großmama!« sagte sie kalt. »Ich kann nicht dafür, daß man mich hier aufsucht, und säße längst mit Aufopferung meiner selbst an einem deiner grünen Tische, wenn man mich nicht gestört hätte.«

Henriette schlüpfte an der Präsidentin vorüber und winkte Käthe verstohlen, ihr zu folgen. »Diese Aufregungen töten mich«, flüsterte sie drüben im leeren Musikzimmer.

»Sei ruhig! Flora kämpft vergeblich, er zwingt sie doch zu seinen Füßen«, sagte Käthe mit eigentümlich erregter Stimme. »Aber ihn begreife ich nicht. Wäre ich ein Mann wie er –« Sie richtete sich mit flammenden Augen hoch und stolz empor.

»Weißt du, wie die Liebe tut, Käthe? Richte nicht! Du mit deinem kühlen Blick und blumenfrischen Gesicht bist noch unberührt von dem rasenden Rausch, der die Menschenseele erfaßt.« Sie unterbrach sich und schöpfte tief und mühsam Atem. »Du weißt ja nicht, wie hinreißend und verführerisch Flora sein kann, wenn sie will. Du kennst sie nur in ihrer jetzigen nichtswürdigen Rolle, diese feige, selbstsüchtige, erbarmungslose Seele. Wer sie einmal Liebe geben gesehen hat, der begreift, daß ein Mann eher den Tod sucht, als daß er sie aufgibt.«

9.

Sie ging, ihr vernachlässigtes Amt am Teetisch wieder aufzunehmen. Käthe aber blieb am Flügel stehen und blätterte in den Noten. Die letzten Worte Henriettes hatten sie tief bewegt. War verschmähte Liebe wirklich so seelenerschütternd, daß man um ihretwillen sterben möchte? Und hatte sie diese tragische Gewalt auch über einen Mann wie Bruck?

Er verließ eben mit festen Schritten Floras Zimmer; auch die Präsidentin rauschte eilig vorüber, es hatten sich noch zwei ältere Damen eingefunden, die sie begrüßen mußte. Die Tür nach dem Arbeitszimmer blieb offen.

Käthe verfolgte mit einem Seitenblick den Doktor, wie er den Salon durchschritt. Er trat an den Teetisch, um mit Henriette zu sprechen, allein eine der neu angekommenen Damen hielt ihn fest und verwickelte ihn in ein Gespräch. Er war ritterlich, verbindlich und sehr ruhig in seinen Gebärden, aber Käthe hatte vorhin bei Floras maliziöser Antwort eine Flamme in seinen Augen lodern sehen. Er hatte jäh die Farbe gewechselt, und auch jetzt noch brannte ein erhöhtes Rot auf seinen Wangen — er war nicht so ruhig heiter, wie er zu sein schien. Und seine schöne Widersacherin drüben im roten Arbeitszimmer war es ebensowenig. Schon nach fünf Minuten stieß sie hörbar ungeduldig den Stuhl zurück und kam herüber.

»Nun, Flora, schon fertig?« fragte das Hoffräulein und ließ die unermüdlichen Finger in Terzen über die Tasten laufen.

»Bah, glaubst du, man schüttelt einen wirksamen Schluß nur so aus dem Armel? Ich bin eben nicht mehr aufgelegt, und ohne Inspiration schreibe ich nun einmal nicht. Dazu ist mir der Schriftstellerberuf zu heilig.«

Fräulein von Giese zwinkerte eigentümlich boshaft mit den Augen. »Ich bin sehr gespannt, wie die Kritik dein großes Werk ›Die Frauen‹ aufnehmen wird. Du hast uns so viel davon erzählt. Hat der Verleger es angenommen?«

Flora hatte das Augenspiel wohl bemerkt. »Es wäre euch schon recht, ihr treuen Seelen, wenn es abgelehnt würde – nicht wahr, Margarethe?« sagte sie beißend. »Aber die Freude erlebt ihr nicht; das sagt mir mein – nun, mein kleiner Finger.« Sie lachte leise und übermütig, schüttelte die duftigen Löckchen aus der Stirn und schickte sich an, den Salon mit jener vornehmen Nachlässigkeit zu betreten, welche sie wie eine stolze Fürstin anzunehmen wußte.

»Kind, du stehst ja da, mit dem Notenheft in der Hand, als wolltest auch du unsere Ohren in Anspruch nehmen«, sagte sie im Vorübergehen zu Käthe mit spöttischem Ton und einem sprechenden Blick nach der emsigen Klavierspielerin. »Singst du denn?« Käthe schüttelte den Kopf. »Das müßte ein Sommerabteil sein, unsere Familie hat keine Singstimmen.«

»Ja, Flora, Käthe treibt Musik«, rief der Kommerzienrat herüber. Er sprach mit einem Herrn in der Nähe der Tür und trat jetzt näher. »Ich weiß es aus den Rechnungsbelägen der Doktorin. Viel Geld, Käthe! Ich habe es dir schon sagen wollen: Du hast sehr teure Lehrer.«

Das junge Mädchen lachte. »Die besten, Moritz. Wir in Dresden sind praktische Leute, das Beste ist das billigste.«

»Nun, mir ist's schon recht. Hast du denn aber auch Talent?« fragte er in zweifelndem Ton. »Die musikalische Begabung lag allerdings nicht in der Familie Mangold.«

»Den Trieb wenigstens«, versetzte sie einfach, »und die Neigung, Melodien zu ersinnen.«

Flora, die eben auf die Schwelle des Salons trat, wandte sich überrascht um. »Geh doch, Käthe!« sagte sie hastig. »Melodien ersinnen! Du siehst mir danach aus mit deinen roten Backen und deiner Hausfrauenerziehung. Eine Polka oder ein Walzer läuft wohl jedem, der gerne tanzt, einmal durch den Kopf –«

»Und ich tanze leidenschaftlich gern, Flora«, unterbrach Käthe sie heiter und aufrichtig bekennend.

»Siehst du? Wer wird sich da gleich den Anschein tiefsinniger Produktivität geben! Und daraufhin nimmst du wohl gar Unterricht in der Komposition?«

»Ja, seit drei Jahren.«

Flora schlug die Hände zusammen und kam ganz erregt in das Musikzimmer zurück. »Ist denn deine Lukas« – sie nannte die ehemalige Gouvernante immer noch bei ihrem Mädchennamen — »von Sinnen, daß sie das Geld so zum Fenster hinauswirft?«

Es war ziemlich still im anstoßenden Salon. Die drei alten Herren am Kamin und die Dame, welche mit dem Doktor gesprochen, hatten eben auch einen Spieltisch besetzt, Doktor Bruck saß in leise geführter Unterhaltung neben Henriette, und Fräulein von Giese pausierte aufhorchend für einen Moment. So konnte man jedes Wort dieses ziemlich lauten Gespräches drüben hören.

Henriette sprang auf und kam herüber. »Du bist musikalisch, Käthe«, fragte sie erstaunt, »und hast, solange du da bist, nicht eine Taste berührt?«

»Der Flügel steht neben Floras Zimmer. Wie konnte ich denn so anmaßend sein, sie mit meinem Klavierspiel im Arbeiten zu stören?« antwortete das junge Mädchen unbefangen und natürlich. »Ich habe freilich schon den lebhaften Wunsch gehabt, auch einmal auf dem Instrument hier zu spielen, denn es ist herrlich, und mein Piano daheim taugt nicht viel. Wir haben es vor fünf Jahren alt gekauft. Die Doktorin will schon lange ein besseres von dir fordern, aber ich war immer dagegen. Es war mir fatal, daß du von dieser Forderung auf meine Leistungen schließen könntest. Nun aber, nachdem ich heute den bewußten Schrank gesehen habe, bin ich durchaus nicht mehr so blöde. Ich wünsche mir ein Instrument wie dieses.«

»Es kostet tausend Taler. Tausend Taler für eine kleine Mädchenpassion! Das will überlegt sein, Käthe!«

»Und wer im Hause spielt denn auf eurem Instrument?« fragte sie jetzt mit fast harter Stimme und aufglühenden Augen. Man sah, sie war im Innersten verletzt. »Wem verschafft es einen Genuß in stillen Stunden? Es steht nur für Gäste da. Muß denn das Kapital immer so angelegt sein, daß es nur Nutzen trägt?«

Der Kommerzienrat trat ihr ganz betroffen näher und erfaßte ihre Hand. »Ereifere dich nicht, liebes Kind!« begütigte er. »Bin ich denn je ein harter und knickeriger Vormund gewesen? Geh, spiele ein Stück und beweise uns, daß dir die Beschäftigung mit der Musik wirklich Herzenssache ist! Mehr verlange ich gar nicht, und du sollst ein Instrument haben, wie du es dir wünschest.«

»Nun, nach dem Vorhergegangenen tue ich's nicht gern«, sagte sie aufrichtig und unumwunden und entzog ihm ihre

Hand. »Erspielen will ich mir den Flügel keinesfalls, wer weiß denn, was für eine Leistung du unter der ›Herzenssache‹ verstehst! Aber ich werde meine Noten holen, weil mir das ›Sichnötigenlassen‹ verhaßt ist.«

Sie wollte sich entfernen.

»Wozu denn Musikalien? Spiele doch eine deiner ›Kompositionen‹!« sagte Flora, ein sardonisches Lächeln halb verbeißend.

»Ich kann auch meine eigenen Arbeiten nicht auswendig«, antwortete Käthe hinausgehend.

Sie kam sehr rasch mit einem Notenheft in der Hand zurück. Während sie sich auf den Klavierstuhl setzte, den ihr Fräulein von Giese bereitwillig einräumte, nahm Flora das Heft vom Notenpult. »Von wem?« fragte sie, das Titelblatt aufschlagend.

»Nun, hast du nicht eine Komposition von mir zu hören gewünscht?«

»Allerdings, aber du hast dich vergriffen — das Tonstück da ist ja gedruckt —«

»Ganz recht. Es ist gedruckt.«

»Mein Gott, wie kommt denn das?« fuhr es Flora so rasch, so naiv erstaunt und betreten heraus, daß sie auf einen Augenblick ihre selbstbewußte Haltung einbüßte.

»Ja, Flörchen, wie kommt es denn, daß deine Sachen gedruckt werden?« fragte Käthe scherzend, mit Humor zurück, und legte ihre schönen, schlanken Hände auf die Tasten. »Ich will dir sagen, wie ich zu der Ehre gekommen bin«, setzte sie hinzu. »Meine Lehrer haben die ›Phantasie‹ heimlich drucken lassen, um mir eine Geburtstagsfreude zu machen.«

»Ah so — das konnte man sich denken«, sagte Flora und legte die Noten auf das Pult zurück.

Henriette war währenddessen hinter ihr weggeschlüpft. Sie beugte sich über Käthes Schulter und zeigte mit dem Finger auf das Titelblatt. »Laß dir doch nichts weismachen, Flora!« rief sie auflachend. »Sieh her! Da steht der berühmte Verlag von Schott und Söhne — die Firma gibt sich doch zu einem Geburtstagsspaß nicht her. Käthe, sage die Wahrheit!« bat sie mit strahlenden Augen. »Man spielt deine Sachen draußen in der Welt — sie werden gekauft?«

Das junge Mädchen nickte errötend und bestätigend mit dem Kopf. »Die Wahrheit ist aber auch, daß ich um mein eigenes Hinaustreten nicht gewußt und das erste Opus gedruckt auf meinem Geburtstagstisch gefunden habe«, sagte sie und begann ihren Vortrag.

Es war eine ganz einfache Melodie, die an das Ohr der Hörer schlug, aber schon nach einigen Takten ließen die am Spieltisch Sitzenden die Whistkarten sinken, so samtweich quollen die Töne aus dem Instrument, und so durch und durch originell und herzergreifend klang die neue Weise. Man fragte sich nicht, ob das Spiel korrekt sei, und als die Melodie schwieg, da blieb es noch einen Augenblick so atemlos still, als dürfe die entfliehende Tonseele, die eben noch so innig gesprochen, nicht durch lautes Geräusch erschreckt werden. Dann aber wurde es lebendig drüben im Salon. Die Herren riefen: »Bravo!« – »Reizend!« – »Prächtig!«, und die Damen bedauerten, daß der Papa Mangold das nicht erlebt habe. Man war überrascht, gerührt und – griff wieder zu den Karten.

»Die reizende ›Phantasie‹ müssen Sie mir geben, Fräulein. Ich werde sie der Fürstin vorspielen«, sagte die Hofdame mit Gönnermiene.

»Und den schönsten Konzertflügel, der je gebaut worden ist, sollst du haben, Käthe«, sagte der Kommerzienrat begeistert.

Henriette aber schmiegte liebkosend ihr blasses Gesicht an die Wange der Schwester und flüsterte: »Du Auserwählte!«

Schon nach den ersten Tönen war Flora wie verscheucht vom Flügel weggetreten und geräuschlos hinausgegangen. Langsam glitt sie drüben im roten Zimmer hin und wieder, und nun, als der letzte Ton verklungen, war die ruhelos schwebende weiße Gestalt verschwunden; sie hatte sich jedenfalls in die Schreibtischecke am Fenster zurückgezogen.

»Ah, mir scheint, Flora nimmt es übel, daß sie nun nicht mehr die einzige ›Berühmtheit‹ der Familie Mangold sein wird«, sagte Fräulein von Giese halb für sich, halb zum Kommerzienrat gewendet mit boshaftem Geflüster.

Der Kommerzienrat lächelte, aber er vermied, zu antworten.

»Auf deine Doktorin bin ich übrigens sehr böse, weil sie mir niemals Näheres über deine musikalische Begabung mitgeteilt hat«, sagte er zu Käthe, die eben ihren Platz am Flügel verließ.

Sie lachte.

»Bei uns daheim wird überhaupt kein Aufhebens davon gemacht«, versetzte sie unbefangen. »Die Doktorin ist eine Frau, die mit ihrem endgültigen Urteil kargt. Sie weiß, daß ich noch sehr viel zu lernen habe.«

»Ach, geh mir doch! Das ist schon mehr als spartanische Erziehung −«

»Oder auch das ausgesuchteste Raffinement, mit dem man einen großen Erfolg in Szene zu setzen wünscht«, fiel Flora ein, die eben unter die Tür trat. »Mir machst du nicht weis, Käthe, daß du so harmlos bescheiden über dein Talent denkst, daß du wirklich so wenig Gewicht darauf legst, um bei einem fünftägigen Aufenthalt in unserem Hause zu tun, als kenntest du auch nicht eine Note −. das ist falsch, hinterlistig gegen mich, gegen uns alle.« Der aufquellende Groll erstickte fast ihre schöne, klangreiche Stimme.

»So urteilst du, Flora?« brauste Henriette empört auf. »Du, die du nie müde wirst, deine schriftstellerischen Bestrebungen, deine ›gelehrten Studien‹ in jedes Gespräch zu ziehen und breitzutreten, die du dich in deinem Bekanntenkreis bereits auf Erfolge stützt, welche noch abzuwarten sind −«

»Henriette, besorge den Tee!« rief die Präsidentin in scharfem, strengem Ton herüber − man war zu laut im Musikzimmer.

Die Angerufene ging grollend hinaus.

»Du irrst, Flora, wenn du denkst, ich lege kein Gewicht auf mein Talent«, sagte Käthe vollkommen ruhig. »Dann wäre ich unwahr gegen mich selbst und auch namenlos undankbar, denn es verschafft mir himmlische Stunden. Es ist Zufall, daß ich nicht gleich bei meiner Ankunft darüber gesprochen habe, denn gerade die Musik ist schuld, daß ich einen Monat früher hierhergekommen bin. Mein Lehrer in der Komposition mußte auf vier Wochen verreisen, und weil ich dann volle zwei Monate den Unterricht eingebüßt haben würde, entschloß ich mich rasch und verließ Dresden mit ihm zugleich.«

Bei diesen letzten Worten des jungen Mädchens ging Fräulein von Giese in den Salon, sichtlich widerwillig sich losreißend − aber ihr Vater, ein alter pensionierter Oberst, war eben gekommen, und auch der Kommerzienrat ging hinaus.

Flora trat wieder an den Flügel und nahm das Notenheft.

»Man hat dir wohl viel Schmeichelhaftes darüber gesagt?« fragte Flora und schlug mit der umgekehrten Rechten auf das

Titelblatt — ihre Augen hingen verzehrend an den Lippen der Schwester.

»Wer denn?« entgegnete Käthe. »Meine Lehrer sind ebenso zurückhaltend mit ihrem Lob wie die Doktorin, und andere wissen nicht um meine Autorschaft. Du siehst doch, der Name des Komponisten fehlt.«

»Aber das Werkchen wird viel gekauft?«

Käthe schwieg.

»Sage nur die Wahrheit! Ist es schon mehr als einmal aufgelegt worden?«

»Nun ja.«

Flora warf das Heft auf den Flügel. »Nun, was tut's im Grunde?« sagte sie plötzlich, wie erleichtert. »Die glänzendste Rakete verpufft spurlos droben in der Luft. Sie ist dagewesen, während der Feuerkern im Vesuv fort und fort glüht. Ganz gut so, da sind es eben zwei aus der Familie Mangold, die hinaustreten in die Arena. Wir wollen sehen, Käthe, wer von uns beiden die glänzendste Karriere macht.«

»Ich ganz gewiß nicht«, rief Käthe heiter und strich sich ein widerspenstiges Löckchen aus der Stirn. »Ich werde mich hüten, in die Arena zu gehen. Denke ja nicht, daß ich unempfindlich bin gegen Erfolge! Es ist ein unbeschreibliches Gefühl, zu sehen, daß man mit seinen Schöpfungen die Herzen anderer rührt und bewegt, aber bloß dafür und deshalb zu leben? Nein, ich sehe daheim zu viel Glück, zu viel beseligendes Zusammensein und Zusammenwirken — was hilft der Ruhm, wenn er mich einsam läßt?«

»Aha, da haben wir ja die Bescherung, die ganze hausbackene Quintessenz deiner Erziehung! Wie es dieses Fräulein Lukas selbst unablässig erstrebt und schließlich durchgesetzt hat, so wirst du es auch machen — du willst dich verheiraten.« Sie lachte in verletzendem Spott hell und schneidend auf.

Das köstliche Rot auf den Wangen des jungen Mädchens breitete sich plötzlich bis an die Haarwurzeln der Stirn. »Du lachst und spottest, als sei es dir nie eingefallen, dasselbe zu tun«, sagte sie entrüstet, aber mit unwillkürlich gedämpfter Stimme, »und doch —«

Flora streckte so rasch die Hand aus, als wolle sie die schönen Mädchenlippen zupressen. »Bitte, kein Wort weiter!« rief sie gebieterisch. »Ja, mein sehr weises Fräulein, ich war allerdings für einen Augenblick so schwach und verblendet, mir ein

Netz überwerfen zu lassen, aber, Gott sei Dank, der Kopf ist wieder draußen, er ist klar und stark genug, sich die Freiheit zurückzuerobern.«

»Und hast du gar kein Gewissen, Flora?«

»Ein sehr empfindliches sogar, mein Schatz. Es sagt mir, daß es ein unverantwortlicher Leichtsinn gewesen ist, mich selbst so hinzuwerfen. Du wirst bibelfest genug sein, um zu wissen, daß jeder dafür verantwortlich gemacht wird, wie er sein Pfund verwertet. Sieh mich an, kannst du dir wirklich denken, ich würde zeitlebens als simple Frau Doktor am Herd stehen und Gemüse kochen? Und für wen?« Sie neigte den Kopf bezeichnend nach dem Salon, aus dem jetzt lebhaftes Stimmengeräusch herüberscholl. Mit dem Eintritt des alten Obersten von Giese war Leben und Bewegung in die Gesellschaft gekommen, nur Doktor Bruck saß allein am Teetisch und las eine Zeitung. Henriette war wieder an seiner Seite.

»Siehst du, daß auch nur einer der Herren mit ihm verkehrt?« fragte Flora mit unterdrückter Stimme. »Er ist geächtet, und mit allem Recht. Er hat mich und die Welt betrogen. Sein ihm vorausgegangener glänzender Ruf ist eitel Reklame gewesen.«

Sie brach ab und zog sich rasch in ihr Zimmer zurück, jedenfalls, um dem alten redseligen Obersten aus dem Wege zu gehen, der jetzt in Begleitung seiner Tochter und des Kommerzienrates in das Musikzimmer trat und sich Käthe vorstellen ließ. Auf seine Bitte setzte sich das junge Mädchen noch einmal an das Instrument und spielte. Wunderlich! Mit was für Augen ihr Schwager und Vormund nach ihr hinsah, sobald sie den Blick vom Notenblatte hob, so feurig, so unerklärlich, durchaus nicht so brüderlich vertraut, wie er ihr als Kind die Bonbontüten und gestern noch ein schönes Bukett aus der Stadt mitgebracht hatte. Sie ließ ihm stets willig die Hand, wenn er sie im Gespräch erfaßte, und litt es, daß er ihr liebkosend die Locken aus der Stirn strich, er tat das so harmlos, wie es ihr Vater einst getan, und jetzt, als sie die Hände von den Tasten sinken ließ, trat er unter dem rauschenden Beifall der anderen rasch auf sie zu und legte seinen Arm um ihre Schultern.

»Käthe, was ist aus dir geworden!« flüsterte er, sich über sie herabbeugend. »Wie erinnerst du mich an Klothilde, deine selige Schwester! Aber du bist schöner, ungleich begabter!«

Sie griff mit der Linken nach dem Arm, um ihn abzustreifen,

aber Moritz erfaßte nun auch die Hand und hielt sie fest. Für die Anwesenden war das ein hübsches Bild, eine selbstverständliche, harmlose Gruppe. Nur Henriettes bleiches Gesicht war sehr rot geworden, sie lächelte so eigentümlich. Doktor Bruck neben ihr sah nach seiner Uhr, dann reichte er Henriette verstohlen die Hand und benutzte die allgemeine Aufregung, um sich unbemerkt zu entfernen.

10.

Seit dem Gesellschaftsabend war eine Woche verstrichen; »eine entsetzlich anstrengende Woche!« seufzte erschöpft die Präsidentin. Es waren mehrere große Damentees und Kaffeegesellschaften in den höchsten Kreisen zu bewältigen gewesen, außerdem hatte Flora zu lebenden Bildern, die bei einem kleinen Hoffest gestellt wurden, die Verse machen und sprechen müssen, »man war kaum zu Atem gekommen«.

Henriette mußte aus Rücksicht auf ihren verschlimmerten Zustand dieses aufregende Treiben streng meiden, und Käthe blieb, obgleich sie stets sehr freundlich mit eingeladen wurde, regelmäßig bei ihr zu Hause. Dann tranken sie den Tee allein im Musikzimmer. Sie hatte meist ein Spottlächeln auf den Lippen, das den jugendlich knappen Toiletten der Großmama galt. Sie beklagte die verlorene Zeit, aber sie warf den schützenden Schleier über die blumengeschmückten Locken, nahm die Schleppe auf und ging, um draußen den wartenden Wagen zu besteigen und – »sich zu opfern«.

Der Kommerzienrat war vor sechs Tagen in Geschäften nach Berlin gereist. Er schrieb täglich an die Präsidentin »wahrhaft goldtrunkene Briefe«, wie sie bedeutungsvoll lächelnd sagte. Vorgestern aber waren prachtvolle Blumen an die drei Schwägerinnen gekommen, und da hatte die Frau Präsidentin nicht gelacht. Für Flora und Henriette hatte der aufmerksame Schwager Kamelien und Veilchen binden lassen, Käthes Rosenstrauß dagegen strotzte von Orangenblüten und Myrten. Der Präsidentin wäre wahrscheinlich die zarte Sprache aus der Ferne entgangen, sie nahm achtlos die Blumen aus der Kiste und war eben im Begriff, die für Henriette und Käthe bestimmten hinaufzuschicken, als Flora, sich schüttelnd vor Lachen, mit dem Finger auf die ausdrucksvolle Zusammenstellung der Blumen zeigte. Da wurde das Gesicht der alten Dame lang und fahl wie noch nie in ihrem ganzen Leben. »Aber Großmama, hast du denn wirklich geglaubt, Moritz werde sich den Adel mit solchen Unsummen erkaufen, um dann sein Geschlecht aussterben zu lassen!« rief Flora in ihrer übermütigen, leichtfertigen Scherzweise. »Du hättest doch wissen müssen, daß ein Mann wie er, noch ziemlich jung, reich und stattlich, nicht zeitlebens Witwer bleiben wird! Und er freit nicht vergeblich um Käthe — das weiß ich am besten.«

Mit diesem kleinen Zwischenfall trat plötzlich ein Spukwesen in der Villa Baumgarten auf. Käthe ahnte sein Dasein nicht. Sie hatte die auf Draht gebundenen Blumen mit frischem Wasser besprizt und sie auf das Fensterbrett gestellt, ohne die bedeutungsvolle Blumenschrift verstanden zu haben. Durch die Gemächer der Präsidentin aber wandelte die graue dräuende Gestalt und vergällte ihr den Genuß an allem, was ihr das Leben schmückte. Die alte Dame sorgte um ihre Zukunft, als habe sie erst die Hälfte ihres Lebens hinter sich. Der Kommerzienrat durfte sich nicht wieder verheiraten, er war ihr das schuldig. Sie hatte ihn durch ihre Konnexionen, ihren gesellschaftlichen Einfluß, erst zu dem gemacht, was er geworden war, sie hatte mit ihrem unvergleichlichen Geschmack sein Haus zu einem kleinen Schloß umgestaltet, und war es ihrerseits nicht ein bedeutendes Opfer, ein Akt der Selbstüberwindung gewesen, mit welchem sie sich an die Spitze seines damals noch ziemlich simplen, bürgerlichen Hauswesens gestellt? Und nun, als sich alles so gefügt, wie sie gewünscht und unablässig erstrebt hatte, nun sollte es plötzlich eine junge Frau von Römer geben, die hier unten in den prachtvollen Räumen empfing — und wer die Frau Präsidentin Urach sehen wollte, der mußte hinaufsteigen in »das Auszugsstübchen«, das man »der Großmama« eingeräumt. Nicht einmal Flora, das Kind ihrer eigenen Tochter, hätte sie an dieser Stelle sehen mögen, geschweige denn die Enkelin des Schloßmüllers. Die Frau Präsidentin sprach mit einemmal sehr interessiert von Käthes Heim in Dresden, sie zeigte sich so besorgt, daß das wundervolle musikalische Talent vier Wochen lang brach liegen müsse, und ging mit dem Gedanken um, das junge Mädchen in höchsteigener Person nach Dresden zurückzubringen.

Käthe ließ alle diese ausgesuchten Höflichkeiten schweigend über sich ergehen. Sie wollte abwarten, ob sich Henriette nicht doch durch Doktor Bruck bestimmen ließe, die Schwester zu begleiten. Die Tante Diakonus sprach sie sehr oft, und zwar in der Schloßmühle. Die alte Frau sah täglich nach Suse,

seit sie so nahe wohnte; sie brachte ihr Suppen und einge-
machte Früchte und saß stundenlang bei der Haushälterin, die
sich durchaus nicht darein fand und sehr unglücklich war, daß
es mit dem Spinnen, Stricken und Waschen »immer noch nicht
gehen wollte«.

Das waren trauliche Dämmerstündchen in der Schloßmühlenstube. Die Tante erzählte aus ihrer Jugend, aus der Zeit, wo
sie noch die »Frau Seelsorgerin« im Dorf gewesen war, sie be-
schrieb den schweren, tränenreichen Moment, wo sie den
Doktor als achtjährigen Knaben aus dem Elterhause wegge-
holt hatte, weil ihm Vater und Mutter in wenigen Tagen gestorben waren, und mochte sie auch mit kleinen Erlebnissen aus ihrer sonnigen Mädchenzeit oder aus ihrem glücklichen Ehele-
ben beginnen, stets und immer gipfelten ihre Schilderungen in
dem Zusammensein mit dem Doktor, der so recht der Sonnenschein ihres Lebens geworden war, wie sie versicherte.

Beim Nachhausegehen begleitete Käthe die alte Frau den
rauschenden Fluß entlang bis an die Brücke. Die kleine Hand
der Tante lag dann auf dem Arm des jungen Mädchens, und sie
wandelten dahin wie zusammengehörig, als müßten sie auch
miteinander über die Brücke schreiten und hineingehen in des
»Doktors Haus«, das so still und friedlich, so weltverloren und
vom Dämmerlicht eingesponnen hinter dem Ufergebüsch lag.
Gewöhnlich brannte schon die grünverschleierte Lampe in der
Eckstube. Durch das eine unverhüllte Fenster fiel ihr Licht,
breit und hell, schräg über die Brücke. Die heimkommende
alte Frau konnte nicht fehlgehen, wenn es auch schon tief dunkelte. Dann ging sie hinein, der letzte Fensterladen wurde geschlossen, und dort in der behaglichen Ofenecke − Käthe
konnte sie mit ihren scharfen Augen vollkommen übersehen −
wo der grüne, verblichene Fußteppich lag und hinter dem runden Tisch ein hochlehniger, gepolsterter Armstuhl stand, ordnete sie geräuschlos den Abendtisch und wartete strickend, bis
der Doktor sein Pensum beendet hatte.

Das hatte sie dem jungen Mädchen auf der Abendwande-
rung wiederholt geschildert, und gar so gern blieb sie dann einen Augenblick auf der Brücke stehen, überblickte ihr trautes
Heim und deutete lächelnd nach dem Mann, der arbeitend seinen dunkellockigen Kopf über den Schreibtisch beugte. Aber
er sprang gewöhnlich auf und öffnete das Fenster, denn der
neu angeschaffte Kettenhund fuhr mit wütendem Gebell auf

die Herankommenden los. »Bist du es, Tante?« rief der Doktor herüber. Bei diesen Lauten floh Käthe aus dem Bereich des Lampenscheins. Mit einem flüchtigen »Gute Nacht!« stürmte sie die einsame Allee hinauf. Sie kam sich vor wie ausgestoßen, und so mußte auch ihm später zumute sein − falls er Flora wirklich noch an seine Seite zu zwingen vermochte − wenn er aus dem Hause am Fluß in die Stadtwohnung zurückkehrte und von seiner Frau, der Seele des Hauses, mit kühlem Gruß am Schreibtisch, oder geschmückt zu einer Abendgesellschaft, im flüchtigen Vorübergehen empfangen wurde.

Es war am siebenten Tag nach der Abreise des Kommerzienrats, als die Nachricht aus Berlin eintraf, daß die Spinnerei verkauft sei. Die Präsidentin war von dieser Neuigkeit so angenehm berührt, daß sie, mit dem Brief in der Hand, die Treppe zum ersten Stock hinaufstieg und in Henriettes Zimmer trat, wo sich auch Flora kurz vorher eingefunden hatte.

Die alte Dame setzte sich in einen Lehnstuhl und erzählte. »Gott sei Dank, daß Moritz ein Ende macht!« sagte sie heiter gestimmt. »Er hat ein glänzendes Geschäft abgeschlossen, die Spinnerei wird ihm so ungemein hoch bezahlt, daß er selbst ganz überrascht ist.« Sie legte die feinen Hände gefaltet auf den Tisch und sah unendlich zufrieden aus. »Er wird nun ganz und gar mit seiner kaufmännischen Vergangenheit brechen. Damit fallen auch die fatalen Rücksichten auf die sogenannten Geschäftsfreunde weg. Denkt nur daran, wie oft wir ungehobelte Gäste beim Diner gehabt haben, die besser am Bediententische gesessen hätten! Mein Gott, waren das peinliche, verlegene Momente! Ach ja, man hat sich ja so manchmal stillschweigend überwinden müssen.«

Käthe stand am Fenster. Von dieser Stelle aus konnte man das große Fabrikgebäude inmitten seiner unvollendeten neuen Anlagen liegen sehen. Der weite Kiesplatz vor dem Haus wimmelte von Menschen, von Männern, Frauen und Kindern, die aufgeregt durcheinanderfuhren und gestikulierten. Die Maschinen standen verlassen, es mochte kein einziger Arbeiter in den Sälen verblieben sein.

Das junge Mädchen am Fenster deutete betroffen hinüber.

»Weiß schon«, sagte die Präsidentin lächelnd. Sie erhob sich und trat an das Fenster. »Der Kutscher hat mir eben im Flur Meldung gemacht, es solle sehr laut da drüben zugehen. Man ist außer sich, daß die Spinnerei an eine Aktiengesellschaft verkauft worden ist. Ja, ja, so geht's, die guten Leute ernten nun, was sie gesät haben. Moritz hätte auf keinen Fall so überraschend schnell reinen Tisch gemacht. Sein Herz hing ja in für mich unbegreiflicher Weise an der Spinnerei, aber die letzten Vorgänge haben ihm den Besitz gründlich verleidet, er will mit der Sache nichts mehr zu tun haben.«

»Das sieht so aus, als habe er sich gefürchtet, der gute Moritz«, meinte Flora verächtlich. »Ich für meinen Teil hätte gerade in diesem Augenblick die Fabrik nicht für Millionen hingegeben. Der Grimm schnürt mir den Hals zu, wenn ich mir denke, es könnte nun heißen, die Drohbriefe an mich hätten uns eingeschüchtert!«

»Sei ruhig, Flora! Das glaubt niemand von dir, man sieht dir die Soldatencourage und die Zuversicht auf hundert Schritte an«, spottete Henriette.

Die schöne Schwester rauschte schweigend nach der Tür, und auch die Großmama erhob sich, um sich zum Diner anzukleiden.

»Bruck hat dir für heute einen kleinen Spaziergang erlaubt, Henriette?« fragte die alte Dame, sich an der Tür noch einmal zurückwendend.

»Ich soll mich ein wenig im Stadtforst ergehen, um Tannenharzluft zu atmen.«

»Dann werde ich mich anschließen«, sagte Flora. »Ich brauche auch Luft, Luft, um nicht zu ersticken unter der Last von Widerwärtigkeiten, die mir das Schicksal aufbürdet.«

Sie reichte der Präsidentin den Arm, um sie die Treppe hinabzuführen.

Henriette stampfte zornig mit dem Fuß; sie hätte weinen mögen vor Ärger, aber verhindern konnte sie es doch nicht, daß die schöne Schwester nach Tisch erschien, um sie auf dem Waldspaziergang zu begleiten.

Es war ein herrlicher Apriltag mit wolkenlos blauem Himmel, mit glitzerndem Sonnengold auf Weg und Steg und dem Duft der ersten Veilchen. Diese kleinen Blumen pflückte Käthe, während Flora und Henriette auf dem schmalen Weg blieben, der nach dem Tannengrund führte.

Still war es heute nicht im Wald — es war der Tag, an welchem sich die Armen aus der Stadt das dürre Holz holen durften. Man hörte das Einknicken verdorrter Äste, das gegenseitige Zurufen von Menschenstimmen, und tief im Gestrüpp stand Käthe plötzlich vor einer braunen Frau, die eben einen abgesägten armstarken Buchenast zu Boden riß. War es, weil sie grünes statt des erlaubten dürren Holzes in Händen hielt, oder machte ihr die unerwartet hervortretende Erscheinung selbst einen zornerregenden Eindruck – sie warf einen wilden Blick auf das junge Mädchen.

Käthe fürchtete sich nicht im geringsten: sie bückte sich, um eine ganze Familie Anemonen unter dem nächsten Strauch zu pflücken. In diesem Augenblick drang vom Weg her ein vereinzelter Ruf, ein schwacher Laut, dem ein Tumult von gedämpften Stimmen folgte.

Die Frau horchte auf, schleuderte den Ast fort und schlug sich in der Richtung des Lärms quer durch das Untergesträuch. Und jetzt zitterte der Aufschrei wieder herüber – es war Henriettes krankhaft dünne Stimme. Käthe folgte der Frau auf den Fersen, die Dornen rissen ihr Fetzen vom Kleid, und die Büsche, die die Frau mit kräftigen Armen teilte, schlugen in ihr Gesicht, aber sie kam rasch heraus auf den Weg.

Zuerst sah sie nur ein Knäuel von Frauen und zerlumpten Jungen, die sich um den Stamm einer Kiefer drängten. Bei den heftigen Bewegungen der Versammelten aber teilte sich da und dort das Gewirr von struppigen Haaren und schmutzigen Kopftüchern und ließ Floras weißes Hütchen mit der emporstehenden blauen Feder auftauchen.

»Laß den Zwerg los, Fritz!« rief eine. »Aber sie schreit ja wie närrisch«, sagte die Jungenstimme. »Ach was, das Piepen hört kein Mensch.« Die Frau hatte eine breite Stumpfnase und kleine, boshafte Augen und überragte in hünenhafter Länge alle anderen.

Jetzt sprach Flora – Käthe erkannte kaum ihre Stimme. Ein vielstimmiges Hohngelächter antwortete ihr.

»Aus dem Weg gehen?« wiederholte die große Frau. »Das ist der Stadtforst, Fräulein. Da kann der ärmste Bürger spazierengehen so gut wie die großen Herren – denn will ich sehen, der mich da vertreibt.« Sie stellte sich noch breitspuriger hin. »Da guckt her, ihr Leute! Unsereins sieht das Gesicht sonst nur in der stolzen Kutsche, wenn die Pferde um die Ecken rennen und den armen Leuten am liebsten die Beine wegfahren möchten ... Ein schönes Frauenzimmer sind Sie, Fräulein – das muß Ihnen der Neid lassen. Alles Natur, nichts angestrichen,

eine Haut wie Samt und Seide — 'neinbeißen möchte man.«
Sie beugte den Kopf dicht neben das weiße Hütchen.

Die Frau, die vor Käthe hergelaufen war, wühlte sich förmlich in den Kreis. »Da kommt noch eine!« rief sie und zeigte
mit dem Finger auf das junge Mädchen zurück.

Die Nächststehenden fuhren herum und traten unwillkürlich auseinander. Da stand Schwester Flora, weiß auf Wangen
und Lippen, man sah ihre Knie wanken — sie rang sichtlich
nach der gewohnten stolzen Haltung.

»Die geht uns nichts an«, schrie ein Junge und wandte Käthe
den Rücken, und der Kreis schloß sich wieder, noch enger,
dichter als vorher.

»Käthe!« rief Henriette in hilfloser Angst hinter der Mauer
von Menschenleibern, aber der Ruf wurde sofort erstickt. Man
merkte deutlich, daß ihr eine Hand auf den Mund gepreßt
wurde. In demselben Augenblick taumelten drei, vier Jungen
rechts und links. Käthe stieß mit kraftvollen Armen selbst das
Hünenweib auf die Seite und trat vor ihre Schwestern. »Was
wollt ihr?« fragte sie mit lauter, fester Stimme.

Einen Augenblick standen die Angreifer bestürzt, aber auch
nur einen Augenblick — es war ja nur ein Mädchen mit einem
blutjungen Gesicht, das da zu Hilfe kam. Nun wurde auch sie
unter lautem Gelächter mit eingeschlossen.

»Tausendsapperlot, die fragt ja so kurz und knapp wie die
Herren auf dem Gericht«, rief die Große und schlug sich klat-
schend auf die breite Hüfte.

»Ja, und tut so stolz, als ob sie direkt von den heiligen drei
Königen abstammt«, fiel die Frau im violetten Kopftuch ein.
»Hören Sie, Ihre Großmutter war aus meinem Dorf. Schuh
und Strümpfe hab' ich dazumal nicht an ihren Füßen gesehen,
und ich weiß auch noch recht gut, wie Ihr Großvater Hü und
Hott bei dem alten Müller Klaus seinen Pferden machte —«

»Glaubt ihr, ich weiß das nicht, oder ich schäme mich dessen?« unterbrach sie Käthe ruhig und kalt, aber jeder Blutstropfen war ihr aus dem ernsten Gesicht gewichen.

»Wär' auch noch schöner — ist Ihnen doch sein Geld gut gewesen, das viele, viele Geld«, rief eine dritte, sich dicht an das
junge Mädchen herandrängend. Sie griff nach Käthes seide-
nem Kleide und rieb den Stoff prüfend zwischen den Fingern.
»Ein schönes Kleid! Ein Staatskleid! Und so mitten in der Woche und im Walde, wo die Fetzen an den Dornen hängen blei-

ben! Na, was schadet's denn? Das Geld ist ja da. Spreukörbe voll haben sie bei dem Alten gefunden. Aber wo es hergekommen ist? Gelt, danach wird nicht gefragt! Ob der Schloßmüller den armen Leuten das Korn vor der Nase weggekauft und auf seinen Böden eingeschlossen hat, vieltausendscheffelweise – das ist Ihnen sehr einerlei, Fräulein. Und ob er gesagt hat, es müßte erst so und so hoch im Preise steigen, ehe er auch nur eine Schaufel voll hergäbe, und wenn die Leute wie die hungrigen Mäuse pfiffen –«

»Lüge!« rief Käthe außer sich.

»So – Lüge? Es ist wohl auch nicht wahr, daß wir nun den Gründern in die Krallen geworfen werden? Die nehmen uns die letzte Kartoffel aus dem Topf. Das gibt ein Unglück. Meine Tochter geht lieber ins Wasser, als daß sie bei den Menschenschindern arbeitet.«

»Und mein Bruder schießt sie am ersten Tage über den Haufen«, prahlte ein halbwüchsiger Bursche. »Ja, wie dem Zwerg da seine Tauben«, sagte ein anderer anzüglich und mit den Augen blinzelnd, und zeigte auf Henriette, die sich mit zuckendem Gesicht, in wahnsinniger Angst an Käthe anklammerte.

Da erscholl in ziemlicher Nähe das Gekläff eines Hundes. Augenblicklich richtete sich Flora auf, und der ganze kalte Hochmut, der ihr zu Gebote stand, spiegelte sich auf ihrem Gesicht. »Was geht mich der Verkauf der Spinnerei an?« fragte sie verächtlich. »Macht das mit dem Kommerzienrat aus! Er wird euch schon zu antworten wissen. Und nun marsch aus dem Wege! Eure Unverschämtheit soll euch sehr schlecht bekommen – darauf könnt ihr euch verlassen.«

Sie streckte den Arm mit einer herrischen Gebärde gegen die Umstehenden aus, aber die große, starke Frau ergriff die feinbekleidete Hand, als sei sie zu einem freundschaftlichen Druck geboten, und schüttelte sie derb mit gut gespielter Treuherzigkeit. Dabei lachte sie aus vollem Halse, und die anderen stimmten johlend ein. »Fräulein, Sie kriegen ja Mut wie ein Gendarm – wohl, weil dort drüben« – sie zeigte mit dem Daumen über die Schulter zurück – »ein Hund gebellt hat? Das ist dem alten Sonnemann sein Dackel, ich kenn' ihn an der Stimme, und der alte Sonnemann ist stocktaub, und sein Dackel geht nicht von ihm weg. Die gehen miteinander nach Oberndorf in die Schenke, wie jeden Nachmittag. Hierher kommen sie nicht – da seien Sie ganz ruhig! Und es geht Sie wirklich nichts an, Sie schönes Frauenzimmer Sie, daß die Spinnerei verkauft worden ist? Wer's glaubt! Man braucht Sie nur anzusehen, da weiß ein jeder gleich, wo Barthel Most holt. Sie und die alte Madame regieren und kommandieren, und der Kommerzienrat hat bloß zu gehorchen, und weil er nun reich genug ist, da sollen die gemeinen Leute, die ihm das Geld verdient haben, abgeschüttelt werden wie Ungeziefer. Na, ändern können wir's freilich nicht, aber bedanken wollen wir uns doch bei Ihnen, Fräulein.«

Sie rückte näher, und der funkelnde Blick aus ihren kleinen, schiefen Augen hatte etwas katzenartig Grausames.

Flora schlug entsetzt die Hände vor das Gesicht. »Gott im Himmel, sie wollen uns ermorden«, stöhnte sie tonlos mit bebenden Lippen.

Der ganze Chor lachte.

»Denken Sie nicht daran, Fräulein!« sagte die Frau. »So dumm sind wir nicht. Da geht's uns ja selbst an den Kragen. Was haben wir davon? Nur einen kleinen Denkzettel sollen Sie haben.«

Flora griff plötzlich, wie infolge einer plötzlichen Eingebung, in die Tasche ihres Kleides, öffnete ihr Portemonnaie und schüttete den ganzen Inhalt, Gold und Silber, auf die Erde. Sofort erweiterte sich der Kreis, und die Vordersten, meist Knaben, waren im Begriff, sich über das Geld herzustürzen. »Untersteht euch!« schrie die Große und stellte sich mit ausgestreckten Armen zurückdrängend vor sie hin, daß sie wie eingekeilt standen. »Dazu ist's nachher auch noch Zeit! Nachher, Fräulein«, wandte sie sich bedachtsam und ironisch höflich an die schöne Dame, »erst den Denkzettel!«

»Hüten Sie sich, uns zu berühren!« sagte Käthe. Sie behielt vollkommen ihre Fassung, während beide Schwestern dem Umsinken nahe waren.

»Ach Sie! Was mischen Sie sich denn da hinein? — Vor was soll ich mich denn hüten? Ein paar Wochen brummen«, sie machte eine wegwerfende Bewegung, »das läßt man sich schon einmal gefallen, und mehr geben sie einem beim Gericht nicht für — na, für eine Ohrfeige oder ein paar Schrammen im Gesicht. Und die sollen Sie haben, Fräulein, so gewiß wie ich dastehe«, wandte sie sich mit erhöhter Stimme an Flora. »Ich will Ihre schweeweiße Haut malen, daß Sie zeitlebens an mich denken.« Blitzschnell hob sie die Hände, um mit den schmutzigen Nägeln Floras Gesicht zu zerkratzen, allein ebenso rasch griff Käthe zu. Mit einem einzigen Ruck packte sie die knochigen Fäuste und stieß die Frau zurück, daß der wuchtige Körper taumelnd eine Bresche in die Menschenmauer schlug. Und nun entstand ein unbeschreiblicher Tumult. Wie ein wütend gereizter Bienenschwarm stürzte sich die Menge auf das große, kraftvolle Mädchen, das leichenblaß, aber hochaufgerichtet dastand, die Schwestern mit ihrem Leib deckend. Flora war zu Boden gesunken, sie umklammerte, halbtot vor Angst, den Kiefernstamm und drückte das bedrohte Gesicht an seine Rinde. Das herabfallende weiße Hütchen wurde unter den Füßen der Angreifer zerstampft.

»Hilfe, Hilfe!« schrie Henriette mit übermenschlicher Anstrengung, während alle Hände nach Käthe griffen. Schon hing der schwarze Seidenumhang in Fetzen von ihren Schultern, der Hut wurde ihr vom Kopf gerissen, und die Flechten fielen gelöst über den Rücken herab. Da kreischte der Junge, der abermals seine Hände auf Henriettes Mund gepreßt hatte, wild auf. »Herr Jesus, was ist denn mit der da?« schrie er und wühlte sich durch das Gemenge, um zu entfliehen.

Ein Blutstrom quoll über die Lippen der Kranken, die mit versagenden Blicken und tastenden Händen nach einer Stütze griff, aber alles wich scheu zurück. Blut! . . . Im Nu zerstob die Menge nach allen Richtungen hin. Im Gebüsch rauschte und knackte es, wie wenn ein Rudel Wild durchbricht, dann war es still, als sei das wilde Heer, das sich eben noch so wütend gebärdet hatte, im Waldboden versunken. Und wenn auch da und dort der Kopf eines Jungen aus dem Gebüsch lugte, um die Stelle, wo das Geld auf der Erde verstreut lag, nicht aus den Augen zu verlieren, so geschah das vorsichtig und vollkommen lautlos.

Käthe hatte die Schwester in den Armen aufgefangen und ließ sich mit ihr zu Boden fallen. Sie lehnte sich mit dem Rücken an die Kiefer und bettete den Kopf der Kranken an ihre Brust. In dieser Lage hörte das Blut allmählich auf zu strömen.

»Hole Hilfe!« sagte sie, ohne die Augen von dem totenähnlichen Gesicht der Kranken wegzuwenden, zu Flora, die in Angst und Ungeduld auf die Gruppe niedersah und ihre krampfhaft verschränkten Hände gegen den Busen drückte.

»Bist du wahnsinnig?« fuhr sie mit gedämpfter Stimme auf. »Soll ich der Meute geradewegs in die Hände laufen? Allein rühre ich mich nicht von der Stelle. Wir müssen versuchen, Henriette fortzuschaffen.«

Käthe sagte kein Wort, nach verschiedenen vorsichtigen Versuchen, bei denen Flora behilflich war, stand sie endlich auf den Füßen und trug Henriette wie ein Kind auf dem Arm. Der Kopf der noch immer Bewußtlosen ruhte auf ihrer Schulter. Sie glitt förmlich über den Boden und wich dem kleinsten Stein aus, um jede gefahrbringende Erschütterung zu vermeiden. Die Bemühungen erschwerten ihr die Last bedeutend, aber stehenbleiben und nur einmal tief Atem schöpfen durfte sie nicht.

»Ruhe aus, so lange du Lust hast, wenn wir draußen im freien Feld sind — nur hier nicht, wenn du nicht willst, daß ich vor Angst sterben soll!« sagte Flora in gebieterischem Ton. Sie ging dicht an Käthes Seite, mit hochgehobenem Kopf, aber unausgesetzt das verräterische Gebüsch am Wege scheu beobachtend, um bei dem geringsten verdächtigen Geräusch die Flucht zu ergreifen.

11.

Endlich standen sie draußen auf dem weiten, sonnigen Feld. Käthe stützte sich für einen Augenblick auf einen hohen Grenzstein, den eine mächtige Eiche überwölbte, während Flora einige Schritte weiter hinaustrat, um den Wald möglichst weit hinter sich zu haben. Die Gefahr war vorüber. Weit drüben auf dem Ackerland arbeiteten Leute. Sie hätten nötigenfalls einen Hilferuf hören können. Man sah die Türme der Stadt, und dort lief der Weg nach dem Parktor der Besitzung Baumgarten.

Aber Käthes Augen hingen an einem Punkt, den Flora nicht sah, an dem niedrigen Dach mit den hohen Schloten und den vergoldeten Windfahnen, das so friedlich aus dem Wald von Obstbäumen auftauchte. Sie konnte deutlich den Zaun erkennen, der den Garten umschloß, er lag weit näher als das Parktor, und dahin lenkte sie nach kurzem Ausruhen schweigend ihre Schritte.

»Nun, wo hinaus?« rief Flora, die bereits auf dem Wege nach dem Park schritt.

»Nach Doktor Brucks Haus«, versetzte das junge Mädchen, ruhig und unbeirrt weitergehend. »Es liegt am nächsten. Dort finden wir vor allen Dingen ein Bett, auf das ich Henriette niederlegen kann, und möglicherweise auch sofortige Hilfe. Vielleicht ist der Doktor gerade zu Hause.«

Flora runzelte die Brauen, aber sie kam schweigend herüber.

So ging es über das offene Feld hin. Für Käthe war die Aufgabe anstrengend. Der selten betretene Weg durch den weichen Ackerboden war voller Löcher und sehr steinig. Dabei brannte die Sonne, sengend wie im August, auf ihren unbedeckten Scheitel, und sie glaubte vor Erschöpfung zusammenbrechen zu müssen, aber dann heftete sich ihr Blick um so fester auf des Doktors Haus. Es rückte ja immer näher, das liebliche Bild des ländlichen Friedens und der erquickenden Ruhe. Sie sah nun schon vollkommen klar und deutlich, wie hinter dem Zaun emsig gearbeitet wurde, und bei aller Angst und Ermüdung kam ihr doch ein leises Gefühl der Freude. Der Mann in Hemdärmeln nagelte dort aus Fichtenästen eine Laube zusammen, eine Laube für die Tante Diakonus. Die alte Frau konnte die weinbewachsene Hütte im kleinen Pfarrgarten nicht vergessen und hatte seitdem nie wieder so im Grünen sitzen dürfen.

Und jetzt kam sie selbst die Türstufen herab, im weißen Häubchen, die blauleinene Küchenschürze vorgebunden, und brachte auf einem Teller dem Arbeiter sein Vesperbrot. Sie sprach eifrig mit dem Mann. Beiden fiel es nicht ein, über den Zaun ins Feld hinauszusehen. Käthe überlegte eben, ob sie nicht doch um helfende Hände hinüberrufen sollte – in demselben Augenblick kam auch der Doktor vom Haus her.

»Bruck!« rief Flora mit dem Silberklang ihrer Stimme über das Feld hin.

Er blieb stehen und starrte einen Augenblick nach der seltsamen Gruppe, die sich auf ihn zubewegte. Dann stieß er die Tür im Zaun auf und stürmte hinüber. »Mein Gott, was ist denn geschehen?« rief er schon von weitem.

»Ich bin einem tollen Mänadenschwarm in die Hände gefallen«, antwortete Flora bitter lächelnd, aber auch ganz wieder mit jener Geringschätzung und stolzen Nachlässigkeit, die sich durch nichts in der Welt aus der Fassung bringen lassen will. »Das Gesindel hat mit seinen Drohungen Ernst gemacht, ich war in Lebensgefahr, und das arme Ding da« – sie zeigte auf

Henriette — »hat vor Aufregung darüber einen Blutsturz bekommen.«

Er sah nur von der Seite zu ihr hinüber — sie stand ja heil und unversehrt da — und griff mit beiden Armen zu, um Käthe die Kranke abzunehmen. »Sie haben sich übermenschlich angestrengt«, sagte er, und seine Augen streiften besorgt ihre ganze Erscheinung. Man sah, wie ein nervöses Schütteln durch ihren Körper ging, sie biß krampfhaft mit den Zähnen die Unterlippe, und ihre Wangen glühten. Und daneben stand Flora ruhig atmend, und auf ihrem schönen Gesicht lag nur die Röte der seelischen Erregung.

»Du hättest deiner Schwester die Last nicht allein überlassen sollen«, wandte er sich an seine Braut, indem er die bewußtlose Henriette behutsam weitertrug.

»Bruck, wie kannst du das von mir verlangen?« rief sie beleidigt. »Übrigens bedurfte es dieser Zurechtweisung deinerseits durchaus nicht, mein Freund«, setzte sie sehr scharf hinzu, »ich kenne meine Pflicht und wäre sehr gern aus eigenem Antrieb bereit gewesen, Henriette zu tragen, hätte ich mir nicht selbst sagen müssen, daß das bei meiner schwachen Konstitution geradezu Wahnsinn sei, und wäre Käthe nicht eine solche urgesunde, robuste Walkürennatur, die eine derartige Anstrengung sicher nicht anficht.«

Er antwortete ihr mit keiner Silbe und rief der herbeieilenden Tante zu, rasch ein Bett herzurichten. Diese lief, so schnell sie konnte, in das Haus zurück, und als die Ankommenden den Flur betraten, da stand sie schon an der geöffneten Tür eines nach Westen gelegenen Zimmers und winkte stumm und mit bestürzter Miene, da einzutreten.

Die Fremdenstube war ein von glänzendem Tageslicht erfüllter, ziemlich großer Raum mit ausgetretenen Dielen, verschabten, einst rosa angestrichenen Wänden und einem Ofenungetüm von schwarzen Kacheln. Die neuen, mit Rosen bedruckten Kattunvorhänge an den zwei Fenstern waren vielleicht der einzige Luxus, den sich die Tante Diakonus beim Umzug gestattet hatte. Eine köstlich reine, mit Lavendelduft gemischte Luft wehte die Eintretenden an.

Auf der Stirn des Doktors lag ernste Besorgnis. Es dauerte sehr lange, bis sich unter seinen Bemühungen Henriettes Augen zu einem umschleierten Blick öffneten. Sie erkannte ihn sofort, aber ihre augenblickliche Schwäche war so groß, daß sie die Hand nicht von der Bettdecke zu heben vermochte, um sie ihm zu reichen. Er hatte den Gartenarbeiter in die Villa Baumgarten geschickt, um die Präsidentin von dem Vorgefallenen zu benachrichtigen — sie kam sogleich. Bis dahin war im Krankenzimmer kein Wort gefallen. Flora stand an dem einen Fenster und starrte in die Gegend hinaus, und an dem andern saß Käthe, während die Tante geräuschlos ab und zu ging, um dem Doktor alles herbeizubringen, was er brauchte.

Die Präsidentin erschrak sichtlich, als sie Henriettes Gesicht so wachsbleich auf dem Kissen liegen sah, und mochte wohl das Schlimmste befürchten, weil die Kranke bei ihrer sanften Anrede die Wimpern nicht hob. Henriette hatte die Augen in dem Augenblick wieder geschlossen, als ihre Großmutter auf die Schwelle getreten war.

»Sagt nur um Himmels willen, wie das gekommen ist!« rief die alte Dame.

Nun trat Flora aus dem Fenster und erzählte. Sie schilderte ergrimmt, mit lebendiger Deutlichkeit den Auftritt im Wald. Ihrer Darstellung nach hatte sie selbstverständlich keinen Augenblick den Mut und die Geistesgegenwart verloren, aber einer Schar von mindestens zwanzig Furien gegenüber brauche der stärkste Geist alle seine Kraft, um nicht vor Ekel und Abscheu zu erliegen, versicherte sie.

Die Präsidentin ging währenddessen ganz außer sich auf und ab. »Was sagt der Menschenfreund nun dazu?« fragte sie endlich stehenbleibend, und aus ihren halbzugesunkenen Augen zuckte es wie ein mörderischer Blick nach dem Doktor hin.

Er schwieg mit jener ruhigen Milde, die sein jugendlich schönes Gesicht so überlegen erscheinen ließ. Henriettes Hand in der seinen haltend, schien er nur Augen für das schwach pulsierende Leben zu haben, das jeden Augenblick in das Nichts zerrinnen konnte.

Die alte Dame trat wieder an das Bett und beugte sich mit zurückgehaltenem Atem über die Kranke.

»Herr Doktor«, sagte sie nach einem kurzen Zögern, »der Zustand scheint mir sehr bedenklich — wollen wir nicht doch endlich einmal meinen alten, erfahrenen Freund und Hausarzt, den Medizinalrat von Bär, zu einer Beratung herbeirufen? — Sie dürfen mir das nicht verargen.«

»Nicht im geringsten, Frau Präsidentin«, sagte er, die aufzuckende Hand der Kranken auf die Bettdecke legend. »Es ist sogar meine Pflicht, alles zu tun, was zu Ihrer Beruhigung dienen kann.« Er erhob sich ruhig und verließ das Zimmer, um nach dem verlangten Arzt zu schicken.

»Mein Gott, was für einen Streich habt ihr gemacht, Henriette hierher zu bringen!« schalt die Präsidentin hastig, mit gedämpfter Stimme, sobald sich die Tür hinter dem Hinausgehenden geschlossen hatte.

»Daran ist Käthes Weisheit schuld«, versetzte Flora erbittert. »Ihr mache den Vorwurf, daß wir nun möglicherweise gezwungen sind, in dem verkommenen Nest hier wochenlang verkehren zu müssen.« Ihre Augen streiften zornig das schweigende Mädchen am Fenster.

»Und welche Gleichgültigkeit, das arme Geschöpf so zu betten, daß sie bei jedem Augenaufschlag das schwarze Ungeheuer von Ofen vor sich hat! Das Lager scheint leidlich zu sein; das Leinen wenigstens ist weiß und weich, aber ich werde doch Henriettes seidene Steppdecke herüberschicken, ebenso einen bequemen Lehnstuhl für den Medizinalrat, vor allen Dingen aber anderes Waschzeug. – Steingut!« sagte sie verächtlich und schob das saubere Geschirr auf dem Waschtisch zusammen, um für das kommende gemalte und vergoldete Porzellan Platz zu machen. »Gott, wie erbärmlich leben solche Leute! Und das fühlen sie nicht einmal. – Wünschest du etwas, mein Engel?« unterbrach sie sich mit sanfter Stimme und trat wieder an das Bett.

Henriette hatte langsam den Kopf aufgerichtet und einen Blick um sich geworfen. Jetzt lag sie schon wieder mit geschlossenen Augen da, aber ein Anschein von Kraft war insoweit zurückgekehrt, als sie die Hand der Großmama, die streichelnd ihre Rechte berührte, wegzuschieben vermochte.

Der Medizinalrat ließ nicht lange auf sich warten, aber er kam ganz verstört. Er konnte sich anfänglich durchaus nicht dareinfinden, seine alte Freundin im Haus am Fluß zu sehen, bis man ihm in flüchtigen Umrissen das Vorgefallene mitteilte. Es war ein hübscher, alter Herr, spiegelblank vom Kopf bis zur Zehe und von hochmütig zurückhaltendem Benehmen. Er war Leibarzt des regierenden Fürsten, hatte für seine Verdienste den Adel, eine hübsche Anzahl Orden, Brillanten und goldene Schnupftabakdosen erhalten, und draußen hielt sein prächtiger Wagen.

»Fatal, sehr fatal!« sagte er, mit bedenklicher Miene an das

Bett tretend. Er beobachtete die Kranke minutenlang, dann fing er an, die kranke Brust zu beklopfen. Er tat das zwar vorsichtig, aber die Patientin stöhnte dennoch auf, die wiederholte Berührung verursachte ihr offenbar Schmerz.

Doktor Bruck stand schweigend mit untergeschlagenen Armen neben ihm. Er zuckte mit keiner Wimper, allein bei dem ersten Jammerlaut Henriettes zogen sich seine Brauen unwillig zusammen. In diesem vorgerückten Stadium der Krankheit war eine so anhaltende, gründliche Untersuchung vollkommen überflüssig. »Darf ich Ihnen meine Beobachtungen mitteilen, Herr Medizinalrat?« fragte er mit gelassener Stimme, aber nachdrücklich, um ein Ende zu machen.

Der alte Herr schielte seitwärts empor. Für den bittersten, gehaßtesten Feind gab es keinen giftigeren Blick, als den, der aus den tiefliegenden Augen des vornehmen Arztes schoß. »Erlauben Sie, daß ich mich persönlich überzeuge, Herr Kollege!« antwortete er kalt und setzte seine Untersuchungen fort. »So, nun stehe ich zu Ihrer Verfügung«, sagte er einige Augenblicke später. Er trat vom Bett zurück und ging mit dem Doktor, der die Tür öffnete, in das Eck- und Arbeitszimmer.

Gleich darauf hob Henriette die Wimpern. Auf ihren Wangen lag das gefährliche Rot innerer Aufregung, und sie verlangte mit fast heftigen Gebärden und Worten nach ihrem Arzt, dem Doktor Bruck.

Die Präsidentin vermochte kaum ihren Ärger über »diesen bodenlosen Eigensinn« zu unterdrücken, sie ging ohne Widerrede, um den Wunsch der Kranken zu erfüllen. Sie kam auch durchaus nicht zu früh, wie sie gefürchtet. Der Herr Medizinalrat hatte jedenfalls von den Beobachtungen des jungen Arztes keinen Gebrauch zu machen gewußt, und noch weniger war er auf eine Beratung eingegangen — er setzte sich eben an den Arbeitstisch des Doktors, um ein Rezept zu verschreiben.

Doktor Bruck verließ das Zimmer, und die Präsidentin trat zu ihrem alten Freund, um sein Urteil zu hören. Er war ziemlich spitz und verstimmt, sprach von gänzlich verfehlter Behandlung des Leidens und warf den Vorwurf hin, daß man immer erst in den gefährlichsten Momenten »vor die rechte Schmiede gehe«. Die Großmama habe längst Henriettes eigensinniges Köpfchen brechen und den alten Hausarzt, der sie doch in ihrer Kindheit behandelt, zu Rate ziehen müssen. In solchen Fällen sei eine Rücksicht wie die auf Floras Bräutigam

genommene geradezu gewissenlos. »Vor allen Dingen müssen
wir jetzt sehen, daß wir das arme Kind so schnell wie möglich
in sein eigenes, bequemes und elegantes Schlafzimmerchen
bringen, meine Gnädigste«, setzte er hinzu. »Sie wird sich in
ihrer gewohnten Umgebung wohler fühlen, auch bin ich dann
sicher, daß meine Anordnungen pünktlich befolgt werden,
was hier voraussichtlich nicht der Fall sein würde.«

Er tauchte die Feder ein — da fiel sein Blick auf ein geöffne-
tes, elegantes Kästchen, das mitten unter den Büchern und
Schreibgeräten stand. Es mochte kaum erst ausgepackt worden sein, denn die Umhüllung lag noch daneben.

Die Frau Präsidentin hatte das blühende Gesicht ihres »be-
währten Freundes« noch nie so lang, noch nie so unbeschreiblich, bis zur Geistlosigkeit verdutzt gesehen, wie in diesem Augenblick, wo ihm die Feder aus der Hand fiel.

»Mein Gott, das ist ja der herzoglich D.sche Hausorden«,
sagte er und tippte mit scheuem Finger an das Kästchen. »Wie
kommt denn der in dieses Haus, an diese obskure Adresse?«

»Merkwürdig!« murmelte die Präsidentin betreten. Über
ihre bleiche Haut flog das schnelle Rot einer jähen unliebsamen Überraschung. Sie hielt die Lorgnette vor die Augen und
musterte eifrig den Inhalt des Kästchens. »Ich kenne den Orden und seine Bedeutung nicht.«

»Das glaube ich gern, wird er doch selten genug verliehen!«
fuhr der Medizinalrat dazwischen.

»Sonst möchte ich behaupten, die Auszeichnung rühre noch
vom letzten Feldzuge her«, vollendete sie.

»Denken Sie nicht daran!« polterte er heraus — er mußte in
sehr aufgeregter Stimmung sein, da er diesen Ton anschlug.
»Erstens ist der Orden nur gestiftet für Leistungen, die dem
Fürstenhause persönlich gelten, und dann möchte ich den
Mann sehen, der eine solche Auszeichnung jahrelang besäße,
ohne daß die Welt es erführe . . . Eh — wenn ich nur den Grund
wüßte, den Grund!« Er rieb sich unablässig wie geistesabwesend die Stirn mit der Rechten, an der mindestens drei fürstliche Huldbeweise im Brillantfeuer glänzten — was galten sie
ihm in diesem Augenblick! Es waren Geschenke, die ihm seine
fürstlichen Herrschaften von den Reisen mitgebracht, keine
Auszeichnung fremder Höfe.

»Gerade dieser Orden ist das Ziel vieler Wünsche«, fügte er
hinzu, »manche hochgestellte Persönlichkeit hat sich schon

vergeblich darum beworben, und nun liegt er hier, wie achtlos aus der Hand geschoben, auf diesem erbärmlichen, angestrichenen Arbeitstisch. Und jenem Menschen, jenem Ignoranten, der sich durch seine Mißerfolge so gründlich blamiert hat – Verzeihung, meine Gnädigste! aber das muß heraus – ihm wird er an den Hals geworfen, und man hat nicht die blasse Ahnung, wofür.«

Er war aufgesprungen und durchmaß mit großen Schritten das Zimmer. Die stolze Frau, die sich sonst durch nichts so leicht aus der Fassung bringen ließ, verfolgte ihn jetzt mit ziemlich ängstlichen, ratlosen Blicken. »Ich kann mir nicht denken, daß die Auszeichnung mit seinem ärztlichen Wirken zusammenhängt«, warf sie unsicher hin. »Wie käme er denn auch an den D.schen Hof?«

Der Medizinalrat blieb stehen und lachte laut auf, aber es war ein gewaltsam erzwungenes Lachen. »Nun, das muß ich sagen, Sie sprechen da etwas aus, meine Gnädigste, was mir nun und nimmermehr in den Sinn gekommen wäre, weil es einfach – unmöglich ist. Es müßten sich denn alle Dinge der Welt plötzlich auf den Kopf gestellt haben, so daß die Stümperei und Unwissenheit bei unreifen Strebern ausgezeichnet und das gediegene Wissen, die gereifte Erfahrung, das wahre Verdienst mit Füßen getreten würden. Nein, daran denkt meine Seele nicht –« Er trat an ein Fenster und trommelte mit den Fingern auf dem Sims. »Wer weiß denn, welcher Mission er sich unterzogen hat! Er war ja für acht Tage verschwunden, und niemand wußte wohin«, sagte er nach kurzem Verstummen in gedämpftem Ton über die Schulter zurück. »Hm, wer kennt denn seine Beziehungen außerhalb? Solche Duckmäuser, die nie von sich und ihrem Beruf sprechen, haben stets ihre guten Gründe – es kommen ja im ärztlichen Beruf genug Dinge vor, zu denen sich achtbare Leute nicht hergeben. Nun, ich schweige. Es ist nie meine Sache gewesen, von den dunklen Umtrieben anderer den Schleier zu heben. Es geht doch alles seinen Weg.«

Er setzte sich wieder an den Tisch und schrieb das beabsichtigte Rezept, aber so hastig und flüchtig, als sei in dem fatalen Kästchen neben ihm ein Brennpunkt, der ihm die Finger versenge. »Um eines bitte ich Sie, meine verehrte Freundin«, sagte er, einen Augenblick innehaltend, »suchen Sie der Sache ein wenig auf den Grund zu kommen! Ich möchte gern Bescheid wissen, ehe Bruck Lärm schlägt mit seiner zweifelhaften Auszeichnung — man kann nötigenfalls parieren . . . An Ihre diplomatische Feinheit brauche ich selbstverständlich nicht zu erinnern?«

»Aber, bester Medizinalrat, wer sagt Ihnen denn, daß die Auszeichnung überhaupt für den Doktor selbst bestimmt ist?« fragte sie mit der ganzen Zuversicht der erfahrenen Weltdame. »Ich glaube nicht daran, weil ich mit dem besten Willen den Zweck nicht einsehe. Übrigens mag die Sache zusammenhängen, wie sie will, ihm wird sie in unserer Residenz nichts nützen, denn da ist er ein für allemal so gut wie tot. Ich will Ihnen gern den Gefallen tun und nachforschen, lediglich zu Ihrer Beruhigung —« Sie verstummte, im Nebenzimmer knarrte eine Tür, die Frau Diakonus kam herein, um etwas aus ihrer Kommode zu holen.

Der Medizinalrat erhob sich und übergab der Präsidentin das Rezept, Dann gingen beide durch das Zimmer, wo die Tante eben den Kasten wieder schloß.

Henriette saß jetzt, durch Kissen gestützt, im Bett aufrecht und sah mit weit offenen, glänzenden Augen um sich. Es war starkes Fieber eingetreten. Von einem Übersiedeln nach der Villa konnte keine Rede sein, so lebhaft auch die Präsidentin es wünschte. Sie mußte sich vorläufig damit begnügen, Henriettes Jungfer zur Pflege für die Nacht, und alles, was das Krankenzimmer »komfortabel« machen konnte, herüberzuschikken. Käthes Bitte, die Nachtwache übernehmen zu dürfen, wurde weniger von ihr und dem Medizinalrat, als von seiten des Doktor Bruck rundweg abgeschlagen. Die Tränen traten dem jungen Mädchen in die Augen, als er so kühl und fest bei seinem Ausspruch beharrte, nach welchem die pflegende Hand der Kammerjungfer unter seiner speziellen Aufsicht und Leitung völlig genügte. Es wurde demnach beschlossen, daß Flora und Käthe bis um zehn Uhr bleiben und dann durch Nanni abgelöst werden sollten.

Flora hüllte sich bei diesen Verhandlungen in beharrliches Schweigen. Sie fühlte so gut wie die Großmama, daß sie als leibliche Schwester sich bei diesem Erkranken, welches im Verein mit dem Vorfall im Wald morgen voraussichtlich das Tagesgespräch der Residenz bilden werde, durch Käthe nicht beschämen lassen dürfe, und deshalb ließ sie den Beschluß wie eine Verurteilung über sich ergehen.

12

Bald nach dem Weggang der Präsidentin und ihres Freundes kamen Lakaien und Hausmädchen schwer beladen aus der Villa und schoben und trugen mit geräuschloser Behendigkeit Polstermöbel und allerhand Gerätschaften in das Krankenzimmer. Die überaus einfache, aber dennoch anheimelnde Fremdenstube wurde plötzlich so buntscheckig wie ein Auktionslokal. Der gestickte Ofenschirm vor den halb erblindeten schwarzen Kacheln, das prachtvolle Waschgerät, die apfelgrünen, seidenglänzenden Lehnstühle — wie lächerlich unpassend, gleichsam wie von einem ungünstigen Wind verschlagen, stand das alles inmitten der vier verblaßten getünchten Wände!

Ohne eine Miene zu verziehen, ganz in ihrer sanften, gelassenen Weise, räumte die Tante Diakonus ihr verstoßenes Eigentum fort. Ihre Augen begegneten nicht ein einziges Mal denen des Doktors, der sich mit verschränkten Armen in eines der Fenster zurückgezogen hatte und schweigend den Veränderungen zusah. Vielleicht fürchtete die alte Frau, er könne in ihrem Blick eine leise Spur des Gekränktseins finden, und das wollte sie um keinen Preis.

Mit der einziehenden gewohnten Eleganz kam sichtlich neue Spannkraft in Floras bisherige apathische Haltung; sie leitete die Anordnung, legte eigenhändig die grünseidene Decke auf Henriettes Bett und versprühte eine ganze Flasche Kölnischwasser auf die Dielen. Dann ließ sie einen schwellenden Teppich in die leere Fensternische breiten und stellte einen Lehnstuhl darauf, und als die Dienstleute sich entfernt hatten, warf sie sich in den Lehnstuhl und kreuzte die schmalen Füße auf einem gestickten Fußkissen. Sah es doch aus, als habe sie sich aus der Wüste auf eine kleine Oase gerettet — so eng schmiegte sich ihre Gestalt zusammen, und so fremd und kalt musternd blickte sie über alles hin, was sich außerhalb ihrer teppichbelegten Ecke befand. Dort in dem »lächerlich kleinen« Stückchen Spiegelglas, das ein brauner Holzrahmen umschloß, hatte sie vorhin bemerkt, daß ihr dünnes Scheitelhaar abscheulich derangiert sei. Sie hatte einen kleinen weißen Spitzenschal vom Hals genommen und ihn graziös über die losen Löckchen gesteckt. Dieses weiße klare Gewebe legte sich wie ein Heiligenschein um den reizenden Kopf. Und die Tante

Diakonus mußte immer wieder hinsehen. Es war und blieb doch eine wunderschöne Braut.

Inzwischen ging der Nachmittag zu Ende. Im Westen flammten die Abendgluten auf, die niedersinkenden kleinblättrigen Rankenfransen der Blumenampeln in den Fensternischen erschienen goldbeflittert, und die Purpurrosen auf den Kattunvorhängen wuchsen im Sonnenfeuer zu Riesenpäonien, die das Krankenzimmer mit feurigem Glanz erfüllten.

Henriette lag still, mit geschlossenen Augen in den Kissen.

Das glühende Abendlicht verblaßte allmählich. Alle Purpurfarbe zog sich aus dem Krankenzimmer zurück und blieb zuletzt nur noch auf der schönen Dame im Fenster liegen — wie ein von dämonischem Feuer umzüngelter böser Engel saß Flora dort.

Die Kranke wurde unruhiger. Sie zupfte und zerrte an der grünseidenen Bettdecke und war sichtlich bemüht, sie fortzuwerfen. »Im Grün ist Arsenik — fort damit!« flüsterte sie mit der ganzen unheimlichen Hast und Angst des Fiebers vor sich hin.

Käthe vertauschte sogleich die seidene Decke mit der kühlen, weißleinenen des Gastbettes und glättete sie über dem armen hageren Körper, den sie heute im Walde »den Zwerg« genannt hatten. In den wunderschönen Augen der Kranken lag in diesem Augenblick keine Spur von Verständnis. Sie rollten wild und wirr unter den halb zugesunkenen Lidern.

»Das tut gut«, sagte sie, sich unter der Decke streckend. »Und nun laßt sie nicht wieder herein, wenn sie mich mit der vergifteten, heißen Decke ersticken will. Die Großmama ist falsch, wie alle, die sich im Salon anlügen — sie und der alte Giftmischer, die große Autorität. Ich werde nach ihm schlagen, wenn er seine abscheulichen Finger auf meine Brust drückt«, zischte sie erbittert durch die Zähne. Sie setzte sich plötzlich auf und ergriff Käthes Hand. »Nimm dich vor ihm in acht, Bruck!« warnte sie mit aufgehobenem Finger. »Und vor der Großmama auch! Und sie — du weißt schon, wen ich meine, sie raucht Zigarren und fährt wie toll mit den neuen wilden Pferden, weil du es verboten hast — sie ist die Falscheste von allen.«

»Sehr verbunden!« flüsterte Flora halblaut mit einem bösen Lächeln und schmiegte sich noch enger in den Polsterlehnen zusammen.

Bangigkeit überschlich Käthe, deren Hand mit so innigem Druck festgehalten wurde. Sie vermied es, den Doktor anzusehen, für den die Fiebernde sie hielt. Er stand, von dem chinesischen Schirm halb verdeckt, am Kopfende des Bettes.

»Weißt du noch, wie es früher war, Doktor?« fuhr Henriette fort. »Weißt du noch, wie sie die Lakaien durch Wind und Wetter jagte, dir nach, mit Briefen, vier, fünf an einem Tag? Und wie sie dann draußen die Arme um deinen Hals schlang, wild und stark, als wolle sie dich nie wieder lassen?«

»Gib ihr Morphium!« rief Flora hinüber. »Das ist schon mehr Verrücktheit als fieberhafte Aufregung. Sie muß schlafen.«

Der Doktor hatte der Kranken kaum erst einen Löffel voll Medizin gereicht, er beantwortete Floras Aufforderung nur mit jenem flüchtigen Lächeln, mit dem man über ein törichtes Verlangen der Unwissenheit hinweggeht.

Flora sank zornig in ihren Stuhl zurück, wandte sich ab und ließ ihre Augen funkelnd und rastlos über die Gegend draußen hinschweifen.

»Hättest du damals gedacht, daß sich das ändern würde, Bruck? Daß sie je sagen könnte, es sei ein schwerer Irrtum gewesen?« hob Henriette von neuem an und umklammerte nun auch mit der anderen brennend heißen Hand Käthes Rechte. Dem jungen Mädchen stockte fast der Herzschlag. Auf den Lippen der Kranken schwebte es, woran bis jetzt niemand, selbst die Schuldige nicht, mit dem lauten, klaren Wort zu rühren gewagt hatte. Sie bog sich rasch über die Fiebernde und legte ihr die kühlen Finger auf die Stirn, als könne sie damit den unheilvollen Gedankengang in eine andere Bahn leiten.

»Ah, das kühlt!« seufzte Henriette auf. »Aber weißt du noch, wie Flora damals deine Hand von meiner schmerzenden Stirn stieß? Sie war tödlich eifersüchtig.« Ein halb unterdrücktes höhnisches Auflachen klang aus der Fensterecke herüber. Henriette hörte es nicht. Sie war der Außenwelt völlig entrückt. »Mich läßt der Schmerz über das, was kommen wird, nicht schlafen«, klagte sie und schlang jetzt ihre Finger ineinander und drückte sie leidenschaftlich gegen die kranke Brust. »Dann wirst du unser Haus meiden und ein unglücklicher Mann sein, der nicht einmal unseren Namen mehr auf die Lippen nimmt. Ach, Bruck, was fragt sie danach in ihrer bodenlosen Eitelkeit, die sie Ehrgeiz nennt! Sie wird sich losreißen um jeden Preis.«

Käthe hob unwillkürlich die Arme und streckte sie in namenloser Angst über die Kranke hin. Henriette schrie auf. »Nicht die Hand auf den Mund legen, wie der schreckliche Junge im Wald!« stöhnte sie abwehrend.

In diesem Augenblick stand Flora neben der jungen Schwester und schob sie vom Bett weg. In ihren Zügen, in allen Gebärden, lag ein wilder Entschluß. »Lasse sie ausreden!« sagte sie gebieterisch.

»Ja, ausreden lassen!« wiederholte Henriette halb lallend vor Erschöpfung, aber doch befriedigt wie ein Kind, dem man den Willen tut. »Wer soll dir's sonst sagen, Bruck, wenn nicht ich — ich? Wer soll dich warnen, damit du auf deiner Hut bist! Halte die Augen offen! Sie fliegt dir davon wie die Taube vom Baum, die weiße Kokette, sie will frei sein.«

»Was sie auch faseln mag, eine Wahrheit ist darin«, warf Flora entschlossen ein und trat dem Doktor um einen Schritt näher. »Sie hat recht, ich kann dir das nicht sein, was ich versprochen habe. Gib mich frei, Bruck!« setzte sie flehend hinzu und hob die verschlungenen Hände.

Da war das entscheidende Wort gefallen, um das sich monatelang die abscheulichsten Intrigen gedreht hatten.

Der Doktor sah ernst und schweigend auf die Bittende nieder, nur blaß war er. Er verweigerte die Hand, die sie ergreifen wollte. »Zu einer solchen Auseinandersetzung ist hier nicht der Ort.«

»Aber der richtige Augenblick. Ein anderer Mund spricht für mich das aus, was ich seit Monaten auf den Lippen hatte und doch nicht in Worte kleiden konnte — «

»Weil es ein notorischer Treubruch ist.«

Sie biß sich auf die Lippen. »Die Bezeichnung ist hart und nicht zutreffend. So fest war unser Bund noch nicht geschlossen. Auch bin ich mir sehr bewußt, daß kein anderes Bild das deine aus meinem Herzen verdrängt hat. Lächle nicht so geringschätzig, Bruck! Bei Gott, ich denke an keinen anderen Mann«, rief sie leidenschaftlich beteuernd. »Aber ich will den Vorwurf auf mich nehmen«, setzte sie ruhiger hinzu, »um den Preis, daß wir nicht beide unglücklich werden.«

»Mein Glück oder Unglück laß dabei aus dem Spiel! Du kannst nicht wissen, was ich darunter verstehe. Allein so viel wirst du dir wohl selbst sagen, daß sie beide nicht ins Gewicht fallen dürfen, wenn es sich um die innere Ehre und Selbstachtung des Mannes handelt. Und nun möchte ich dich um deiner kranken Schwester willen bitten, für jetzt zu schweigen.« Er wandte sich ab und trat an das nächste Fenster.

Sie ging ihm nach. »Henriette hört uns nicht«, sagte sie. Die Kranke war todesmatt in die Kissen zurückgesunken und flüsterte unaufhörlich vor sich hin wie ein Kind, das sich selbst ein Märchen erzählt. »Das ist ja keine Entscheidung«, fuhr Flora in traurigem, niedergeschlagenem Ton fort. »Ich muß aber ein festes, klar bezeichnendes Wort haben. Warum hinausschieben, was mit einem raschen Entschluß festgestellt werden kann?« Es war abscheulich anzusehen, wie sie mit Daumen und Zeigefinger am Ringfinger der linken Hand spielend drehte.

Doktor Bruck sah über seine Schulter auf sie nieder.

»Was gedenkst du einzutauschen für das Leben an meiner Seite?« fragte er so plötzlich, so scharf, daß sie unwillkürlich zusammenfuhr.

»Brauche ich dir das zu sagen, Bruck?« rief sie und strich sich tief aufatmend, wie von einem Alp befreit, die Locken aus der Stirn. »Siehst du nicht, wie meine ganze Seele danach dürstet, aufzugehen im Schriftstellerberuf? Kann ich das aber in dem Umfang, wie es meine Begabung gebieterisch verlangt, wenn ich die Pflichten einer Frau übernähme? Nun und nimmermehr!«

»Wunderbar, daß dir dies stürmische Verlangen erst jetzt, erst in den letztvergangenen Monaten gekommen ist, nachdem du —«

»Nachdem ich neunundzwanzig Jahre lang ohne den Ruhm leben konnte, willst du sagen«, ergänzte sie schneidend mit dunkel überflammtem Gesicht. »Lege dir das zurecht, wie du willst, bringe es auf die Rechnung der Frauennatur, die schwankt und fehlgreift, bis sie das Rechte findet.«

»Weißt du so gewiß, daß es das Rechte ist?«

»So gewiß, wie die Magnetnadel nach dem Pole zeigen muß.«

Er ging schweigend an ihr vorüber, nahm die Medizin vom Tische und trat an das Bett. Die Kranke aber war eingeschlummert und hielt mit beiden Händen Käthes Rechte fest. Es war dem jungen Mädchen, als bewege er sich automatenhaft, als sei der innere Kampf so gewaltig, daß er ihn der Herrschaft über Hand und Fuß und Auge beraubte. Sie sah er nicht an, es mochte ihn wohl tief demütigen, daß diese empörende Szene einen Zeugen hatte. Aber litt sie nicht selbst qualvoll durch ihr Bleiben? Sie hatte mehrmals versucht, ihre Hand vorsichtig zurückzuziehen, um zu entfliehen, so weit sie ihre Füße tragen mochten, allein bei der geringsten Bewegung fuhr die Kranke in erschütterndem Schrecken empor.

Er versuchte, der Schlummernden den Puls zu fühlen. Käthe bemühte sich, ihm zu helfen, indem sie die Linke unter Henriettes Armgelenk schob, dabei ruhte ihre innere Handfläche einen Augenblick auf seinen Fingern. Er zuckte zusammen und wechselte so jäh die Farbe, daß sie erschrocken die Hand zurückzog. Was war das gewesen? Machte ihn der innere Aufruhr so nervös, daß ihn jede äußere Berührung entsetzte und mit zornigem Schrecken erfüllte? Sie sah seitwärts scheu zu ihm auf. Ein tiefer Atemzug hob seine Brust, während er sich wegdrehte, um die Medizin auf den Tisch zurückzustellen.

Flora hatte inzwischen unbeschreiblich erregt und ungeduldig einigemale das Zimmer durchmessen. Jetzt trat sie wieder neben den Doktor an den Tisch. »Es war unklug von mir, meine Gefühle so freimütig zu bekennen«, sagte Flora mit zornfunkelnden Augen. Sein Schweigen und die Erfüllung seiner Berufspficht, mit der er unbeirrt einen solchen Entscheidungskampf unterbrach, hatten sie furchtbar gereizt. »Du bist ein Verächter des Frauengeistes und gehörst zu den Tausenden von unverbesserlichen Egoisten, welche die Frau um keinen Preis auf eigenen Füßen sehen wollen —«

»Wenn sie nicht stehen kann, allerdings.«

Sie legte die kleine, krampfhaft zu einer Faust geballte Hand auf den Tisch und sah dem Sprechenden einen Augenblick in das Gesicht. »Was willst du damit sagen, Bruck?« stieß sie scharf heraus.

Ein Hauch von Röte ging ihm über Stirn und Wangen hin, und seine Brauen zogen sich leicht zusammen. »Ich will damit sagen«, entgegnete er mit anscheinender Gelassenheit, »daß zu diesem Auf-eigenen-Füßen-Stehen, zu welchem die strebende Frau vollkommen berechtigt ist, wenn sie damit nicht bereits übernommene ältere Pflichten schädigt, daß zu diesem Auf-eigenen-Füßen-Stehen ein starker, zäher Wille, ein konsequentes Ausschließen der reizenden weiblichen Eitelkeit und vor allem wirkliche Begabung, wirkliches Talent erforderlich sind.«

»Und die letzten Eigenschaften bestreitest du mir?«

»Ich habe deine Artikel über die Arbeiterbewegung und die Frauenemanzipation gelesen.«

Flora fuhr zurück, als sei ein blitzendes Messer auf sie gezückt worden. »Wie willst du wissen, daß ich die Verfasserin derjenigen Artikel bin, die du gelesen?« fragte sie unsicher, schwankend, dabei aber seine Züge in fieberhafter Spannung beobachtend. »Ich schreibe unter Chiffren.«

»Aber die Chiffren gingen bereits in deinem großen Bekanntenkreise um, lange bevor die Aufsätze das Licht der Öffentlichkeit erblickten.«

Sie wandte einen Augenblick verlegen die Augen weg. »Gut, du hast sie gelesen«, sagte sie gleich darauf. »Was soll ich aber von dir denken, daß du dieses Streben nie mit einer Silbe berührt, daß du nicht einmal dein ungnädiges Mißfallen darüber ausgesprochen hast.«

»Würdest du daraufhin deine Feder niedergelegt haben?«

»Nein, und abermals nein.«

»Das wußte ich. Deshalb ließ ich dich gewähren bis zu unserer Vereinigung. Es versteht sich ja von selbst, daß die verständige Frau mit dem Manne geht und sich nicht isoliert in Sonderbestrebungen, es sei denn, daß sie bei starkem Pflichtbewußtsein, hochbegabt, ein hervorragendes Talent –«

»Was ich selbstverständlich nicht bin«, unterbrach sie ihn erbittert.

»Nein, Flora, du hast Geist, Esprit, aber schöpferisch bist du nicht«, versetzte er, ernst den Kopf schüttelnd und in seine gewohnte milde Sprechweise einlenkend.

»Gott sei Dank, nun fällt auch die letzte Rücksicht, das letzte Bedenken. Eine Sklavin wäre ich geworden, ein armes, niedergetretenes Weib, dem man den göttlichen Funken der Poesie aus der Seele gerissen hätte, um – das Küchenfeuer damit anzuzünden.«

Sie hatte überlaut gesprochen. Die Kranke, die vorhin der gleichmäßige Wechsel der zwei Stimmen allmählich eingeschläfert hatte, fuhr empor und blickte mit weit aufgerissenen Augen um sich.

»Ich muß dich ernstlich bitten, die Kranke nicht mehr zu stören«, sagte der Doktor, den Kopf in das Zimmer zurückwendend.

»Ich wüßte auch nichts mehr zu sagen«, versetzte Flora mit einem mißlungenen Spottlächeln und zog die Handschuhe aus der Tasche. »Wir sind zu Ende, wie du nach deinen verletzenden Aussprüchen selbst wissen wirst — ich bin frei!«

»Weil ich dir dein Talent abspreche, auf das du dich versteifst?« fragte er, mit äußerster Überwindung die Stimme dämpfend. Jetzt gewann die Entrüstung die Oberhand in ihm, er stand plötzlich in seiner ganzen imposanten Größe da. »Ich frage dich, um wen ich geworben habe, um die Schriftstellerin oder um Flora Mangold? Als diese letztere, und nur als diese hast du damals deine Hand in die meine gelegt, recht wohl wissend, daß ich zu denen gehöre, die ihre Frau einzig und allein für sich und ein stillbeglücktes Familienleben, nicht aber als ein in der Welt herumflackerndes Irrlicht haben wollen. Du hast das gewußt, du hast dich damals befleißigt, mir das zu werden, du bist in deiner sanguinischen Art weit darüber hinausgegangen — denn daß du selbst die rußigen Töpfe in die Hand nehmen solltest, wie du in übertriebenem Eifer getan, würde ich ja nie von derjenigen verlangen, die das geistig belebende Element, mein Stolz, meine mitfühlende, mitringende Gefährtin in meinem Daheim werden soll.«

Er schöpfte tief Atem. Nicht ein einziges Mal wichen die strafenden Augen von dem schönen Mädchen, das jetzt so klein und erbärmlich, so unscheinbar vor ihm stand und sich vergebens abmühte, die kühne, trotzig herausfordernde Haltung standhaft zu behaupten.

»Ich habe die Wandlung in dir vom ersten mißmutigen Zug auf deiner Stirn an bis zu dieser Erklärung Schritt für Schritt verfolgt«, hob er an. »Wie ich über dein ganzes Verhalten denke, was meine eigene Seele dabei durchmacht, ob ich glücklich oder unglücklich werde, darauf kommt es hier nicht an. Wir haben uns verlobt, und dabei bleibt es. Man sagt dir nach, daß du oft genug grausam mit Männerherzen gespielt und die Betrogenen schließlich dem öffentlichen Spott und Mitleid preisgegeben hast — mich stellst du nicht an diesen Pranger — darauf verlasse dich! Du bist nicht frei — ich gebe dich nicht los.«

»Schande über dich!« rief sie außer sich. »Wirst du mich auch zum Altar schleppen, wenn ich dir versichere, daß ich längst aufgehört habe, dich zu lieben? Daß ich in diesem Augenblick nur mit Mühe den bittersten Haß gegen dich niederkämpfe?«

Bei diesem furchtbaren Ausspruch erhob sich Käthe, es war ihr allmählich gelungen, ihre Hand zu befreien. Sie eilte verstört hinaus.

13.

In dem Flur, dessen Fenster nach Norden gingen, herrschte schon leichte Dämmerung, nur von der Küche her, in welcher noch der letzte rötliche Abendschein an den Wänden hinspielte, fiel es hell über den roten Ziegelfußboden.

Die Tante Diakonus stand drinnen am Fenster und wusch das gebrauchte Teegeschirr. Sie nickte Käthe vertraulich mit freundlichem Lächeln zu, nicht die leiseste Ahnung von dem, was sich dort hinter der breiten Flügeltür zutrug, beunruhigte das still friedliche, sanfte Frauengemüt. Das junge Mädchen schauerte in sich zusammen und eilte vorüber, hinaus in den Garten.

Sie hatte eben Schreckliches erlebt. Welch ein entsetzliches Ringen zwischen zwei Menschenseelen! Und die Schuldige, die es heraufbeschworen, war ihre Schwester — dieser treulose, frivole Frauencharakter, der spielend das ernste Band zwischen Mann und Frau knüpfte, um es bei dem ersten Mißfallen wie das Gespinst haltloser Sommerfäden zu zerreißen und in alle Lüfte hinausflattern zu lassen! Wohl hatte Flora sich diesmal in ihrem Opfer gründlich verrechnet, sie traf auf Stahl, wo sie ein durch die Verurteilung des Publikums und ihr eigenes systematisch durchgeführtes, allmähliches Erkalten bereits tiefgedemütigtes Herz leichten Spieles niederzutreten meinte, aber was halfen ihm die Festigkeit und Energie, mit denen er ihr die Stirn bot? Er war doch der Unterliegende . . .

Käthe trat auf die Brücke. Die Hände auf das Geländer stützend, sah sie ins Wasser. Hatte Henriette nicht gesagt: »Wer Flora einmal Liebe gebend gesehen, der begreift, daß ein Mann lieber den Tod sucht, als daß er sie aufgibt?« Und mußte er sie nicht aufgeben, nachdem sie ihm erklärt, daß sie ihn hasse?

Käthe lief angstvoll zurück. Es dunkelte.

Mit scheuem Blick bog Käthe um die westliche Hausecke. Der gedämpfte Schein einer Nachtlampe fiel aus den Fenstern des Krankenzimmers. Noch war der Kampf nicht zu Ende. In der einen Fensternische stand der Doktor, den Rücken dem jungen Mädchen zugewandt, ungebeugt, aber den rechten Arm gehoben, als fordere er Schweigen. Was mochte sie eben gesagt haben, die im dunklen Hintergrund stand?

Käthe fühlte in nervöser Aufregung ihre Zähne zusammenschlagen, aber es kam auch ein Zorn, eine Erbitterung über sie, als müsse sie dazwischenspringen und die Treulose mit Gewalt zu ihrer Pflicht zurückführen. Was aber würde er zu dieser Einmischung einer Dritten sagen? Und wenn er diese Dritte nur mit einem kühlen, befremdeten Blick maß, wenn er sie schweigend beiseite schob, wie er neulich mit den »aufdringlichen« kleinen Blumen getan — in die Erde müßte sie sinken vor Beschämung.

Käthe ging schleunigst weiter. Hinter dem Küchenfenster sah sie die Tante neben der blanken zinnernen Küchenlampe sitzen und Gemüse für den morgigen Mittagstisch putzen — ein milder Gegensatz zu der bewegten Szene im Krankenzimmer. So friedlich und beschwichtigend das Bild auch war, dahinein durfte sie sich mit der fieberhaften Spannung in Seele und Körper, mit ihrer Angst vor dem Kommenden nicht wagen, sie hätte ihren erregten Zustand nicht verbergen können vor den klaren Augen der alten Frau.

Die Haustür stand noch offen. Käthe schlüpfte auf den Zehen durch den dunklen Flur und trat in das Zimmer der Tante Diakonus. Hier wollte sie versuchen, ruhiger zu werden, in diesem dunkelnden, stillen Stübchen voll Blumenatem und sanft durchwärmter Luft. Sie setzte sich in den Lehnstuhl hinter dem Nähtisch. Die Lorbeerbäume wölbten sich zur Laube über und neben ihr; die Narzissen, Veilchen und Maiblumen auf den Fenstersimsen dufteten betäubend süß, und der Kanarienvogel, der sich's eben im Dämmerdunkel zur Nachtruhe bequem gemacht hatte, hüpfte piepend und erregt in seinem Käfig von einem Stengel zum anderen — es war doch Leben neben ihr, wenn auch nur das einer erschreckten Vogelseele. Käthe wehrte sich vergebens gegen den Gedanken, daß Bruck den Trennungsschmerz nicht überleben werde. Henriette hatte das gesagt. Sie hatte seine heiße Liebe in der ersten Verlobungszeit gesehen. Sie mußte es wissen.

Die Tante kam herein, um, wie jeden Abend, die brennende Lampe auf den Arbeitstisch des Doktors zu stellen. Sie schloß die Läden, ließ die Rollos herab und schürte das Feuer im Ofen, dann ging sie wieder hinaus, ohne das junge Mädchen in ihrer kleinen Fensterlaube bemerkt zu haben. Ihr leiser, schwebender Tritt verklang schon hinter der Tür, gleich darauf aber hallten feste Männerschritte durch den Flur, und der Doktor trat in das Zimmer.

Er blieb einen Moment an der Schwelle stehen und strich sich tief aufseufzend mit der Hand über die Stirn, er ahnte so wenig wie die alte Frau, daß dort hinter dem dunklen Laub ein Menschenherz in tödlicher Angst klopfte – drückte sich doch die Mädchengestalt atemlos, wie zu Stein erstarrt, an die Fensterwand. War alles vorüber? Kam er verarmt, verzweifelnd, ein einsamer Mann für immer?

Rasch trat er an seinen Schreibtisch. Käthe erhob sich lautlos. Mitten im Stübchen der Tante stehend, konnte sie ihn sehen. Der Lampenschein beleuchtete sein Profil, das noch alle Zeichen aufgestürmter Leidenschaft zeigte.

Im Stehen schrieb er ein paar Zeilen auf einen Briefbogen und steckte das Blatt in ein Kuvert. Das geschah mit hastigen Händen, in fiebernder Aufregung. Auch die Adresse wurde in flüchtigen Zügen hingeworfen. Gab es in dieser Stunde außer der furchtbaren Entscheidung noch etwas auf Erden, an das er denken mochte? Der Brief konnte nur für Flora bestimmt sein.

Nun goß er aus einer Karaffe Wasser in ein milchigweißes Kelchglas, dann schloß er einen kleinen Schrank im Schreibtisch auf und nahm ein winziges Medizinfläschchen heraus. Er hielt es gegen das Licht – fünf silberhelle, farblose Tropfen fielen in das Glas.

Bis dahin hatte Käthe mit dem unheimlichen Gefühl, als stehe ihr Herz still, wie gelähmt an ihrem Platze verharrt, aber nun kam die ganze, allmählich bis ins Maßlose gesteigerte Aufregung ihres Innern stürmisch zum Ausbruch. Mit einigen raschen Schritten stand sie an seiner Seite und legte die Linke auf seine Schulter, mit der Rechten umfaßte sie krampfhaft seine Hand, die das Glas eben zum Munde führen wollte, und zog sie langsam nieder.

Sie war keines Lautes fähig, ihre ganze Angst malte sich in den braunen Augen, die in flehender Beredsamkeit die seinen suchten. Sie fuhr zurück. Gott im Himmel, was hatte sie getan!

Er begriff augenblicklich alles. Das verhängnisvolle Glas auf den Tisch stellend, nahm er bestürzt ihre Hände und zog sie an sich. »Käthe, liebe Käthe!« sagte er mit bebender Stimme und sah in das tränenüberströmte Gesicht, das sie mit einem sanften Neigen des Kopfes wegzuwenden suchte.

Sie entzog ihm die Hände und trocknete in Hast ihre Augen mit dem Taschentuch. »Ich habe Sie schwer gekränkt, Herr Doktor«, sagte sie, immer noch mit den Tränen kämpfend. »Ich habe eine Taktlosigkeit begangen, die Sie mir ganz gewiß nie vergessen werden. Ach Gott, wie konnte ich mich nur in diese wahnwitzige Vorstellung so verrennen, daß – «

Er sah sie kaum an. Nur von der Seite streifte sein Blick den jungen Mund.

»Sie haben mich nicht gekränkt«, sagte er tröstend, »und wie sollte ich es wohl anfangen, mit Ihrem lauteren Gemüt ins Gericht zu gehen? Was Sie sich für eine Vorstellung von meinem Charakter, meiner Denkart, meinem Temperament gemacht haben mögen, um zu einem solchen Schluß zu kommen – ich weiß es nicht. Ich will darüber auch gar nicht grübeln. Mir hat dieser Irrtum einen Lebensmoment gebracht, den ich allerdings nicht vergessen werde. Und nun beruhigen Sie sich, oder vielmehr, erlauben Sie mir, daß ich als Arzt meine Pflicht tue!« Er ergriff das Glas und hielt es ihr hin. »Nicht die Ruhe, die Sie fürchteten, wollte ich in diesem Trank suchen – « Er brach ab und hielt einen Augenblick inne. »Ich habe mich hinreißen lassen, heftig und leidenschaftlich zu werden, noch dazu am Krankenbett«, hob er von neuem an, »das könnte ich mir nie verzeihen, wenn ich nicht bedächte, daß ich doch auch, wie jeder andere, Blut und Nerven habe, die mit dem guten Willen um die Herrschaft streiten. Ein paar Tropfen davon« – er zeigte auf das Medizinfläschchen – »genügen, um die nervöse Aufregung zu dämpfen.«

Sie nahm das Kelchglas, das er ihr bei diesen Worten nochmals bot, aus seiner Hand und trank es folgsam bis zur Neige leer.

»Nun aber möchte ich Sie um Verzeihung bitten, daß Sie eine so häßliche Szene wie die da drüben mit ansehen mußten«, sagte er ernst und nachdrücklich. »Ich bin dafür verantwortlich, denn es hätte in meiner Macht gelegen, sie mit einigen zur rechten Zeit gesprochenen Worten zu verhindern.« Er lächelte so bitter, so schneidend, daß es dem jungen Mädchen durch die Seele ging.

Noch war er weit entfernt von der Herrschaft über sein empörtes Blut, noch stürmte die Bewegung heftig in ihm, und das frivole Wesen, das mit frevelnder Hand diese harmonische Natur aus den Fugen gerissen, dort sah es von der Wand hernieder, im weißen Iphigeniengewand an eine Säule gelehnt, mit gefalteten, lässig herabgesunkenen Händen und einem lieblich gedankenvollen Aufblick. Damals hatte sie noch um seine Liebe, seinen Beifall geworben, damals war sie noch entschlossen gewesen, sein Idol zu verwirklichen, und dem künftigen »berühmten Universitätsprofessor« die waltende gute Fee seines Daheims zu werden. Sie wäre es doch nie geworden. Er hätte einen besuchten Salon, aber kein Daheim, eine in unbefriedigtem Ehrgeiz sich verzehrende Weltdame, aber kein wahrhaft liebendes Weib, keine »mitringende, mitfühlende Gehilfin« gehabt. Dagegen war er ja auch nicht mehr blind — und doch gab er sie nicht frei. Oder war nun doch das Band gelöst, nachdem Flora ihm so unumwunden den Ausdruck ihres Hasses in das Gesicht geschleudert hatte? Käthe wußte ja nicht, was sich nach ihrem Hinausgehen ereignet, soviel aber sagte sie sich, daß ihr längeres Verweilen hier in seinem Zimmer nicht statthaft sei, mochte der Würfel gefallen sein, wie er wollte.

Der Doktor sah nun, daß sie sich zum Gehen anschickte.

»Ja, gehen Sie«, sagte er. »Henriettes Kammerjungfer ist gekommen und hat bereits ihr Pflegeamt angetreten. Der Zustand der Kranken ist derart, daß Sie getrost in die Villa zurückkehren können, um der Frau Präsidentin, wie sie es lebhaft zu wünschen scheint, beim Tee Gesellschaft zu leisten. Sie fühle sich so sehr vereinsamt, ließ sie herübersagen. Ich gebe Ihnen mein Wort, Sie können unbesorgt gehen, ich wache über Ihre teure Kranke«, wiederholte er nachdrücklich, als sie lebhaft Einspruch zu erheben versuchte. »Aber geben Sie mir einmal die Hand!« Er hielt ihr die seine hin, und sie legte rasch und willig ihre schlanken Finger hinein. »Und nun, was man Ihnen auch heute noch sagen mag, lassen Sie sich nicht verleiten, mich zu verurteilen! Schon in den nächsten Tagen wird sie« — er nannte den Namen nicht und neigte nur, ohne hinüberzublicken, bitter lächelnd den Kopf nach Floras Bild — »ganz anders denken, und das ist's, was mich konsequent bleiben heißt. Ich darf nicht den Vorwurf auf mich nehmen, als hätte ich einen günstigen Moment — auszunutzen verstanden.«

Sie sah befremdet zu ihm auf, und er neigte bedeutsam und

sonderbar resigniert den Kopf, als wolle er sagen: »Ja, so steht es«, aber über beider Lippen kam kein Wort.

»Gute Nacht, gute Nacht!« sagte er gleich darauf. Er ließ mit sanftem Druck ihre Hand fallen und trat an den Schreibtisch, während sie rasch der Tür zuschritt. Unwillkürlich wandte sie sich noch einmal auf der Schwelle um — er führte eben seltsamerweise das leere Kelchglas an seine Lippen, in demselben Augenblick aber auch glitt es aus seiner Hand und zersprang auf dem Boden in Scherben und Splitter.

Drüben im Krankenzimmer stand Flora zum Fortgehen gerüstet, sie sah aus, als bebe jede Fiber an ihr vor nervöser Ungeduld. »Wo steckst du denn, Käthe?« schalt sie. »Die Großmama wartet. Du bist schuld daran, daß man uns den Tee mit Vorwürfen würzen wird.«

Käthe antwortete nicht. Sie warf den Baschlik über, den ihr die Jungfer mitgebracht, und trat an das Bett. Henriette schlief sanft, die dunkle Fieberröte auf ihren Wangen hatte nachgelassen. Wiederholt hauchte das junge Mädchen einen Kuß auf das bleiche, schmale Händchen, das ruhig auf der Decke lag, dann folgte sie der hinausrauschenden Schwester.

Käthe aber ging noch einmal in die Küche und verabschiedete sich von der Tante. Die alte Frau schüttelte mit ernstem Gesichtsausdruck den Kopf, als sie sich überzeugen mußte, daß »die Braut« das Haus bereits verlassen habe, ohne sie auch nur eines flüchtigen Gutenachtgrußes zu würdigen, aber sie schwieg und ging dem Doktor nach in die Krankenstube, um noch einmal nach der Leidenden zu sehen, ehe sie sich in ihr Zimmer zurückzog.

Draußen vor dem Haus blieb Flora stehen, nachdem die Schritte des vorausgeschickten Bedienten auf der Brücke verhallt waren.

»Ja, ja, das wäre so etwas nach meinem Geschmack gewesen — eine Hütte und ein Herz!« sagte sie mit einem steifen, drastisch ironischen Kopfnicken. »Ein Mann ohne Amt und Einfluß, über dem Kopf eine elende Spelunke.«

Sie stürmte wie wahnwitzig der Brücke zu.

»Er gibt mich nicht frei, trotz meines Flehens und meiner Gegenwehr«, sagte sie zu der Schwester, die ihr folgte. »Du bist dabeigewesen — du hast gehört, was für entscheidende Worte gefallen sind. Mag er — mag er sich zeitlebens mit dem

Gedanken sättigen, daß ihm ein Schatten von Recht verblieben ist — ich bin von diesem Moment an frei.«

Sie hatte bei den letzten Worten den Verlobungsring vom Finger gestreift und schleuderte ihn weit hinüber in die rauschenden Fluten.

»Flora, was hast du getan!« schrie Käthe auf.

»Närrchen, rege dich doch nicht so auf, als sei ich selbst hineingesprungen«, sagte Flora mit kaltem Lächeln. »Manche andere mit weniger Willens- und Widerstandskraft hätte es vielleicht getan. Ich werfe einfach den letzten Ring einer verhaßten Kette von mir. Nun mag er rosten da unten — ich fange ein neues Leben an.«

14.

Am anderen Morgen herrschte reges Leben in der Villa Baumgarten. Gegen Mitternacht hatte ein Telegramm die Rückkehr des Kommerzienrates aus Berlin gemeldet, und eine Stunde später war er angekommen. Er hatte zwei Geschäftsfreunde mitgebracht, die in den Fremdenzimmern wohnten. Die Gäste waren Koryphäen der Handelswelt, sie wollten nachmittags ihre Reise fortsetzen, und um ihnen Gelegenheit zu geben, auf der Durchreise mehrere ihrer Bekannten in der Residenz zu sprechen, hatte der Kommerzienrat in der Nacht noch ein großes Herrenfrühstück für den anderen Morgen angeordnet, Köchin und Hausmamsell hatten vollauf zu tun, und die Bedienten liefen treppauf, treppab.

Käthe hatte die ganze Nacht schlaflos verbracht. Die am Tage empfangenen Eindrücke und die Sorgen um Henriette hatten sie nicht ruhen lassen. Vom Fenster aus hatte sie dann die Ankunft des Kommerzienrates mit angesehen. Im Nu, wie aus der Erde gestampft, waren die Dienstleute der Villa mit ihren Sturmlaternen um den Wagen postiert gewesen, die hellen Lichtflammen hatten die weißen Säulen der Halle angestrahlt, hatten sich in dem silberfunkelnden Pferdegeschirr und den glänzenden Leibern der Goldfüchse gespiegelt und waren kräftig genug gewesen, auch das bronzierte, an der Promenade hinlaufende Gitter und mehrere herrliche Marmorfiguren aus dem Dunkel hervortreten zu lassen. Dann war der Kommerzienrat aus dem Wagen gesprungen, die stattliche, noch jugendlich elastische Gestalt in den eleganten Reisepelz gehüllt, in jeder seiner gebieterisch sicheren Bewegungen der reiche Mann, der eben noch reicher geworden war. Er hatte seine Gäste in ihre Gemächer geführt und erst gegen zwei Uhr das Haus mit dem voranleuchtenden Bedienten verlassen, um sich im Turm zur Ruhe zu begeben. Dann war es allmählich still geworden in der Villa, aber der Wind hatte sein Pfeifen und Blasen um das Haus fortgesetzt und den Schlaf von Käthes Augen verscheucht. Erst mit Tagesanbruch war sie eingeschlummert, zu ihrem großen Verdruß, denn nun hatte sie sich verspätet, und statt um sechs Uhr morgens, wie sie gewollt, das Haus am Fluß zu betreten, kam sie erst in der neunten Stunde an.

Als Käthe am anderen Morgen die Brücke passierte, floß das Wasser sonnendurchleuchtet und klar bis auf den Grund unter dem morschen Holzbogen dahin. Die Wellen, die gestern den fortgeschleuderten Ring empfangen, hatten unterdes ein weites Stück Weges zurückgelegt und strömten dem Ozean zu – nur sie konnten erzählen von den verräterischen Frauenhänden, die so gewaltsam eine drückende Kette gesprengt.

Das Haus am Fluß hatte heute etwas Feierliches.

Die alte Frau teilte dem jungen Mädchen freudig mit, daß die Nacht für die Leidende gut verlaufen und der Anfall nicht wiedergekehrt sei.

Für diese beruhigende Nachricht küßte ihr Käthe die Hand, und da geschah das Seltsame, daß die sonst so zurückhaltende Frau plötzlich die Arme um die Mädchengestalt schlang und sie wie eine Tochter zärtlich an das Herz zog. Dann führte sie die froh Erstaunte schweigend in das Krankenzimmer.

Henriette saß aufrecht im Bett und die Jungfer ordnete ihr das reiche Haar unter dem Nachthäubchen, der Doktor aber hatte sich vor einer Stunde zurückgezogen, um zu ruhen. Henriette hatte nicht die leiseste Ahnung von dem, was sich gestern abend an ihrem Bett zugetragen, und daß durch ihre Schuld das so lange schwebende Ungewitter zum furchtbaren Ausbruch gekommen sei.

Käthe konnte ihr kaum in die Augen sehen, sie atmete auf, als die Kranke sie beauftragte, noch verschiedenes aus ihrem Schreibtisch mitzubringen.

Nach einer Stunde kehrte das junge Mädchen in die Villa zurück. Sie war ganz erfüllt von dem beängstigenden Eindruck, den ihr Henriette gemacht hatte, das Krankengesicht mit der totenhaft wächsernen Blässe und den eingesunkenen Zügen verfolgte sie und machte sie tief traurig. Deshalb fuhr sie auch, im Innersten verletzt, zurück, als sie, die Treppe zum ersten Stockwerk hinaufsteigend, schräg durch die offene Tür des Wintergartens den glänzend hergerichteten Frühstückstisch mit seinem blinkenden Geschirr voll köstlicher Leckereien überblickte. Den ganzen Marmorfußboden des maurischen Zimmers bedeckte ein ungeheuer dicker Smyrnateppich, für warme Füße war gesorgt und für heiße Köpfe auch — letzteres durch die auserwählten Flaschen aus dem Turmkeller.

Käthe suchte in Henriettes Zimmer alles zusammen, was die Kranke zu haben wünschte, und ging wieder hinab, um der Präsidentin pflichtschuldigst »Guten Morgen« zu sagen.

Sie wurde nicht angenommen. Die Jungfer berichtete, es sei früher Morgenbesuch da. Daraufhin ging Käthe in Floras Zimmer, um ein bestimmtes Buch zu holen. Sie empfand eine heftige Abneigung, die Schwelle zu betreten. Der ganze Grimm, den sie in der schlaflosen Nacht zu bewältigen gesucht, stieg wieder in ihr auf und nahm ihr fast den Atem.

Vielleicht fühlte Flora ähnlich. Sie stand mitten im Zimmer neben dem großen, mit Büchern und Broschüren bedeckten Tisch und sah mit einem sprühenden Aufblick nach der Eintretenden.

»Du kommst jedenfalls von Henriette«, sagte Flora. »Es geht ihr ja recht gut, wie ich höre.«

Sie sah reizend aus. Über die Ereignisse des gestrigen Abends fiel kein Wort. Die waren versunken und scheinbar vergessen, selbst der beraubte Goldfinger hatte Ersatz gefunden, zwei kleine Brillantringe schmückten ihn.

Auf Käthes Bitte trat Flora an ein Bücherbrett und nahm das verlangte Buch herab. »Henriette wird doch nicht selbst lesen wollen?« fragte sie über die Schulter.

»Das würde Doktor Bruck schwerlich gestatten, die Frau Diakonus will das Buch lesen«, sagte Käthe mit ruhiger, kalter Stimme und nahm das Werk in Empfang.

Ein verächtliches Spötteln zuckte um Floras Mund. Sie hielt es jedenfalls für eine Taktlosigkeit von seiten der Schwester, daß sie diese Namen vor ihren Ohren noch laut werden ließ.

Käthe ging. Aber in demselben Augenblick, wo sie die Tür öffnete, um das Zimmer zu verlassen, trat ihr der Kommerzienrat entgegen. Er sah prächtig aus, wenn er auch in sichtlich großer Aufregung kam.

»Dageblieben, Käthe!« rief er scherzhaft und breitete seine Arme aus, um sie zurückzuhalten. »Ich muß mich erst überzeugen, ob du heil und unverletzt bist.« Er schob sie ins Zimmer zurück, drückte die Tür in das Schloß und warf seinen Hut auf den Tisch. »Nun sagt mir um Gottes willen, was ist Wahres an der haarsträubenden Geschichte, die mir eben mein Anton beim Ankleiden mitgeteilt hat?« rief er. »Ist's denn wahr, das Unglaubliche? Eine Schar Megären soll euch bedroht haben?«

»Nicht ›uns‹, sondern ganz speziell mich, Moritz«, sagte Flora. »Henriette und Käthe haben eben nur mitleiden müssen, weil sie bei mir waren. Ich kann mir nicht helfen – den größten Teil der Schuld, daß es so weit gekommen, muß ich dir beimessen. Du mußtest schon bei den ersten feindseligen Kundgebungen ganz anders vorgehen. Du bist viel zu schwach gegen . . .«

»Ja, ja, schwach gegen euch, gegen dich und die Großmama«, fiel der Kommerzienrat blaß vor Ärger ein. »Du vorzüglich hast nicht geruht, bis ich mein Wort zurückgenommen und dadurch meine Arbeiter unnötig gereizt habe. Bruck hat recht.«

»Ich bitte dich, verschone mich damit!« rief Flora dunkelrot vor Zorn. »Wenn du keine andere Autorität zu nennen weißt, auf die du dich berufst.«

Der Kommerzienrat trat ihr rasch näher und sah ihr erstaunt prüfend in die funkelnden Augen. »Wie, noch immer so feindselig, Flora? Ist es nicht verwegen, der gebildeten Welt zum Trotz –«

»Was geht mich die Welt an?« Sie brach plötzlich in ein lautes Gelächter aus. »Die ganze gebildete Welt!« wiederholte sie. »Willst du mir sagen, wie du es möglich machst, sie mit deinem bedauernswürdigen Schützling in Verbindung zu bringen?«

Der Kommerzienrat faßte kopfschüttelnd ihre Hand; er war fast atemlos vor Überraschung. »Ja, wie ist denn das möglich? Weißt du denn noch nicht –«

»Mein Gott, was soll ich denn wissen?« unterbrach sie ihn ungeduldig und stampfte mit dem Fuß auf.

Da wurde sehr rasch die Tür geöffnet, und die Präsidentin trat herein. Sie war in lilafarbene Seide gekleidet und sah tief verstimmt aus.

Der Kommerzienrat eilte auf sie zu und küßte ihr ehrerbietig die Hand. Er betonte, daß er ihr schon vor einer halben

Stunde habe seine Aufwartung machen wollen, aber zurückgewiesen worden sei, weil die Großmama den Besuch der Hofdame von Berneck angenommen habe.

»Ja, die gute Berneck kam, um mir ihre Teilnahme auszusprechen über Henriettes Erkranken und das abscheuliche Attentat, dem Flora ausgesetzt gewesen ist«, sagte sie. »Wir werden heute einen anstrengenden Tag haben, die ganze Stadt ist aufgeregt über den Vorfall, und die Freunde unseres Hauses sind empört. Sie kommen sicherlich alle, um nach uns zu sehen.«

Sie sank matt in einen Lehnstuhl, ihre Stimme klang angegriffen und den Gebärden fehlte die Elastizität, die sie sonst so siegreich in ihrem Alter behauptete. »Übrigens hatte die Berneck auch noch einen anderen Grund, und der stand jedenfalls in erster Linie«, hob sie wieder an. »Denkt euch, sie kam, um mir insgeheim zu gratulieren.« Sie erhob sich und verschlang die Hände ineinander. »Mein Gott, welcher Zwiespalt! Ich weiß wirklich nicht, ob ich weinen oder mich freuen soll. Wie hat sich Bär zeitlebens aufgeopfert für die Herrschaften! Und jetzt geht man plötzlich über ihn hinweg, als habe der alte, treue Diener nicht existiert. Er ist noch so rüstig, so geistesfrisch, und doch — will man ihn pensionieren.«

»Und dazu gratuliert dir die alte Person?« rief Flora ärgerlich.

»Dazu selbstverständlich nicht, mein Kind«, entgegnete die Präsidentin mit großem Nachdruck. »Flora, es geschehen wunderbare Dinge in der Welt. Hättest du das vor einer Stunde noch für möglich gehalten? Bruck soll Hofrat und Leibarzt des Fürsten werden.«

»Verrücktes Hofgeschwätz! Auf was alles werden wohl diese müßigen Köpfe noch verfallen!«

»Nun, das muß ich sagen, lebt man denn hier in der Residenz so weltentfern von der Zivilisation, daß keine Zeitungen gelesen werden?« rief der Kommerzienrat, die Hände zusammenschlagend. »Ihr wißt wirklich nichts, rein gar nichts von dem, was geschehen ist, was uns so nahe angeht? Und ich komme deshalb einen Tag früher zurück. Die Freude hat mir keine Ruhe gelassen. Alle Zeitungen sind voll von der wunderbaren Operation, die Bruck in L.... ausgeführt hat! In allen Kreisen Berlins wird augenblicklich davon gesprochen. Der Erbprinz von R., der gegenwärtig in L.... studiert, ist mit dem

Pferd gestürzt, er ist so schwer und unglücklich am Kopf verletzt gewesen, daß sich kein Arzt zu der Operation hat verstehen wollen, selbst der tüchtige Professor H. nicht. Dem aber ist es erinnerlich gewesen, daß Bruck im letzten Feldzug einen ähnlichen Fall behandelt und zum Erstaunen aller glücklich durchgeführt hat. Daraufhin hat man ihn sofort telegrafisch berufen —«

»Und das soll Bruck, dein Günstling, gewesen sein?« unterbrach ihn Flora. Sie versuchte zu lächeln, aber diese weiß gewordenen Lippen schienen versteinert, wie das ganze schöne, impertinente Gesicht.

»Es war allerdings mein Bruck, wie ich ihn jetzt mit Stolz nenne«, bestätigte der Kommerzienrat mit sichtlicher Genugtuung. »Es ist nicht mehr zu leugnen — Bruck geht einer großen Zukunft entgegen.«

»Wer's glaubt!« sagte Flora mit seltsam erloschener Stimme.

»Dein Sträuben wird dir wohl nichts helfen, Flora«, sagte die Präsidentin gelassen. »Du wirst schließlich doch auch glauben müssen. Ich für meinen Teil — so wunderlich mir auch dabei zumute ist — zweifle nicht mehr. Der Herzog von D. ist der Mutterbruder des Erbprinzen, er mag wohl sehr erfreut und glücklich sein über die Rettung seines Neffen, denn gestern abend sah ich den D.schen Hausorden auf Brucks Schreibtisch liegen.«

»Und das sagst du mir jetzt erst, Großmama?« schrie Flora wie wahnsinnig auf. »Warum nicht gestern noch? Warum hast du mir das verschwiegen?«

»Verschwiegen?« wiederholte die Präsidentin verärgert. »Wie anmaßend! Ich möchte wissen, was mich veranlassen könnte, dergleichen geheimzuhalten, als höchstens der Umstand, daß man in den letzten Monaten Brucks Namen vor deinen Ohren kaum noch nennen durfte. Ich habe das allerdings auch möglichst vermieden.«

Flora schwieg. Sie stand am Fenster, den Rücken den Anwesenden zugekehrt. An ihren fliegenden Atemzügen sah man, daß sie heftig mit sich kämpfte.

»Sage mir doch, wann ich dir die Mitteilung hätte machen sollen!« fuhr die Präsidentin fort. »Vielleicht gestern, wo du beim Nachhausekommen kaum den Kopf zur Tür hereinstecktest, um meinem Besuch guten Abend zu bieten? Oder im

Hause des Doktors selbst, wo ich keinen Augenblick mit dir allein war, und wo dich das bescheidene Hauswesen deines Bräutigams in die übelste Laune versetzte?«

»Das war dein Kummer, liebe Großmama, wie du die Güte haben wirst, dich zu erinnern; was mich betrifft, so übertreibst du.«

Käthe öffnete weit die ehrlichen braunen Augen vor Erstaunen über dieses kecke Verleugnen — das gestern gegen die »spukhafte Spelunke« geschleuderte Verdammungsurteil klang noch in ihren Ohren.

»Mit dir ist schwer rechten, ich kenne dich schon. Bei aller bis zum Überdruß an den Tag gelegten derben Wahrhaftigkeit verschmähst du doch die Schlupfwinkel des Leugnens nicht, wo es dir gerade paßt«, zürnte die Präsidentin und schob mit einer ziemlich heftigen Handbewegung das vor ihr auf dem Tisch liegende Manuskriptpaket weiter. Der Umschlag löste sich wieder, und der mit den »langbeinigen Krakelfüßen« geschriebene Titel kam zum Vorscheine.

»Ah, spricht das wieder einmal vor auf seinem Zickzackweg durch die Welt?« fragte sie und zeigte mit dem Finger auf die Papiere. Ihr Ton bewies, daß die Frau der weisen Mäßigung auch schneidend maliziös werden konnte. »Ich dächte, du gönntest ihm endlich die Ruhe im Papierkorb. Dieses fortgesetzte Angebot von seiten eines meiner Angehörigen und die konsequente Zurückweisung der Buchhändler wird mir nachgerade unerträglich. Ich möchte wissen, wie du es aufnehmen würdest, wenn eines von uns deine ›hervorragende geistige Begabung‹ auch nur mit einem Wort anzweifeln wollte, und da lässest du es dir alle vier, fünf Wochen schwarz auf weiß sagen —«

»Ereifere dich nicht unnötig, Großmama! Du könntest leicht irren, wie gewisse andere Leute auch«, unterbrach Flora sie zornbebend. Ihr Blick streifte dabei entrüstet die junge Schwester. Der Backfisch hatte ja schon gestern abend ein ähnlich absprechendes Urteil mit angehört. »Du bist verstimmt, weil du an Bär eine einflußreiche Stimme bei Hofe verlierst. Je nun, ich verdenke dir das im Grunde nicht, liebste Großmama, denn Bruck wird sich schwerlich dazu verstehen, deine kleinen Interessen bei unseren Herrschaften zu vertreten, vielleicht nicht einmal mir zuliebe. Das ist fatal für dich, aber ich sehe trotzdem nicht ein, weshalb ich armes Opfer es nun ausbaden soll. Ich werde mir erlauben, mich zurückzuziehen, bis das Wetter im Hause wieder klar ist.« Sie raffte die auseinanderfallenden Blätter des Manuskriptes zusammen und verschwand hinter der Tür ihres Ankleidezimmers.

»Die ist doch unberechenbar exzentrisch«, sagte die Präsidentin mit einem Seufzer. »Von ihrer Mutter hat sie nicht eine Ader; die war die Sanftmut und Fügsamkeit selbst . . . Mangold hat sehr gefehlt darin, daß er sie so früh die Honneurs in seinem Hause machen ließ. Ich habe genug dagegen geeifert, aber das war alles in den Wind gesprochen. Du weißt ja am besten, Moritz, wie hartnäckig Mangold sein konnte.«

Käthe wollte das Zimmer verlassen, aber der Kommerzienrat folgte ihr und ergriff ihre Hand. »Du bist so blaß, Käthe, so schrecklich ernsthaft und still«, sagte er. »Ich fürchte, du stehst noch unter dem Eindruck des gestrigen Vorfalls und leidest, armes Kind.« Das klang nichts weniger als vormundschaftlich.

»So verändert in der Gesichtsfarbe und so nachdenklich ist Käthe schon seit einigen Tagen«, warf die Präsidentin rasch ein. »Ich weiß, was ihr fehlt: sie hat Heimweh. Du darfst dich darüber nicht wundern, bester Moritz. Käthe ist an das Stillleben in kleinbürgerlichen Verhältnissen gewöhnt. Dort wird sie vergöttert, um das reiche Pflegetöchterchen dreht sich schließlich alles in dem kleinen Hauswesen. Wir können ihr das mit dem besten Willen nicht bieten.« Sie trat näher und streichelte mit linder Hand die Wange des jungen Mädchens. »Hab' ich nicht recht, mein Kind?«

»Es tut mir leid, aber ich muß ›nein‹ sagen, Frau Präsidentin«, versetzte Käthe mit fester Stimme. »Ich werde nicht vergöttert, und es dreht sich auch nicht alles um ›den Goldfisch‹«, – sie lachte leise und schalkhaft auf –»und so bedrückend fremd, wie Sie meinen, sind mir die vornehmen Elemente Ihrer Kreise auch nicht. Ich bin, Gott sei Dank, so erzogen, daß ich dem Heimweh nicht die geringste Macht einräume, sobald ich weiß, daß ich irgendwo nötig bin«, wandte sie sich an den Kommerzienrat. »Erlaube mir vielmehr, auf unbestimmte Zeit hierzubleiben – Henriettes wegen!«

»Mein Gott, ich habe ja selbst keinen anderen Wunsch, als dich hierzubehalten«, rief er mit einem Feuer, das selbst dem jungen Mädchen verwunderlich erschien.

Die Präsidentin stand wieder am Tisch und ließ die Blätter eines vor ihr liegenden Buches unter ihrem Daumen hinlaufen,

120

und die gesenkten Augen hingen so nachdenklich an diesem Spiel, als sehe und höre sie nichts anderes. »Es versteht sich ja von selbst, daß du bleibst, so lange es dir gefällt, meine liebe Käthe«, sagte sie gleichmütig, ohne aufzusehen. »Nur darf dieses Bleiben beileibe nicht den Anschein einer Aufopferung erhalten, dagegen müssen wir uns entschieden verwahren. Nanni pflegt unsere Kranke musterhaft, und auch meine Jungfer ist angewiesen, nachts beizuspringen, wenn es nötig ist. Du könntest sie ohne Sorge verlassen.«

»Mag doch das Motiv sein, welches es will, teuerste Großmama, es genügt, daß Käthe in unserer Mitte zu bleiben wünscht«, fiel der Kommerzienrat lebhaft ein. »Sieh, im frohen Vorgefühl, daß wir dich hierbehalten werden, mein Kind, habe ich den neuen Flügel —« Er unterbrach sich. »Du bekommst ein Instrument, Käthe, gegen welches das drüben im Musiksalon ein Klimperkasten ist. Ich habe es, sage ich, gleich hierher beordert.«

»Aber Moritz, so ist das nicht gemeint«, rief das junge Mädchen mit erschrockenen Augen. »Dresden ist und bleibt meine Heimat, und die Villa Baumgarten meine Besuchsstation«, sie lachte mit ihrem ganzen Mutwillen auf. »Soll ich den Flügel immer als Gepäckstück mitschleppen?«

»Ich bilde mir ein, daß du eines Tages in bezug auf Dresden ganz anders denkst«, versetzte er mit einem feinen, ausdrucksvollen Lächeln. »Der Flügel wird morgen hier eintreffen und bis auf weiteres in deinem Zimmer Platz finden.«

Die Präsidentin klappte den Deckel des Buches zu und legte die schmale weiße Hand darauf. »Du triffst andere Anordnungen als ausgemacht war«, sagte sie gelassen. »Das bringt mich zwar sehr in Verlegenheit, aber ich bescheide mich gern. Ich werde heute noch an die Baronin Steiner schreiben, daß ihr für den Monat Mai angekündigter Besuch unterbleiben muß.«

»Aber ich sehe nicht ein, weshalb —«

»Weil wir sie nicht unterbringen können, bester Freund. Käthes Zimmer war für die Erzieherin bestimmt, die sie mitbringen wollte.«

Der Kommerzienrat zuckte die Achseln. »Dann tut es mir leid — mein Mündel bleibt selbstverständlich, wo es ist.«

Er widersprach! Er wagte es, mit kühler Ruhe in das zornblitzende Auge der empörten alten Dame zu sehen und es »natürlich« zu finden, daß die Frau Baronin von Steiner Käthe weichen müsse.

Die alte Dame biß sich auf die Lippe. »Ich werde unverzüglich die nötigen Schritte tun«, sagte sie und nahm ihre Schleppe auf, um zu gehen. »Beneidenswert ist die Lage, in die ich ohne mein Verschulden gedrängt bin, durchaus nicht – das muß ich sagen«, warf sie mit hochgezogenen Brauen in bitterem Tone über die Schulter hin.

»Und das um meinetwillen?« rief Käthe und trat mit ausgestreckter Hand einen Schritt näher, um das Hinausgehen der Präsidentin zu verhindern. »Moritz, es kann doch dein Ernst nicht sein, daß ich junges Ding die Freunde der Frau Präsidentin verdrängen soll? Das geschieht ganz gewiß nicht. Habe ich denn nicht mein eigenes Heim? Ich siedle sofort in die Mühle über, wenn Frau von Steiner kommt.«

»Das wirst du bleiben lassen, meine liebe Käthe, dagegen protestiere ich mit allen Kräften«, versetzte die Präsidentin mit vornehmer Kälte, und jetzt brach aller Hochmut, der dieser stolzen Weltdame innewohnte, aus ihren Augen. »Ich bin gewiß tolerant – deine verstorbene Mutter hat sich nie über Unfreundlichkeit meinerseits zu beklagen gehabt, aber ein solch intimer Verkehr zwischen Villa und Mühle, ein solch ungeniertes ›Hinüber und Herüber‹ widersteht mir denn doch in tiefster Seele, am allerwenigsten aber möchte ich diese Beziehung der scharfen Kritik meiner sehr streng denkenden Freundin ausgesetzt wissen.« Sie neigte steif grüßend den Kopf. »Ich bin im Blauen Salon zu finden, wenn du mir die Herren vorstellen willst, Moritz, die du mitgebracht hast.« Damit ging sie hinaus.

Der Kommerzienrat wartete mit spöttischer Miene, bis die Tür im Musikzimmer sehr hörbar zugefallen war, dann lachte er, indem sich seine Lippe höhnisch hob, leise in sich hinein.

»Da hast du deine Lektion, Käthe!« sagte er. »Gelt, es stecken recht scharfe Krallen in den Samtpfötchen. Ja, kratzen kann sie, die alte Katze, daß es eine Art hat. Ich armer Tropf könnte Wundmale genug aufweisen, aber, Gott sei Dank, ihr Schicksal erfüllt sich endlich auch. Sie erlebt das Schlimmste, das ihr begegnen kann: sie wird ungefährlich. Mit Bärs Pensionierung ist ihr Einfluß bei Hofe und in der Gesellschaft gebrochen.« Er rieb sich die Hände in lächelnder unaussprechlicher Befriedigung. »Du weichst nicht um eine Linie, lieb Herz! Du hast mehr Rechte in meinem Hause, als alle anderen zusammen, merke dir das!«

Er wurde unterbrochen. Ein eintretender Diener meldete, daß die fremden Herren im ersten Stockwerk den Herrn Kommerzienrat erwarteten. Eilig griff Moritz nach seinem Hut, er wollte Käthe den Arm reichen, aber sie schlüpfte verlegen an ihm vorüber, hinaus in den Flur. Der Herr Vormund mit der befremdenden Zärtlichkeit in Ton und Gebärden gefiel ihr ganz und gar nicht, seine kühlen, geschäftsmäßigen Briefe waren ihr lieber gewesen.

15.

Das Krankenzimmer im Doktorhause sah am Nachmittag genauso aus wie gestern, als man Henriette hineingetragen. Auf ihre Bitten hin, hatte der Doktor die vornehmen Eindringlinge aus der Villa wegschaffen lassen. Draußen in dem weiten Flur, auf den roten Backsteinen, standen sie in Reih' und Glied, die apfelgrünen Lehnstühle, der elegante Ofenschirm; und die altmodischen Polsterstühle mit ihren schwarzen Sergebezügen standen an ihrem ehemaligen Platz. Dagegen sprang das erfrischende Silbergefunkel der kleinen, zerstäubenden Zimmerfontäne aus einem Kranz von grünen Topfgewächsen, und auf einem Tisch stand der große Käfig mit Henriettes Kanarienvögeln, den man auf Wunsch der Kranken aus der Villa herübergeschafft hatte.

Nanni, die Kammerjungfer, war gegen Mittag entlassen worden, damit sie in der Villa ausschlafen könne, und die Tante Diakonus hatte die Pflege für die Tagesstunden übernommen. Die alte Frau war noch im braunseidenen Kleid, aber sie hatte eine breite weiße Leinenschürze darübergebunden.

Henriette wußte bereits um die Wandlung, die sich so plötzlich vollzogen hatte. Die Jungfer war von draußen hereingekommen und hatte ihr zugeflüstert, daß eben ein Herr vom Hofe in dem Flur feierlich von der Frau Diakonus empfangen und in das Zimmer des Doktors geführt worden sei. Ein Herr vom Hofe bei Bruck, der zuletzt nur noch Armenarzt gewesen war! Dazu hatten die festliche Toilette der Tante, ihr freudig verklärtes Gesicht die Aufmerksamkeit der Kranken erregt; sie war unruhig geworden und hatte mit Forschen und Fragen nicht nachgelassen, bis sich der Doktor an ihr Bett gesetzt und ihr in seiner ruhigen, einfachen Art und Weise Mitteilung von den Vorgängen gemacht hatte.

Nachmittags saß Käthe am Krankenbett. Der Doktor war zu einer Audienz beim Fürsten befohlen, und die Tante hatte sich für eine halbe Stunde freigemacht, um einige häusliche Anordnungen zu treffen. Die beiden Schwestern waren zum erstenmal wieder allein. Auf Henriettes Gesicht lag ein wahrer Glanz unausgesprochener Freude und Glückseligkeit. Ruhe und Schweigen war ihr auferlegt worden. Sie war auch folgsam gewesen und hatte weder den Doktor noch die Tante im Laufe des Tages mit weiteren Fragen belästigt, aber jetzt, wo die ernsten Augen des Arztes nicht warnten, wo die Tür hinter der ängstlich besorgten Frau zugefallen war, jetzt richtete sie sich plötzlich in den Kissen auf. »Wo bleibt Flora?« fragte sie gespannt und hastig flüsternd.

»Du weißt, daß die Großmama von Stunde zu Stunde herübersagen läßt, der Boden brenne ihr unter den Füßen, aber sie könne nicht fort, man sei drüben von Beileidsbesuchen dermaßen bedrängt, daß ein Losmachen sich noch nicht bewerkstelligen lasse.«

»Mein Gott, die Großmama!« wiederholte die Kranke geärgert und sich ungeduldig herumwerfend. »Wer verlangt denn nach ihr? Mag sie doch drüben bleiben. Ich spreche von Flora!«

Henriette verschlang die Hände fest ineinander und hob sie mit einer leidenschaftlichen Gebärde empor. »Käthe, ist das eine glanzvolle Rechtfertigung! Gott sei Dank, daß ich sie erleben durfte! Wenn nur Bruck sich nicht hinreißen läßt, auf seinem Rückwege vom Schloß in der Villa einzukehren! – Hier, vor meinen Augen, muß ihm Flora zum erstenmal wieder gegenüberstehen, hier. Ich lechze danach, sie im Staube vor ihm zu sehen.«

»Rege dich nicht auf, Henriette!« bat Käthe mit zitternder Stimme.

»Ach was – laß mich reden!« entgegnete sie hastig. »Wenn Bruck nur wüßte, zu welchen Qualen er mich verurteilt mit seinem Sprechverbot! Weißt du noch, wie Flora die Reise, von der Bruck berühmt zurückgekehrt ist, höhnisch und verwegen ihm in das Gesicht hinein eine Vergnügungstour nannte?« fragte sie. »Nein, und wenn sie auf den Knien Abbitte leistet, sie kann diesen Frevel, diesen beispiellosen Übermut, kaum sühnen. Nur einen einzigen Blick möchte ich jetzt in ihre Seele

124

tun. Welche niederschmetternde Beschämung! Sie kann beim ersten Begegnen die Augen weder zu ihm noch zu uns aufschlagen.«

Käthe hatte die Hände im Schoß gefaltet, und die Wimpern lagen tief auf ihren Wangen, als sei sie die Schuldige. Das leidenschaftlich erregte Mädchen da vor ihr ahnte nicht, daß diese erste Begegnung nicht mehr stattfinden konnte, daß sich Floras Fuß nie wieder in »die spukhafte Spelunke« verirren würde. Sie wußte so wenig wie alle anderen, daß sich die Braut gewaltsam befreit hatte, daß das Symbol des geschlossenen Bundes, der »einfache« Goldreif, draußen im Flusse lag, wenn ihn nicht die Wellen längst fortgespült hatten.

»So sprich doch auch ein Wort!« grollte Henriette. »Du mußt Fischblut in den Adern haben, daß dich die Vorgänge so ruhig lassen, ich sollte meinen, so viel Gerechtigkeitsgefühl, so viel Verlangen – ich möchte sagen ›Durst‹ nach gerechter Strafe, nach einem rächenden Ausgleich müsse in jeder gesunden Menschennatur liegen.«

Jetzt sah Käthe mit einem seltsam flimmernden Blick auf. Das war sicherlich kein Fischblut, das in so jäh emporschießender Welle Stirn und Wangen, selbst den runden, schneeweißen Hals heiß und purpurn färbte, es wallte unbezwinglich auf und ließ einen Augenblick völlig vergessen, daß sie am Krankenbett sitze und als gewissenhafte Pflegerin auf kein erregendes Thema eingehen dürfe. »Und wenn dieses Rachewerk sich wirklich vollzieht, wenn Flora beschämt ihren Irrtum zugibt, welchen Wert könnte diese Umkehr für den beleidigten Mann haben?« fragte sie eben gepreßt. »Flora hat ihm, wie du selbst sagst, ihre Abneigung unverhohlen gezeigt, und wenn er in den Fürstenstand erhoben würde, es könnte doch unmöglich den Widerwillen in Liebe zurückverwandeln.«

»Bei einer so eitlen, ehrgeizigen Seele wie Flora ohne weiteres«, versetzte Henriette in bitter verächtlichem Ton. »Und Bruck? Du wirst sehen, er geht bei ihrer ersten Annäherung über das Geschehene hinweg, als sei es nie gewesen.« – Den Kopf zurücklehnend, schloß sie einen Moment die Augen. – »Ja, wenn die Liebe nicht wäre, dieses ewig unlösliche Rätsel!« sagte sie halb flüsternd vor sich hin. »Und er liebt sie wie vordem. Wie ließe sich sonst sein Ausharren, sein geduldiges Ertragen erklären?« Sie hob die Wimpern wieder, und ein Gemisch von tiefem Schmerz und bitterer Ironie brannte in ihren unirdisch glänzenden Augen. »Und wenn ihn aus ihrem schönen Gesicht ein Teufel anblickte, und wenn ihre Hände nach ihm schlügen, er würde sie doch lieben und diese Hände zärtlich küssen.«

Käthe sagte kein Wort mehr. Die Kranke erwartete mit kaum bezähmbarer Ungeduld den Moment, wo sie den Mann, den sie als ihren Arzt vergötterte, wieder glücklich sehen würde. Was sollte werden, wenn Flora nicht kam, wenn Henriette endlich erfahren mußte, daß die treulose Braut der langen Qual eigenmächtig ein rasches, gewaltsames Ende gemacht hatte? In Käthes Seele dauerte der chaotische Zustand fort, der sie schon gestern abend betroffen gemacht. Die Gesetze der Moral hatten ein scharfes Gepräge für sie, und sie war noch unerfahren genug, Lohn und Strafe stets als gerechte Folgen vorausgegangener Handlungen zu denken − und nun in diesem wunderlichen Weltgetriebe wurde allen Ernstes gewünscht und gehofft, daß unerhörter Übermut und planmäßige Pflichtverletzung nicht nur straflos ausgehen, sondern auch noch eines seltenen Glückes teilhaftig werden sollten. Man bemühte sich, das Vergehen totzuschweigen, man hätschelte die Sünderin und dankte ihr womöglich auf den Knien für ihre Umkehr, die, wenn sie wirklich erfolgte, nicht einmal wahre innere Reue, sondern nur durch den Umschwung der äußeren Verhältnisse hervorgerufen worden war. Und er, den sie moralisch mit Füßen getreten, nahm er sie wirklich augenblicklich wieder an sein Herz, wenn sie sich herabließ, zu ihm zurückzukehren? Ganz gewiß, hatte er sie doch nicht freigegeben, selbst nachdem sie ihm erklärt, daß sie ihn hasse. Jetzt fühlte Käthe einen mächtigen Zorn in sich aufglühen gegen die unselige Schwachheit, die einen Mann so erbärmlich, so unmännlich handeln ließ. Aber was ging sie denn die ganze abstoßende Geschichte weiter an? Sie hatte nun nichts, gar nichts mehr dabei zu bedenken als das Hochzeitsgeschenk für die Schwester − etwa einen Teppich oder ein Sofakissen −, das sie nunmehr schleunigst anfangen müsse, wenn wirklich die Hochzeit zu Pfingsten stattfinden sollte.

Die Tante kam herein, legte einen frischgebrochenen Fliederzweig voll junger Blätter auf die Bettdecke und brachte der Leidenden einen Gruß vom Frühling. Sie bestand darauf, ihren Platz am Bett wieder einzunehmen, und erklärte Käthes Anwesenheit im Krankenzimmer für den Augenblick als voll-

kommen überflüssig. Draußen im Garten möge sie sich ein wenig Bewegung machen und frische, sonnige Gottesluft atmen,
das tue ihr sicherlich not, die gestrige Aufregung und Anstrengung sei noch auf ihrem Gesicht zu lesen.

Das junge Mädchen ging rasch hinaus. Ja, Luft und Sonnenschein, das waren zwei gute Freunde, die ihr stets das Gefühl
innerer Kraft und des Jungseins wonnig zum Bewußtsein
brachten, die den Blick klärten und alles angekränkelte Empfinden über den Haufen bliesen. Und die Tante hatte recht, die
Welt war so maienhaft, so blütenverheißend, und die schwach
wehende, sonnentrunkene Luft hauchte Genesungsbalsam in
Leib und Seele.

Ohne es zu wissen, war sie, am Flusse hingehend, in einen
förmlichen Sturmschritt verfallen. Da hörte sie eilige Schritte
von der Brücke her kommen. Sie wußte auch, daß es der Doktor war, der von der Stadt zurückkehrte, aber sie sah nicht auf.
Sie hoffte, er werde in das Haus gehen, ohne sie weiter zu beachten. Wer konnte denn wissen, ob er nicht direkt aus der
Villa und vielleicht in sehr trüber Stimmung kam?

Er ging nicht in das Haus, sondern direkt auf Käthe zu. Dann
blieb er stehen, senkte den Kopf und stieß, in tiefes Nachdenken verloren, mechanisch mit der Stockspitze gegen einen
mächtigen Würfel aus Sandstein, der, der Haustür gegenüber,
mitten im Rasengrund lag. Früher war er für die kleine Käthe
ein wunderlicher, aber hübscher Tisch gewesen, lediglich zu
dem Zwecke hingestellt, daß Kinderhände gefallenes Obst,
Blumen und gesammelte Steinchen darauf legen sollten. Jetzt
erkannte sie in ihm das ehemalige Postament einer Statue,
noch sah man den Trümmerrest eines kleinen Fußes mit zarten
Zehen auf der grünmoosigen oberen Fläche.

Käthe strich mit ihrer schlanken Hand schmeichelnd über
die zierliche Form. »Das ist eine Nymphe oder Muse gewesen«, sagte sie. »Das schlanke Geschöpfchen hat schwebend,
mit gehobenem Arm, auf der einen Fußspitze gestanden. Ich
kann mir die ganze Gestalt auf der einen hochgeschwungenen
Linie des Füßchens aufbauen. Vielleicht war ihr schöner Kopf
seitwärts der Brücke zugewendet, und sie hat auch den Reiter
über die Brücke kommen sehen –« Sie verstummte unwillkürlich und sah ihm in das Gesicht. Offenbar war er weit fort mit
seinen Gedanken, er hörte nicht, was sie sagte, und das, was
ihn beschäftigte, war gewiß sehr niederdrückend. Zum ersten-

mal sah sie in diesem edelschönen, ruhig beherrschten Antlitz einen ausgesprochen gramvollen Zug.

Das plötzliche Schweigen des jungen Mädchens machte ihn aufblicken. »Ach ja«, sagte er, sich sichtlich zusammennehmend, »die wirtschaftlichen Leute, die lange Zeit hier gehaust, haben sich das Vergnügen gemacht, die Statuen herabzustürzen. Der ganze Garten muß von diesen Sandsteinfiguren bevölkert gewesen sein, rings im Gebüsch finden sich noch viele Postamente. Ich werde dem Grundstück seine ehemalige Gestalt zurückzugeben suchen. Man sieht, trotz der Verwilderung, noch deutlich den Plan, der dem Garten zugrunde gelegen hat.«

»Dann wird es sehr hübsch und sehr vornehm hier werden, aber der Blick ins Grüne, in diese köstliche, verwachsene Wildnis geht verloren. Ihr Arbeitszimmer –«

»Mein Arbeitszimmer wird vom nächsten Oktober an eine liebe Freundin meiner Tante bewohnen«, unterbrach er sie gelassen. »Ich siedele im Herbst nach L . . . über.«

Sie sah ihn bestürzt an und faltete unwillkürlich die Hände. »Nach L . . .?« wiederholte sie. »Mein Gott, Sie wollen sich von ihr trennen? Und was sagt sie dazu?«

»Flora? Sie geht selbstverständlich mit mir«, sagte er eiskalt, aber in seinen Augen lohte es auf wie ein schmerzlicher Zorn. »Glauben Sie, ich werde Ihre Schwester hier zurücklassen? Sie dürfen ruhig sein.« Wie schneidend seine Stimme klang!

Käthe hatte von der Tante gesprochen, allein sie war nicht fähig, das Mißverständnis zu berichtigen, so betroffen machte sie seine Antwort – er schien seiner Sache so gewiß. »Sie waren eben in der Villa?« fragte sie schüchtern und doch fieberhaft gespannt.

»Nein, ich war nicht in der Villa«, betonte er – klang es doch, als äffe er sie nach, der feinfühlende Mann, der sonst nie seine Zunge zu einer Geißel des Spottes machte. »Ich bin überhaupt noch nicht so glücklich gewesen, jemand von drüben zu sehen.«

Er hatte demnach Flora heute noch nicht gesprochen, und dennoch diese Zuversicht! Es war zum Verzweifeln! Käthe wünschte sich weit weg aus diesem Zwiespalt – sie kam sich vor wie des Priamos unglückselige Tochter, die einzig Wissende unter den Verblendeten.

16

Als sie sich wieder umdrehte, sah sie den Doktor noch neben dem Postament stehen, aber sein Gesicht war in starrem Hinüberblicken der Brücke zugewendet. Er war blaß geworden. Unwillkürlich folgte sie der Richtung seines Blickes, und wenn dort der Schatten einer ertrunkenen Edelfrau über den Fluß hingeschwebt wäre, sie hätte nicht entsetzter aufschreien können, als beim Anblick der schönen Schwester, die so graziös, so vollkommen unbefangen über den Holzbogen daherkam, als sei sie gestern abend mit einem »fröhlichen Wiedersehen« auf den Lippen von hier weggegangen. War es möglich? Sie glitt schlangenhaft leicht über die Stelle, auf der sie sich für frei und auf immer getrennt von dem mißachteten Manne erklärt hatte. Nur Stunden waren vergangen, seit sie seinem Heim, seinem Grund und Boden, mit den härtesten Ausdrücken der Verachtung für alle Zeiten den Rücken gewendet, und jetzt kehrte sie das schöne, lächelnde Gesicht der »spukhaften Spelunke« wieder zu.

Sie war dunkel gekleidet. Schwarze, reiche Spitzenkanten lagen auf den blonden Locken, umwogten den schneeweißen Hals und fielen in langen Enden tief über die Schulter hinab, wie die gesenkten dunklen Flügel eines Engels der Nacht. Hinter ihr ging der Kommerzienrat, der sehr angestrengt aussah, er führte die Präsidentin so respektvoll am Arm, daß sich Käthe allen Ernstes besann, ob sie von seinem höhnischen Blick am heutigen Morgen und den Auslassungen über »die alte Katze mit den Samtpfötchen« nicht nur etwa geträumt habe.

Der Doktor ging jetzt langsam den Kommenden entgegen, während Käthe starr, wie festgewurzelt, am Schuppen stehen blieb. Sie sah, wie man sich gegenseitig begrüßte, genau wie sonst auch. Nichts Außergewöhnliches war geschehen, kein böses Wort gefallen. Der Kommerzienrat umarmte beglückwünschend den Doktor, die Frau Präsidentin zeigte gütig und verbindlich ihre weißen Zahnspitzen – und Flora? Ihre Wangen erschienen allerdings einen Augenblick wie in eine lebhafte Rosenglut getaucht, und der sonst so selbstbewußte Blick irrte vom Gesicht des Doktors weg auf den Rasen nieder, aber sie streckte in gewohnter kühler Weise die Hand aus, die Fingerspitzen wurden erfaßt, wenn auch nicht festgehalten, ganz wie neulich bei Käthes Ankunft, und als sich Doktor Bruck umwandte, da waren seine Züge geradezu steinern ruhig.

Schon beim Betreten des Gartens hatte Flora die junge Schwester mit einem spöttischen Kopfschütteln vom Scheitel bis zu den Fußspitzen rasch gemustert und dann eine offenbar boshaft witzige Bemerkung über die Schwester zurück dem Kommerzienrat hingeworfen. Jetzt aber, als sie nähergetreten war, sah Käthe, daß auch etwas wie unterdrückter Ärger, ja, eine Art von Feindseligkeit in ihren blinzelnden Augen aufglomm.

»Nun, Käthe? Hast dich ja schon recht hübsch hier eingenistet«, rief sie ihr zu. »Tust ja wirklich, als seiest du zu Hause und trügest den Schlüsselbund zu allen Türen und Kästen am Gürtel.«

Das junge Mädchen antwortete nicht. Sie ließ die Hand vom Riegel gleiten und wandte das Gesicht mit den streng geschlossenen Lippen langsam der Schwester zu. Ob die Übermütige dort nicht erschrak, ob sie sich nicht schämte vor dem Laut der eigenen Stimme, hier auf dieser Stelle?

»Nimmst du Floras Scherz übel, mein Liebling?« fragte der Kommerzienrat, rasch zu Käthe tretend. Er legte ihren Arm in den seinen. »Du kannst dir das getrost gefallen lassen, bist du doch auch ein reizendes Hausmütterchen.«

Käthe ließ wie unbewußt ihre Hand auf dem Arm ihres Schwagers liegen. Sie hörte kaum, was er sagte, sie bemerkte auch nicht die seltsame Überraschung, mit der Doktor Bruck, stumm und starr wie eine Bildsäule, das Paar an sich vorüberschreiten ließ. Sie sah nur, daß Flora an der schmalen Hand, die sie eben mit dem Taschentuch zum Munde führte, einen schwarzen Halbhandschuh trug. Das feine durchbrochene Seidengewebe harmonierte mit den Spitzen, die über die ganze Gestalt gleichsam hinrieselten. Dies machte die weiße Haut wie Elfenbein aufleuchten und ließ die Finger schlank hervortreten. Die Brillantringe funkelten nicht mehr am Ringfinger, »der einfache Goldreif, der grob wie Eisen drückte«, blinkte matt unter dem Handschuh. Unmöglich! Dort rauschten ja die Wellen über ihn hin. Käthe hatte plötzlich die Empfindung, als sei sie der natürlichen Ordnung entrückt, als dürfe sie ihren gesunden Augen und Ohren nicht mehr trauen.

»Nun?« fragte die Präsidentin, erstaunt in dem Hausflur stehen bleibend. Sie zeigte gekränkt mit finster zusammengezogenen Brauen auf das umherstehende Gerät aus der Villa.

»Henriette hatte die Entfernung der Möbel so lebhaft gewünscht, daß ich nachgeben mußte«, sagte Doktor Bruck mit tonloser Stimme kalt und gleichmütig.

»Sie hat auch vollkommen recht. Es war eine wunderliche Idee – nimm mir's nicht übel, Großmama! –, das Krankenzimmer dermaßen vollzustopfen«, warf Flora achselzuckend hin. »Das arme Ding leidet ohnehin schwer an Brustbeklemmung, es mag ihr zumute gewesen sein, als sollte sie mit all dem dikken Polsterzeug erstickt werden.«

Die Großmama hatte eine herbe Antwort auf den Lippen, das sah man, allein sie schwieg aus Rücksicht auf den Doktor und die in der Küchentür stehende Magd und rauschte nach dem Krankenzimmer. Beim Eintreten fuhr sie ein wenig zurück – Henriette hatte sich weit aus dem Bett geneigt. Sie sah so erschüttert aus, und ihre weitgeöffneten, glänzenden Augen hingen mit einem so verzehrenden Ausdruck an der sich öffnenden Tür, daß die Präsidentin befürchtete, mitten in einen Fieberanfall zu kommen. Sie beruhigte sich indes sofort, als die Kranke sie in der gewohnten kühlen Weise begrüßte. Sie sah auch, daß der Blick voll unaussprechlicher Spannung Flora galt, die unmittelbar nach ihr auf die Schwelle getreten war.

Die schöne Schwester ging direkt auf die Tante Diakonus zu, die sich beim Eintreten der Damen erhoben hatte, und reichte ihr so zuvorkommend die Hand, als wolle sie den Händedruck nachholen, den sie gestern abend vergessen hatte. Dann wandte sie sich nach dem Bett. »Nun, Schatz«, sagte sie zu der Kranken, »es geht dir ja vortrefflich, wie man hört.«

»Und dir, Flora?« unterbrach Henriette sie mit kaum bezähmbarer Ungeduld, während sie dem hinzutretenden Kommerzienrat zerstreut die Hand gab.

Flora verbiß mit Mühe ein mokantes Lächeln. »Mir? Ei nun, leidlich! Die gestrige Aufregung spukt mir allerdings noch in den Nerven. Gestern sah es schlimmer aus in mir, ich war krank. Ich glaube, ich bin halb wahnwitzig gewesen vor nervöser Erregung, wenigstens bin ich mir nicht ganz klar über mein nachheriges Tun und Lassen – was Wunder! Unter solchen barbarischen Fäusten –«

»Nun, davor hat dich Käthe tapfer geschützt«, sagte Henriette ergrimmt. »Wie ein Schild hat sie vor dir gestanden und den Streich aufgefangen, die arme, brave Käthe! — Moritz, sie haben ihr die Kleider vom Leibe gezerrt, die Flechten von der Stirn niedergerissen —«

»Nun ja, sie haben ihr arg mitgespielt, die Furien!« gab Flora mit einem ärgerlichen Stirnrunzeln zu, »aber ich muß mir's denn doch ausbitten, daß ich dafür nicht allein verantwortlich gemacht werde. Ihre Manie, ewig in starrer Seide zu gehen, trägt zumeist die Schuld. Das Volk neidet uns nun einmal den Reichtum und die Eleganz, das seidene Kleid reizte die Weiber, und da hat sie denn — und leider auch wir — anhören müssen, daß ihre Großmutter barfuß gegangen und der Schloßmüller vordem Knecht gewesen ist, daß der Kornwucher ihr ganzes Vermögen zusammengescharrt hat, und was dergleichen liebliche Dinge mehr waren. Käthes Erscheinen hat unsere peinliche Lage verschlimmert. Die Erbitterung gegen die reiche Erbin war grenzenlos — habe ich nicht recht, Käthe?«

»Ja, Flora«, versetzte das junge Mädchen bitter lächelnd. »Ich werde viel tun müssen, um einigermaßen gutzumachen, was mein Großvater an der Menschheit gesündigt hat.«

Während Flora sprach, hatte sich die Gestalt der Präsidentin förmlich gestreckt vor innerer Genugtuung. Die schonungslose Bloßlegung des »skandalösen Stammbaumes« klang wie Musik in ihren Ohren. Sie beobachtete lauernd den Kommerzienrat. Der neugebackene Edelmann mußte vor dem Gedanken zurückschrecken, daß das Volk mit den Fingern auf die Frau an seiner Seite zeigen und ihr Herkommen, den Ursprung ihres Geldes, auf der Straße ausschreien würde. »Ach geh, Käthe, das klingt denn doch gar zu kindisch naiv und empfindsam!« sagte sie, den Kopf hin und her wiegend. »Wie wolltest du denn das anfangen?«

Flora lachte. »Sie will ihren kostbaren Geldspind öffnen und die Aktien unter das Volk streuen.«

»Wie Schwester Flora aus Angst um ihren tadellosen Teint gestern mit ihrer Börse getan«, warf Henriette beißend in spottendem Ton ein.

»Einer solchen Gedankenlosigkeit werde ich mich wohl nicht schuldig machen«, sagte Käthe gelassen, aber ernst abweisend zu Flora. »Ruht Fluch und Unsegen auf dem Geld —«

Der Kommerzienrat unterbrach sie mit einem lauten Gelächter. »Kind, laß dir doch nicht bange machen! Unsegen! Ich sage dir, das Glück hängt sich deinem Erbe förmlich an die Fersen, die Gewinnanteile, die ich gegenwärtig durch ein neues glückliches Unternehmen erziele, sind geradezu riesig. Der Kapitalist ist ein Fels, dem die Wogen von selbst ihre Schätze zuwerfen −«

»In den Augen der Ruhigdenkenden nicht, Moritz«, sagte Doktor Bruck. Er war vorhin bei Henriettes lebhaftem Widerspruch an das Bett getreten und hatte beruhigend ihre Hand zwischen seine Hände genommen. So stand er noch, sein schönes Gesicht aber, das er jetzt voll den Anwesenden zuwandte, zeigte noch schärfer den leidensvollen Zug, den Käthe heute zum erstenmal bemerkt hatte. »Man ist schon seit längerer Zeit mißtrauisch«, fuhr er fort, »und fängt an, diesen mühelosen Erwerb mit einem sehr harten Wort zu bezeichnen −«

»Schwindel, willst du sagen«, unterbrach ihn der Kommerzienrat belustigt. »Liebster Doktor, alle Achtung vor dir und deinem Wissen, aber in kaufmännischen Dingen überlaß mir die Beurteilung! Du bist ein ausgezeichneter Arzt, hast eben deinen Namen zu einem weltberühmten gemacht −«

In diesem Augenblick richtete sich Henriette aus ihrer halb zurückgesunkenen Stellung auf. »Weißt du das, Flora?« fragte sie heftig, atemlos, wie halb erstickt von dem überwältigenden Triumphgefühl.

»Freilich weiß ich's, du Närrchen, obgleich der Herr Doktor es bis jetzt nicht der Mühe wert gefunden hat, mir in höchsteigener Person Mitteilung von seiner glücklichen Kur in L . . . zu machen«, antwortete Flora unbefangen und leichthin, und ihre Augen begegneten in beispielloser Herausforderung denen der Schwester. »Ich weiß auch, daß ihn plötzlich die fürstliche Gnadensonne bescheint wie selten einen Sterblichen. Natürlich ist das noch Hof- und Staatsgeheimnis, das vorderhand nicht einmal − die Braut wissen darf.« Ein bezaubernd schalkhaftes Lächeln ließ ihre leuchtenden Zähne sehen, und der Rosenhauch, der bei den letzten Worten plötzlich ihre Wangen anflog, stand ihr unvergleichlich.

Die Präsidentin, die in der Nähe des Doktors stand, klopfte ihm mit fast zärtlicher Zutraulichkeit auf die Schulter. »Dürfen wir noch nichts Näheres erfahren? Sind die Vorverhandlungen noch nicht beendet?« fragte sie schmeichelnd mit ihrer wohllautenden Stimme.

»Er kommt ja eben vom Fürsten«, sagte die Tante, ohne den strahlenden Blick von ihm wegzuwenden.

»Ah, also ist Herrn von Bärs Pensionierung wirklich Tatsache?« Die alte Dame fragte das mit vornehm gleichgültiger Haltung, aber sie hielt den Atem zurück.

»Das weiß ich nicht — danach frage ich auch nicht«, versetzte der Doktor ruhig und abweisend. »Der Fürst wünscht, daß ich — solange ich mich hier noch aufhalte — sein langjähriges Fußübel in Behandlung nehme —«

»Solange du dich hier noch aufhältst, Bruck?« unterbrach ihn Flora stürmisch. »Willst du gehen?«

»Ich werde mich mit Anfang Oktober in L . . . habilitieren«, versetzte er kalt. Er sah sie nicht an. Sein Blick haftete auf dem knospenden Apfelbaum vor dem Fenster.

»Wie, Sie haben Stellung und Titel bei unserem Hofe ausgeschlagen?« rief die Präsidentin und schlug die Hände in bestürztem Erstaunen zusammen.

»Der Titel ist mir nicht erlassen worden« — ein leises ironisches Lächeln stahl sich über sein Gesicht — »es ist jedenfalls nicht etikettegemäß in Serinissimus' Augen, sich von einem titellosen Heilbeflissenen herstellen zu lassen. Er besteht darauf, mich zum Hofrat zu ernennen.«

Bei seinen letzten Worten streckte ihm die Tante Diakonus, mit einer tiefen Rührung kämpfend, die Hand entgegen, und er — sonst die scheue Zurückhaltung selbst — umschlang mit beiden Armen die zarte Gestalt der alten Frau und drückte sie fest und innig an seine Brust.

Flora wandte sich ab und trat geräuschvoll an das Fenster. Man sah, es zuckte ihr in den Händen, die treue Frau wegzustoßen von dem Platze, den sie, die pflichtvergessene Braut, verwirkt hatte.

»Er geht ja aber fort, Tantchen«, sagte Henriette mit ihrer heiseren, tonlosen Stimme vom Bett herüber.

»Ja, seinem Ruhm, seinem Glück entgegen«, antwortete die alte Frau und hob unter Tränen lächelnd den Kopf von seiner Schulter. »Ich will gern hier zurückbleiben in dem Heim, das seine Sohnesliebe mir geschaffen hat, wenn ich ihn draußen geachtet, geehrt und befriedigt durch seinen großen Beruf weiß. Meine Mission an seiner Seite ist ohnehin bald zu Ende — eine andere tritt an meine Stelle.« Die Zärtlichkeit wich aus ihrer Stimme. Sie sprach mit tiefem Ernste, und die sonst so milden Augen hafteten fest, fast streng auf dem schönen Mädchen am Fenster. »Sie mit ihrem reichen Geist weiß jedenfalls die Heiligkeit, aber auch die oft herben Anfechtungen seines Berufes weit lebendiger zu erfassen als ich, und wird ihm deshalb gewiß ein Daheim schaffen, das ihm, unabhängig von den äußeren Strömungen, gleichmäßig ein harmonisch-inniges Familienleben bietet.« Das Betonen des einen Wortes ließ Käthe deutlich erkennen, daß die Tante Floras gestriges häßliches Gebaren sehr wohl bemerkt und als Launenhaftigkeit aufgefaßt hatte.

»Das ist alles recht schön und gut, meine beste Frau Diakonus, und ich zweifle auch keinen Augenblick, daß Flora eine ganz tüchtige Frau Professorin werden wird«, sagte die Präsidentin kühl – der indirekt ermahnende Ton, welchen die simple Pastorswitwe ihrer Enkelin gegenüber anzuschlagen wagte, verdroß sie sichtlich – »allein zu einem anmutenden Familienleben gehören heutzutage auch behagliche Räume, und das Beschaffen derselben macht mir augenblicklich große Sorge. Ich komme eben von einer erschöpfenden Beratung mit dem Möbelfabrikanten, er behauptet nunmehr – Gott weiß aus welchem Grunde –, die längst bestellten Möbel für Floras Salon bis zu Pfingsten absolut nicht liefern zu können. Flora hat sich währenddessen mit der Wäschelieferantin herumgezankt, die auch so fabelhaft langsam ist und die Vollendung der Ausstattung erst bis Anfang Juli in Aussicht stellt. Was fangen wir an?«

»Wir warten«, sagte Doktor Bruck in seiner einsilbigen Weise und griff nach Hut und Stock, um beides fortzutragen. Die Präsidentin fuhr ein wenig zusammen. Sie sah ziemlich verblüfft aus, und eine gewisse Ängstlichkeit schlich durch ihre Züge, aber sie faßte sich rasch und klopfte ihm leicht auf die Schulter. »Das ist brav, liebster, bester Doktor! Sie helfen uns selbst aus der peinlichsten Verlegenheit, während ich mich auf berechtigten Widerspruch Ihrerseits gefaßt gemacht hatte. Diese Pfingsten waren mir fast zu einem drohenden Gespenst geworden. Sie hielten so fest an dem einmal betimmten Tage.«

»Gewiß, allein meine Übersiedlung nach L . . . macht eine Abänderung sogar notwendig«, entgegnete er gelassen und ging hinaus.

»Und was meint die Braut?« fragte die Tante Diakonus mit ungewisser Stimme. Sie war augenscheinlich sehr betreten über die geschäftsmäßige kühle Ruhe des Doktors und das plötzliche verlegene Schweigen der Anwesenden.

Flora wandte ihr ein heiter strahlendes Gesicht zu. »Mir ist die gegönnte Frist insofern hochwillkommen, als meine künftige Lebensstellung plötzlich eine so ganz andere werden wird. Von der Frau eines Universitätsprofessors mit großem Namen verlangt die Welt ein ganz anderes Auftreten, ganz andere Fähigkeiten als von einer einfachen Doktorsfrau, möge ihr Mann immerhin Hofarzt und Leibarzt des Fürsten sein.« Ein unbeschreiblicher Hochmut sprühte aus der zarten, hoch emporgerichteten Gestalt. In jedem Wort klang innerer Jubel, mühsam unterdrücktes Frohlocken mit. Sie stand auf dem Gipfel ihrer glühendsten Wünsche.

Der Kommerzienrat rieb sich vergnügt die Hände, die Präsidentin aber kämpfte sichtlich mit einer ärgerlichen Aufwallung.

»Wohin versteigst du dich, Flora!« rügte sie, in zorniger Mißbilligung den Kopf schüttelnd.

»In meine glänzende Zukunft, Großmama«, antwortete sie mit einem kleinen, übermütigen, boshaften Lächeln. Sie drehte der Präsidentin mit einer so ausdrucksvollen Gebärde den Rücken, als sei sie nun mit einer unerquicklichen Vergangenheit vollkommen fertig und wolle mit keinem Worte mehr daran erinnert sein.

»Ich ergebe mich Ihnen nun auf Gnade und Ungnade, lieb Tantchen«, sagte sie zu der alten Frau, die jeder Bewegung der schönen Braut mit klugem, prüfendem Blicke gefolgt war. »Machen Sie mit mir, was Sie wollen! Ich unterwerfe mich allem, nur zeigen Sie mir den Weg, auf dem ich Leo glücklich machen kann! Ich will nähen, kochen —« Bei den letzten Worten streifte sie flink die Handschuhe ab, als wolle sie sofort Ernst machen und an den Kochherd treten. »Ah!« stieß sie erschrocken heraus und fuhr mit der Hand, wie fangend, durch die leere Luft — der »einfache Goldreif« war ihr beim Abziehen des Handschuhs vom Finger geglitten. Niemand hatte ihn zu Boden fallen gehört. Man suchte, allein es war, als habe ihn die Luft aufgesogen.

»Er wird zwischen deine Kissen gefallen sein, Henriette«, klagte Flora. Sie war ganz bleich geworden. »Erlaube, daß wir dich für einen Moment emporheben und nachsehen —«

»Das kann ich nicht zugeben«, erklärte die Tante entschieden. »Henriette darf nicht beunruhigt, nicht unnötig aus ihrer bequemen Lage gebracht werden —«

»Unnötig!« wiederholte Flora vorwurfsvoll und schmollend wie ein Kind. »Es ist ja mein Verlobungsring, Tantchen.«

Käthe schauderte in sich zusammen bei diesen Worten. War Flora wirklich ein solches Kind des Glückes, daß eine Art Wunder ihr den Ring wieder in die Hände zurückgespielt hatte, oder log und trog sie mit dreister Stirn so entsetzlich?

»Das ist ein fataler Zufall«, sagte die Tante Diakonus, »aber verloren kann ja der Ring nicht sein. Wir werden ihn heute noch bei Henriettes Umbetten finden, dann soll ihn mein Mädchen sofort in die Villa tragen.«

17.

Die Tante ging hinaus, um einige Erfrischungen zu besorgen, und Käthe folgte ihr. Ekel und Widerwillen trieben sie aus dem Zimmer, in dem sich eben die empörendste Komödie abgespielt hatte. Sie bat die Tante, ihr das kleine Geschäft der Bewirtung zu überlassen, und die alte Frau legte willig das Schlüsselbund in ihre Hand. »Hier, mein liebes, liebes Kind«, sagte sie weich und in so bebenden Lauten, als kämpfte sie mit einem tiefen Aufseufzen.

Käthe holte die Kaffeebüchse und den zu Ehren des Tages gebackenen Napfkuchen aus der Speisekammer, und während die dicke, freundliche Magd frisches Holz unter den Wasserkessel legte, füllte sie die hübsche blaue Glasschale, die schon den gestrigen Teetisch geziert hatte, mit Zucker und rieb den kristallenen Konfektteller blank. Sie schnitt eben den Kuchen in Stücke, als sie jemand aus dem Krankenzimmer kommen hörte. Die Küchentür war so angelehnt, daß ein breiter Spalt blieb, und durch diese Öffnung sah sie Flora in den Hausflur treten.

Die schöne Braut sah sich ungewiß und ratlos um, und es war, als ob der Strahl dieser suchenden Augen den Doktor magnetisch berührt und angezogen hätte. Er trat in diesem Augenblick aus dem Zimmer der Tante. Flora flog auf ihn zu und breitete die Arme aus.

»Leo!« zitterte es wie ein Hauch und doch klingend durch den Flur.

Käthe horchte mit stockendem Atem hoch auf – es ging ihr durch Mark und Bein. War das wirklich Floras Stimme? Kam dieser köstliche, innige Klang voll weicher Abbitte, voll be-

137

bender Sehnsucht wirklich von den Lippen, die so schnöde
verurteilende Worte sprechen, die so schneidend verächtlich
lächeln konnten? Das junge Mädchen wandte die Augen weg
und sah vor sich nieder; das Messer zitterte in ihrer Hand. Sie
hätte so gern die Tür ganz geschlossen, um nicht zu sehen und
nicht gesehen zu werden, aber sie fand, wunderlich genug, weder Mut noch Kraft, sich von der Stelle zu bewegen. Draußen
erfolgte keine Antwort, aber auch kein Schritt wurde hörbar.

»Leo, sieh mich an!« sagte Flora lauter, flehend, halb gebieterisch. »Wozu die Marter, die deinem eigenen Herzen widerstrebt? Ich weiß es, du kämpfst mannhaft, aber unter Schmerzen dein Gefühl nieder, um hart zu erscheinen, um mich zu
strafen. Und wofür? Weil ich gestern halb wahnwitzig war vor
Aufregung und nicht wußte, was ich tat und sagte. Leo! Mein
Leben, das dir gehört, war in Gefahr gewesen, noch kochte das
Blut in mir, und — da reiztest du mich auch noch.«

Käthe sah unwillkürlich empor. Neben ihr stand die Magd
mit einem breiten Grinsen auf dem guten, dicken Gesicht. Es
war jedenfalls sehr ergötzlich, daß die Dame da draußen ihrem
jungen Herrn etwas abbitten mußte. Dieser Anblick brachte
augenblicklich Leben in das junge Mädchen, sie ordnete rasch
die Kuchenstücke auf dem Teller, nahm ihn in die Hand und
trat entschlossen in den Flur. Sie sah noch, wie der Doktor mit
fest verschränkten Armen, das Gesicht von der Bittenden weg-
gewendet, regungslos durch die offene Haustür in die Gegend
hinausstarrte. Wie fahl erschienen seine braunen Wangen, und
wie fest und erbittert biß er die Zähne zusammen, während
Floras Gestalt an seinem Hals hing, weich und geschmeidig
und innig fest sich anschmiegend.

Bei dem ziemlich lauten Geräusch der aufgestoßenen Tür
fuhr der Doktor empor, und in demselben Moment traf ein
scheu irrender Blick Käthes Augen. Als sei er auf dem
schlimmsten Verbrechen betroffen, so schrak er zusammen —
Flora folgte erstaunt der Richtung seines Blickes, aber die
schönen Mädchenhände, die sich in seinem Nacken fest verschlungen hatten, lösten sich darum nicht. »Ach, mein Gott, es
ist ja nur Käthe, Leo!« sagte sie und drückte den Kopf fester an
seine Brust.

Käthe huschte wie auf der Flucht vorüber in das Krankenzimmer. Ihr Herz schlug fast laut vor Schrecken und schamvol-
ler Bestürzung. Mit bebenden Händen stellte sie den Teller auf

138

den Tisch, lockte auf Henriettes Verlangen, die ein Attentat ihrer Lieblinge auf Kuchen und Zucker befürchtete, die umherschwirrenden Kanarienvögel in den kleinen Käfig und schloß hinter ihnen das Türchen.

Da sah sie im Käfig auf dem sauberen weißen Sand den Goldreif liegen. Er war durch die Messingstäbe geflogen, ohne das geringste Klirren zu verursachen, und ebenso unhörbar auf der weichen Sandschicht niedergefallen. Käthe nahm ihn heraus und ließ ihn in die Tasche gleiten — und nun hätte sie wieder hinausgehen und den Kaffee fertig machen sollen, aber sie schüttelte sich fast vor Angst und Abneigung. Sie entfernte sich nicht um einen Schritt vom Tisch und machte sich unnötig mit den Kanarienvögeln zu schaffen, während die Präsidentin mit ihrer angenehmen, sanft gedämpften Stimme von Floras »Trousseau« sprach und der Tante Diakonus an den Fingern herzählte, was nun infolge der Ortsveränderung noch nachbestellt werden müsse. Die alte Frau durfte keinen Augenblick im Zweifel bleiben, daß ihr berühmter Neffe in der schönen Bankierstochter eine Art Prinzessin heimführte.

Käthe wurde rascher aus ihrer Pein erlöst, als sie dachte. Der Doktor trat schon nach wenigen Minuten in das Zimmer, und nun schlüpfte sie, ohne aufzusehen, an ihm vorüber. Der Flur war leer.

Das Küchengeschäft war bald beendet, und während die Magd eine frische Schürze vorband, um das Kaffeebrett hineinzutragen, trat Käthe an das Fenster und betrachtete den Ring, den sie unter Herzklopfen aus der Tasche gezogen . . . »E.M.1843« stand auf der Innenseite — Ernst Mangold — es war also der Trauring von Floras Mutter, den sie in der Hand hielt.

Sie stand wie gelähmt vor dem Übermaß an Frivolität, mit dem Flora sich zu helfen und jedes Bedenken zu überwinden gewußt hatte. Das war eine jener Frauennaturen, die sich stets der augenblicklichen Situation zu bemächtigen verstehen, die bei jedem Umschwung wieder auf die Füße zu stehen kommen und, unter kecker Nichtachtung unliebsamer Geschehnisse, mit der Zuversicht des Übermutes die Fäden der Intrige leise und glücklich wieder anknüpfen. Und das war die Schwester, vor deren weit überwiegenden Geistes- und Charaktereigenschaften ihr junges Herz demütig gebangt hatte.

Das kleine unscheinbare Zeichen der Gattentreue, das Floras sanfte Mutter bis an den Tod getragen, war entweiht durch das Gaukelspiel der Tochter. Es brannte Käthe zwischen den Fingerspitzen, sie hätte es am liebsten so weit von sich schleudern mögen, daß es keine Menschenhand wieder aufzufinden vermocht hätte, aber es war und blieb das ererbte Eigentum der Schwester und mußte zurückgegeben werden.

Sie verließ sofort die Küche und trat hinaus auf die Türstufen. Dort stand Flora am Zaun und sah hinaus in das Weite. Sie wandte dem Hause den Rücken zu und hatte die Arme unter dem Busen gekreuzt.

Das Hundegebell übertönte Käthes Tritte, Flora bemerkte ihr Kommen nicht eher, als bis die Schwester dicht neben ihr stand. Sie fuhr herum, ihr zarter Teint war betupft mit roten Spuren der Aufregung, sie war offenbar in der ärgerlichsten Stimmung, und nun falteten sich die Brauen noch finsterer, und ihre Augen sprühten in ausbrechendem Zorne.

»Bist du schon wieder da, du Unvermeidliche? Ungeschicktes Ding, vorhin so hereinzupoltern!« fuhr sie Käthe in einem Tone an, als stehe nicht die stolze Erscheinung einer erwachsenen jungen Dame, sondern ein ungezogenes, boshaftes Schwesterlein vor ihr, das zeitweilig noch mit der Rute Bekanntschaft machen müsse.

Eine gerechte Erbitterung quoll unbezwingbar in Käthe empor — so fromm war ihr Naturell nicht, und so sanftmütig floß ihr frisches Jugendblut auch nicht in den Adern, daß sie bei einer ungezogenen Bemerkung auch noch die andere Wange hingehalten hätte, aber sie beherrschte sich. »Ich bringe den Ring«, sagte sie kurz und kalt.

»Gib her!« Floras Züge glätteten sich. Sie nahm hastig den kleinen Reif von der hingehaltenen Handfläche und steckte ihn an den Finger. »Ich bin sehr froh, daß er wieder da ist, der Ausreißer. Es ist ein so fatales Anzeichen — «

»Du willst in dem Fall doch nicht von einem bösen Omen sprechen?« Dem jungen Mädchen versagte fast die Stimme angesichts dieser bodenlosen Dreistigkeit.

»Ei, warum denn nicht? — Glaubst du denn, Leute von Geist müßten notwendig frei von Aberglauben sein? Napoleon der Erste war abergläubisch wie eine Spittelfrau, wenn du das noch nicht weißt, meine Kleine — und ich, ich leugne wenigstens das Omen nicht.«

»Du vergißt, daß du gestern abend nicht allein dort gestanden hast«, sagte das junge Mädchen und deutete nach der Brücke.

Flora lachte zornig auf. »Das hat unsereins davon, wenn es sich solch ein Jüngstes nicht mindestens zehn Schritt vom Leibe hält. Das ist so die echte Backfischart, wichtig und vertraulich zu tun, als ob man um Gott weiß was alles wüßte, und täppisch und taktlos immer wieder eine unangenehm klingende Saite im Menschenherzen zu berühren, die man gern vergessen möchte. Meine sehr liebe Käthe, du willst mir in deiner unerschöpflichen Weisheit sagen, daß sich an meinen Verlobungsring überhaupt kein Omen mehr knüpfen könnte, weil – nun, weil er da drüben im Flusse liege, gelt, Schatz?« – Sie lachte abermals kurz auf. – »Wie, wenn ich nun bei aller Leidenschaftlichkeit und Sinnesverwirrung, bei allem Groll über eine ungerechte, vorurteilsvolle Kritik, die mir schonungslos in das Gesicht gesagt worden war, schließlich dennoch ein menschliches Rühren gespürt und mein süßes Kleinod nicht von mir geworfen hätte? Hast du das Ringlein fallen hören, Kind? Unmöglich! Denn – hier sitzt es ja«, – sie drehte den Reif spielend am Finger – »nachdem es vorhin wirklich Miene gemacht hat, mich freiwillig zu verlassen –«

»Weil es dir zu weit ist. Du hast schlankere Finger als deine verstorbene Mutter«, fiel Käthe unerbittlich ein, sie bebte am ganzen Körper vor Entrüstung.

Flora aber fuhr mit einer Gebärde empor, als wolle sie mit den Händen nach ihr stoßen. »Natter du!« murmelte sie ergrimmt. »Ich habe auf den ersten Blick hin gewußt, daß deine bäurisch plumpe Gestalt einen widerwärtigen Schatten auf meinen Lebensweg werfen würde. Wie kannst du dich unterstehen, mir nachzuspüren, meinem Tun und Lassen wie ein Spion nachzuschleichen? Du mir?«

»Bist du gewohnt, deine Umgebung mit einem so kühnen Vorgehen zu verblüffen und dermaßen einzuschüchtern, daß sie zu deinem falschen Spiel stillschweigt, so glückt dir das bei mir nicht, so jung und so wenig weltgewandt ich auch noch sein mag. Ich lasse mich nicht verwirren – ich habe gesunde Augen und ein starkes Gedächtnis«, entgegnete Käthe unbeirrt.

»Ei, das sind allerdings derbe Naturgaben, vor denen ein anderes Menschenkind mit seinen feinen inneren Regungen und Antrieben freilich nicht aufkommen kann«, rief Flora.

Sie trat einen Schritt näher, so daß die junge Schwester ihren

Atem wehen fühlte. »Nun ja, du hast recht«, sagte sie ge-
dämpft, und ließ einen raschen Seitenblick über die Fensterreihe des Hauses hinfliegen, »mein Verlobungsring liegt dort
im Fluß. Ich habe ihn von mir geworfen in einem Anfall höch-
ster Verzweiflung, mit dem Gefühl unaussprechlichen Ekels
vor dem Leben der Armseligkeit an Brucks Seite. Mädchen
deines Schlages werden das freilich nicht begreifen. Ihr wählt
euch den Mann, je nachdem er sein Auskommen, eine einneh-
mende Gestalt und − einen hübschen Bart hat, und ist das ›Ja‹
einmal gesprochen, dann geht ihr mit ihm durch dick und
dünn, und das ist ja auch ganz brav. Solche Mädchen werden
rechtschaffene Mütter wohlerzogener Söhne, sie hocken im
heimischen Nest und schließen furchtsam und demütig die Augen, wenn ein Adler vor ihnen in die schwindelnde Höhe
steigt. Zu einem solchen Adler aber geselle ich mich. Da, wohin er sich versteigt, weht meine Lebensluft, ich halte mich an
seiner Seite, ich jauchze ihm zu und ermutige ihn in seinem
stolzen Flug −«

»Um ihn, wenn ein heimtückischer Schuß seine Flügel
lähmt, für eine Krähe zu erklären und ihn feige zu verlassen«,
fiel Käthe ein. »Und wenn du noch gegangen wärest, verstohlen und schweigend, wie es doch sonst die Art der Treulosig-
keit ist, aber du hast erst noch dem bittersten Hasse Luft gemacht, hast dich an dieser Stelle für die Verratene, Betrogene
erklärt, und jetzt stehst du wieder auf dem mißachteten Boden −«

»Als Brucks vergötterte Braut, die erst einem schweren Irrtum verfallen mußte, bis sie die ganze Größe des ihr bestimmten Glückes einzusehen vermochte«, ergänzte Flora mit trium-
phierendem Hohn. Sie maß ihre Schwester von unten bis oben
mit einem boshaft funkelnden Blick. »Schau, du kannst ja auch
ganz allerliebst impertinent sein, Kleine! Ich bin förmlich überrascht von der hübschen Wendung, die du vorhin meinem
Gleichnis gegeben hast . . . Ei, nun ja, eine ganz achtungswerte
Dosis bürgerlichen Hausverstandes ist dir ja nicht abzuspre-
chen, aber sie reicht gerade so weit, um die Ausbrüche einer
genialen Natur, einer Feuerseele mißzuverstehen − was weißt
du von einem phsychologischen Rätsel! Hätte ich gestern von
abtrünniger Freundschaft gesprochen, dann hättest du recht,
dich über meine plötzliche innere Wandlung zu beklagen und
sie für Komödie zu halten, denn aus Freundschaft wird niemals

Liebesleidenschaft, wohl aber liegen Haß und Liebe in der Menschenseele eng zusammen, sie entzünden sich aneinander, und dem glühend gezeigten Hasse liegt oft ein Übermaß an Liebe zugrunde. Und nun laß dir sagen: Nie habe ich Bruck leidenschaftlicher, hingebender geliebt, als seit ich weiß, daß er wie ein Märtyrer gelitten, wie ein Held geschwiegen hat, seit ich mir sagen muß, daß ich ihn tödlich gekränkt habe, aber auch noch nie« – sie erfaßte plötzlich Käthes Hand und zog sie an sich – »noch nie«, flüsterte sie Käthe ins Ohr, »war ich so glühend eifersüchtig. Merke dir das, mein Kind! . . . Hier ist mein Revier. Und wenn mir auch nichts ferner liegt, als dich für gefährlich zu halten – du bist ihm durchaus nicht sympathisch, das habe ich längst gemerkt, so bin ich doch nicht gewohnt, irgendein Menschenkind neben mir zu dulden, das so absichtlich die Angenehme spielt. Dein hausmütterliches Schalten und Walten hier, dein ungeniertes Kommen und Gehen in diesem Hause gefällt mir nicht. Du wirst das in Zukunft bleiben lassen – verstanden, Schatz?«

Das hieß deutlich und energisch gesprochen, und nun schritt sie so eilig dem Hause zu, als wolle sie jede Erwiderung abschneiden.

18.

Es war im Mai. Die Bäume hatten bereits ihren Blütenschnee wieder von sich geschüttelt, und der prachtvolle krokusbesäumte Hyazinthenflor, der sich, Aufsehen erregend, über den weiten Rasenplatz vor der Villa Baumgarten hingebreitet hatte, war längst verblüht. Dafür färbten sich die Dolden der Fliederbüsche weiß und lila, das glänzende Kettengeschmeide des Goldregens schaukelte halbentfaltet an den Zweigen, aus den Blätterbüscheln der Rosenbäume streckten sich die spitzen grünen Fühlfäden der ersten Knöspchen, und der Schatten auf den Zickzackwegen der Parkanlage und in der alten Lindenallee wurde tiefer. Der Fluß brauste wieder klarwellig durch die grüne Einfassung seines Ufergebüsches, und über das alte liebe Haus hinter ihm flocht sich ein maienduftiges Gewebe, das mit jedem neuen Morgen weniger von den weißen Mauern sehen ließ – die dicken, kräftigen Weinstöcke trieben ihre safttropfenden Ranken bis unter das vorspringende Dach hinauf.

Das Fremdenzimmer stand wieder leer. Henriette war längst in die Villa übergesiedelt. Sie hatte sich scheinbar wieder erholt, ja, es schien sogar ein Stillstand ihrer Krankheit eingetreten zu sein, und diese Wohltat schrieb die Tante Diakonus einzig und allein Käthes Pflege zu. Die beiden Schwestern führten im ersten Stockwerk ein reiches, abgeschlossenes Zusammenleben, das einen wunderbaren Reiz erhalten hatte, seit der neue Flügel in Käthes Zimmer stand.

Das Haus des Kommerzienrates aber war nie geselliger gewesen als gerade jetzt, nachdem sein Besitzer geadelt worden. Es fanden sich manche neue, sehr willkommene Elemente ein, denen zu Ehren verschiedene Festlichkeiten veranstaltet werden mußten, und darin waren die Erfindungsgabe der Präsidentin und die Börse des Kommerzienrates unerschöpflich. Der Mann hatte ein wunderbares Glück. Nie hörte man von einem Verlust, von einem Mißlingen, wohin die Wünschelrute seines Geschäftsgenies traf, da sprudelte die Goldquelle — man schätzte ihn nach Millionen. Und er verstand wie selten ein Glückskind den neuen Glanz der Auszeichnung vor so vielen anderen Erdgeborenen zu tragen, ihn interessant und zum nie versiegenden Gesprächsthema für hoch und niedrig zu machen. Der Spazierweg von der Villa Baumgarten war beliebt geworden: Man zeigte die herrliche Besitzung, die sich Tag für Tag verschönerte, den Fremden, man sprach von den kostbaren Gemälden und Bildwerken, von den seltenen Sammlungen, die der Kommerzienrat unablässig hinter den marmorverzierten Wänden aufspeicherte, von der Silberkammer, mit der sich die des fürstlichen Hofes kaum messen könne.

Es wurde fortwährend gebaut, ganze Strecken des Parkes waren deshalb kaum mehr zu begehen. Große Berge ausgegrabenen Erdreichs versperrten die Wege. Zu alldem erschien eines Tages auch noch eine Anzahl Bauhandwerker und machte sich an einem hübschen, großen Gartenhaus zu schaffen, das bis dahin unbenutzt und verschlossen gestanden hatte. Das zierliche Haus erhielt einen eleganten Anbau, es wurden neue Fenster eingesetzt, und dann und wann zog der Kommerzienrat Tapetenproben oder Zeichnungen für die Täfelung des Fußbodens aus der Tasche und bat die Präsidentin, auszuwählen. Sie wurde zwar jedesmal sehr spitz und ungnädig, und Flora kicherte in das Taschentuch, aber wählen mußte die alte Dame doch, wenn sie auch dabei versicherte, daß die Aufbesserung der alten Baracke sie ganz und gar nicht interessierte, daß sie zeitlebens übergenug für die Instandhaltung der Villa zu denken und zu sorgen habe und sich nicht auch noch um das »Logierhaus« fremder Geschäftsfreunde kümmern könne, das sie doch niemals mit einem Fuße betreten werde. Sie ignorierte denn auch den Neubau, trotz des beharrlich fortgesetzten und stets herüberklingenden Hämmerns und Pochens, wie nur je die herrschsüchtige Gemahlin eines Regierenden ihren zukünftigen Witwensitz ignorieren kann.

Zwischen diesem Trubel, diesem hastigen Beginnen und Vollenden aber kam und ging der Kommerzienrat wie ein Zugvogel. Er verreiste sehr oft in Geschäften, aber nur noch für kurze Zeit, wie er manchmal sagte, dann wollte er sich ein schönes Rittergut kaufen und Landedelmann werden. Hatte er aber einmal ein paar Erholungstage, dann war er sehr viel im ersten Stockwerk; den Nachmittagskaffee trank er regelmäßig droben, zum großen Ärger der Präsidentin, die dadurch ihr Lieblingsstündchen im Wintergarten verlor – sie war selbstverständlich viel zu aufmerksam, um den »lieben Moritz« bei der verdrießlichen Kranken und dem jungen Backfisch allein zu lassen, und brachte das Opfer, stets fast zugleich mit ihm zu erscheinen.

Käthe war das sehr erwünscht; sie empfand eine unüberwindliche beklemmende Scheu vor dem Schwager und Vormund, seit er sich so wunderlich zuvorkommend und zärtlich ihr gegenüber und dabei so falsch, so heimtückisch bei äußerlich unveränderter Liebenswürdigkeit gegen die Präsidentin zeigte. Sie nahm unwillkürlich die befangene Zurückhaltung der erwachsenen Dame an, wo sie sich früher harmlos kindlich gezeigt hatte. Aber gerade das schien ihn zu belustigen und in seiner seltsamen Art zu bestärken. Er las ihr die Wünsche von den Augen ab, er hatte längst seine Einwilligung gegeben, daß der unbenutzte Teil des Mühlengartens an die Arbeiter verkauft wurde – nie setzte er dem Wohltätigkeitssinn des jungen Mädchens irgendwie Schranken.

Die Tante Diakonus unterrichtete seit langem eine Anzahl bedürftiger Kinder unentgeltlich im Nähen und Stricken. Das geschah jahraus, jahrein an den Mittwoch- und Sonnabendnachmittagen. In diesen kleinen Kreis hatte sich Käthe mit der freundlichen Bewilligung der alten Frau eingeschmuggelt. Der Umgang mit Kindern ließ Saiten in ihrer Seele erklingen, die sie bis dahin nicht geahnt hatte — es war die zärtliche Hinneigung zu den kleinen Geschöpfen und die plötzliche Erkenntnis, daß sie im Grunde ihres Herzens den Beruf, die jungen Wesen an Leib und Seele zu stützen, sie kräftig und gesund zu erhalten und bildend auf sie einzuzuwirken, jedem anderen weit vorziehe.

Sie kleidete die Kinder, wo es not tat, sie sorgte auch für ein reichliches Vesperbrot während der Unterrichtsstunden. Für den Sommer verlegte die Tante den Unterricht in den Garten. Die Kinder, meist in den engsten und dumpfesten Straßen der Stadt wohnend, sollten nun auch die Wohltat genießen, sich in reiner, gesunder Luft auf dem Rasen unter schattigen Obstbäumen tummeln zu dürfen. Käthe hatte zu dem Zweck hübsche, tragbare Bänke angeschafft, zugleich aber auch eine Anzahl Bälle und Reifen für die Spiel- und Erholungsstunde, die sich nunmehr an die Unterrichtszeit anschloß.

Flora war tief erbittert über diesen Verkehr, der sie, ihrer Meinung nach, in ihren Rechten, ihrer Beziehung zu der Tante beeinträchtigte, aber sie war klug genug, das im Hause am Fluß nicht verlauten zu lassen. Die schöne Braut kam auch täglich in das Haus, sie hatte sich weiße, mit Stickerei garnierte Latzschürzen dutzendweise machen lassen und erschien nie ohne diesen häuslichen Schmuck, der ihr allerbestens stand. Den Vorwurf konnte man ihr nicht machen, daß sie nicht alles aufgeboten hätte, den Beifall der Tante Diakonus zu erringen. Sie setzte ihr zartes Gesicht der Glut des Küchenfeuers aus, um Pfannkuchen backen zu lernen, sie ließ sich über das Einmachen der Obstfrüchte und Gemüse, über die Behandlung der Wäsche belehren und nahm wohl auch einmal der Magd das Bügeleisen aus der Hand, um versuchsweise ein Stück Hauswäsche zu glätten, allein so groß auch das Opfer war, das damit gebracht wurde, es vermochte nicht die alte Frau aus der überaus höflichen, aber auch sehr kühlen Haltung, die sie seit jenem unheilvollen Abend angenommen, herauszulocken.

Der jähe Umschwung in Doktor Brucks Karriere wurde noch immer wie ein Wunder angestaunt. Daß der zuvor kaum noch mitleidig über die Achsel angesehene, so hart verurteilte und verfemte junge Arzt plötzlich als fürstlicher Hofrat durch die Straßen der Residenz schritt, konnte mancher nur schwer begreifen, und weil er durch seine Übersiedlung nach L . . . für die Zukunft unerreichbar wurde, so wollte jeder Leidende womöglich noch von ihm hergestellt sein. So kam es, daß Doktor Bruck auf einmal mit einer kaum zu bewältigenden Praxis förmlich überbürdet war. Sein angefangenes Manuskript blieb unberührt auf dem Schreibtisch liegen, er schlief in der Stadt- wohnung, aß meist eilig im Hotel, den angebotenen Platz am Tisch des Kommerzienrates konsequent ablehnend, und mußte die flüchtige Besuchszeit in der Villa und bei der Tante Diakonus, wie er sich ausdrückte, seinen Patienten abstehlen.

Käthe sah ihn nicht oft, und deshalb fiel es ihr um so mehr auf, wie er sich verändert hatte — jedenfalls infolge der An- strengung, meinte sie. Er sah bleich und ermüdet aus, und sein früher wohl zurückhaltendes, nachdenklich stilles, aber über- aus mildes Wesen war einer finsteren Verschlossenheit gewi- chen. Mit Käthe hatte er seit jenem Augenblick, wo sie ihn, von Floras Armen umstrickt, im Flur überrascht hatte, kaum zwei Worte gewechselt, und zwar in so scheuer, schnell abbrechen- der Weise, daß sie sich nicht verhehlen konnte, er zürne ihres damaligen unwillkommenen Erscheinens wegen. Sie ging ihm deshalb auch verletzt, mit einem Gemisch von Trotz und Ver- legenheit aus dem Wege, wo sie nur konnte.

Mittlerweile war der 20. Mai, Floras Geburtstag, herange- kommen. Auf allen Tischen des Zimmers dufteten Blumen, welche die guten Freundinnen herkömmlicherweise gebracht hatten. Auch die Fürstin hatte der Braut des Hofrats, der mit Gnadenbeweisen förmlich überschüttet wurde, einen pracht- vollen Strauß geschickt, und von den stolzesten »Granden« des Hofes waren Glückwünsche in der schmeichelhaftesten Form eingelaufen. Ja, es war ein Tag des Triumphes für die schöne Braut, ein Tag, an dem sie wieder einmal so recht be- stärkt wurde in ihrer felsenfesten Überzeugung, daß sie wirk- lich ein Liebling der Götter, eine für einen auserwählten Le- bensweg Geborene sei.

Nach Tisch hielt man sich im Balkon- und Empfangszimmer auf, weil immer noch Glückwünschende kamen und gingen.

Henriette lag in einem Schaukelstuhl, der offenen Balkontür gegenüber. Sie hatte ihr hageres Figürchen in eine ganze Wolke weißen Mulls gesteckt, aber fröstelnd hüllte sie den Oberkörper in einen weichen Schal von gestricktem Crépe de Chine, und darüber her wogte aufgelöst ihr reiches blondes Haar, das sie seit dem letzten schweren Leidensanfalle nicht mehr aufnestelte. Sie hatte Käthe an den Flügel im Musiksalon geschickt und wartete nun mit in dem Schoß gefalteten Händen auf den Anfang des Schubertschen Liedes »Lob der Tränen«. Da verdunkelten sich plötzlich die Fieberflecken auf dem schmalen Gesichtchen zum tiefsten Karmin, und die verschränkten Hände fuhren unwillkürlich nach dem Herzen – Doktor Bruck trat in den Salon.

Flora flog ihm entgegen, hängte sich an seinen Arm und zog ihn in ihr Zimmer, damit er ihre Geburtstagsgeschenke ansehe. Die schöne Dame, die so lange ihrem ganzen Tun und Lassen den Stempel der Gelehrsamkeit, der ernstgrübelnden Forschung aufzudrücken verstanden, zeigte heute, an ihrem neunundzwanzigsten Geburtstag, die naive Grazie einer Sechzehnjährigen, und in dieser Wandlung war sie mit ihrem lieblich belebten Gesicht und dem weichen Spiel der schlanken, biegsamen Glieder auch wirklich jugendlich reizend.

Käthe stand am Notenschrank und suchte nach dem begehrten Lied, als das Brautpaar hinter ihr weg nach Floras Zimmer schritt; sie sah sich nur flüchtig um, wobei sie einen halbverlegenen Gruß vom Doktor erhielt, und suchte dann um so emsiger.

»Sieh, Leo, mit dem heutigen Tage schließe ich die Vergangenheit ab, in der ich so schwer geirrt und mich nahezu um mein Lebensglück gebracht hätte«, sagte Flora drüben mit unwiderstehlich süßer Stimme, während Käthe einen dicken Notenstoß aus dem Schrank hob. »Ich will die Erinnerung an jenen schlimmen Abend nicht wieder wachrufen, wo ich alle Herrschaft über mich verloren und in der Aufregung und Gereiztheit Aussprüche getan habe, um die meine Seele, mein Herz selbst nichts wußten, aber um der Wahrheit willen, und weil ich mir doch das schuldig bin, muß ich dir sagen, daß auch du damals geirrt hast, was dein absprechendes Urteil betrifft. Es war nicht der Trieb, mich hervorzutun, der mich der Schriftstellerei zugeführt hat, sondern in der Tat die Begabung – deutlich gesagt –, der Genius. Frage mich nicht weiter! Ich kann dir nur versichern, daß ich meinen Weg gemacht haben würde, und zwar durch mein Werk ›Die Frauen‹, das du ja nicht kennst. Es ist nach Aussprüchen von maßgebender Seite wohl geeignet, meinen Namen rühmend in alle Welt hinauszutragen, aber wie könnte es mir jetzt wohl noch gefallen, an deiner Seite meinen eigenen Weg zu gehen und meine besonderen Fähigkeiten geltend machen zu wollen? Nein, Leo, ich werde mich einzig und allein in deinem Ruhme sonnen, wie es der Frau ziemt, und damit mir auch in Zukunft die Versuchung nie wieder nahe trete, müssen diese Blätter, das Resultat emsigen Studiums und des poetischen Quells, der nun einmal in meiner Seele quillt und sprudelt, aus der Welt verschwinden.«

Käthe umschritt in diesem Augenblick, das endlich gefundene Notenblatt in der Hand, den Flügel. Sie sah, wie Flora das Manuskript mit einigen Streichhölzern entzündete und es auflodernd in den Kamin warf. Die schöne Braut wandte dabei den Kopf nach der Fensterseite zurück, wo jedenfalls der Doktor stand. Vielleicht wünschte sie, er möchte den Versuch machen, sie in ihrem Beginnen zu hindern, allein kein Schritt wurde hörbar, keine rettende Hand streckte sich aus, um das »kostbare« Brennmaterial den Flammen zu entreißen. Der Brandgeruch, den der Frühlingswind in das Zimmer zurücktrieb, wehte in den Musiksalon, und während Flora mit fest eingeklemmter Unterlippe und seltsam glimmenden Augen vom Kamin zurücktrat, nahm Käthe hastig den Platz am Flügel ein und begann sofort die Schubertsche Phantasie über das »Lob der Tränen«.

Es wurde drüben gesprochen. Käthe hörte durch die Melodie, die ihre Hände energischer als sonst den Tasten entlockte, die ernste, unbewegte Stimme des Doktors, aber sie verstand zu ihrer eigenen Beruhigung kein Wort, und als sie schloß, da kam auch Flora schon wieder herüber, um in das Balkonzimmer zurückzukehren. Diesmal hing sie nicht an Brucks Arm, sie hielt den Strauß der Fürstin in der Hand und ging neben dem Doktor her, verdrossen wie ein gescholtenes Kind, das aber nicht zu widersprechen wagt. – Ein zorniger Seitenblick streifte die am Flügel sitzende Schwester, die eben die Hände von den Tasten sinken ließ. »Gott sei Dank, daß du fertig bist, Käthe!« sagte sie stehenbleibend. »Du lärmst ja auf dem Instrument, daß man sein eigenes Wort nicht versteht. Schau, deine eigenen Sachen spielst du ja ganz nett – an Schubert und Liszt aber solltest du dich nicht wagen. Dazu fehlt dir das Verständnis und vor allem die Fertigkeit.«

»Henriette hat das Stück zu hören gewünscht«, entgegnete Käthe gelassen und schloß den Flügel. »Für eine fertige Klavierspielerin habe ich mich nie ausgegeben –«

»Nein, Herzenskäthe, das hast du niemals getan, bist auch keine Virtuosin, die Bocksprünge mit ihren Fingern macht«, fiel Henriette ein, »aber das Mädchengemüt möchte ich kennen, das Schubert inniger auffassen würde als du — oder meint Schwester Flora, die Tränen, die einem dabei in die Augen treten, weine und heuchle man aus bloßer Gefälligkeit?«

»Kranke Nerven, Kindchen — weiter nichts!« lachte Flora und folgte dem Doktor in den Salon, von wo die Präsidentin ihn gerufen hatte.

Die alte Dame saß drüben mit etwas erhitztem Gesicht, in der einen Hand die Lorgnette, in der anderen einen Brief, den ein Diener eben gebracht hatte. »Ach, liebster, bester Hofrat« — sie gebrauchte diesen Titel, so oft er sich anbringen ließ —, »da schreibt mir eben meine Freundin, die Baronin Steiner, daß sie in den nächsten Tagen hierherkommen will, um Rat und Hilfe bei Ihnen zu suchen. Sie ist ganz trostlos über ihren Enkel, den Stammhalter der alten Familie von Brandau — der Junge hinkt seit einiger Zeit ein wenig, und die tüchtigsten Ärzte tappen im dunkeln über den Ursprung des Leidens. Wollen Sie das Kind untersuchen und in Behandlung nehmen?«

»Sehr gern, vorausgesetzt, daß die Dame nicht allzu große Ansprüche an meine Zeit macht.« Er kannte schon diese hocharistokratisch sich gebärdenden Damen, die gar zu gern »warten lassen« und einen angehenden Schnupfen wie eine Todeskrankheit respektiert sehen wollen.

Die Präsidentin war sichtlich verletzt durch die gleichgültige Art und Weise, mit der ihre Bitte aufgenommen wurde. Sie antwortete nicht.

»Die Baronin ist sehr verstimmt durch meinen neulichen Absagebrief«, wandte sie sich an Flora, »und wenn nicht Sorge und Angst an sie heranträten, würde sie mir wohl nie wieder geschrieben haben. Wie mich das schmerzt, kann ich kaum sagen. Sie will nun im ersten besten Hotel wohnen, von wo aus unser Hofrat am besten zu erreichen ist, und bittet mich wenigstens um die Gefälligkeit, ihr eine Wohnung von fünf Zimmern auszumachen.« Jetzt zuckte ein wahrhaft vernichtender Blick unter den breiten Lidern hervor nach dem jungen Mädchen im weißen Kleid, das ihr gegenüber hinter einem Stuhl stand und, die Hände auf die Lehne desselben gelegt, mit niedergeschlagenen Augen den Verhandlungen zuhörte, wobei abwechselnd Erröten und Blaßwerden über das liebliche Gesicht hinflogen — war doch jedes Wort ein Vorwurf für sie.

»Mein Gott, es ließe sich ja schließlich im ersten Stock einrichten, wenn die gute Steiner nicht durchaus fünf Zimmer haben müßte«, fuhr die Präsidentin fort. »Aber sie braucht doch notwendig einen Salon für sich und ihre Tochter Marie, ein Wohnzimmer für den kleinen Job von Brandau und seine Erzieherin, und allermindestens drei Schlafzimmer − die Jungfer kommt ja auch mit.« Sie stützte sorgenschwer und tief verstimmt den Kopf in die Hand.

»Das will alles in allem sagen, daß Käthe für die Besuchszeit dieser wildfremden und anmaßenden Frau Baronin im Wege ist«, fuhr Henriette zornig heraus.

»Ich habe mich bereits erboten, in die Mühle zu gehen«, sagte die junge Schwester ohne eine Spur von Empfindlichkeit und strich beschwichtigend mit der Hand über Henriettes Haar.

»O nein, da weiß ich etwas Besseres, Käthe − wenn du denn einmal weichen mußt«, rief die Kranke mit aufleuchtenden Augen. »Wir bitten die Tante Diakonus um das liebe traute Fremdenzimmer für dich. Ich weiß, sie wird ganz glücklich sein, dich drüben zu haben. Dein Flügel wird hinübergeschafft, und da darf ich dann auch kommen, so oft ich will −« Sie verstummte plötzlich mit einem Blick auf den Doktor. Dieser hatte sich zuerst abgewendet und durch das Fenster gesehen, und jetzt kehrte er ihr das tiefverfinsterte Gesicht zu, und das, was sie aus seinen Augen ansprühte, war zürnender Widerspruch, sie traute ihren Sinnen kaum − er war gar nicht mehr er selbst.

»Ich finde es praktischer und schlage deshalb vor, daß der Knabe mit seiner Erzieherin in meinem Haus einquartiert wird«, sagte er kalt und gezwungen.

Die Präsidentin rückte und zupfte verlegen an der Schleierwolke unter ihrem Kinn, auch konnte sie ein flüchtiges, spöttisches Lächeln kaum unterdrücken. »Das wird sich schwerlich machen lassen, bester Hofrat«, versetzte sie. »Meine alte Freundin wird sich um keinen Preis von Job trennen wollen, und dann − Sie haben keinen Begriff davon, wie entsetzlich verwöhnt der Junge ist. Unser kleiner lieber Erbprinz wohnt nicht so vornehm wie dieser einzige und letzte Sproß der Brandaus. Das dürre, häßliche Kerlchen schläft unter Atlasdecken und hinter seidensamtenen Vorhängen. Mein Gott ja, die Familie kann das und findet solch eine luxuriöse Umgebung selbstverständlich. Unsereins kommt aber in Verlegenheit, wenn es gilt, sie zu beherbergen.«

»Und deshalb ziehst du es vor, das kleine Scheusälchen — dieser gefeierte letzte Sproß der Brandau ist nämlich der ungezogenste, nichtsnutzigste Bengel, den die Welt hat — der armen Tante Diakonus ins Haus zu bringen, Leo?« fragte Henriette heftig und gereizt den Doktor. »Was hat dir denn Käthe getan? Ich sehe es längst mit Ingrimm, wie ungerecht und vorurteilsvoll du gegen sie bist. Ist sie dir nicht vornehm genug, weil der Schloßmüller ihr Großvater ist? Nie fällt es dir ein, sie auch nur anzureden, und das ist doch geradezu lächerlich, denn sie ist und bleibt Floras Schwester so gut wie ich. Unter uns allen waltet das trauliche ›Du‹, nur sie ist die Ausgestoßene.«

»Mein lieber Schatz, dieses ›Du‹ ist mir längst ein Dorn im Auge, und wenn es auf mich allein ankäme, dann dürftest du es so wenig gebrauchen wie Käthe auch«, fiel Flora ein. »Aufrichtig gestanden, ich gönne keiner anderen auch nur das Jota von einem Vorrecht, das mir allein zusteht. In bezug auf dich will ich Gnade für Recht ergehen lassen — mag es bleiben, von Käthes Seite aber würde ich mir eine solche Vertraulichkeit zu Leo ganz ernstlich und energisch verbitten.« Sie schlang ihren Arm um die Schulter des Doktors und schmiegte sich mit einem zärtlichen Aufblick eng an seine hohe Gestalt.

Machte es diese Berührung in Gegenwart der anderen, oder war er innerlich so bestürzt und empört über Henriettes rücksichtslose Vorwürfe — der Doktor fuhr empor, als halte ihn eine Schlange und nicht ein schöner, weicher Mädchenarm umschlungen, und sein Gesicht war weiß und blutlos wie der Tod.

Käthe wandte sich ab und wollte das Zimmer verlassen — sie hätte laut aufweinen mögen, so entsetzlich wehe hatte man ihr getan, aber sie verbiß standhaft die Qual und bemühte sich, ihre äußere Haltung zu behaupten. Da wurde die Tür geöffnet, auf die sie zuschritt, und der Kommerzienrat trat herein. Wunderlich, sie vergaß in diesem Augenblick völlig die Abneigung, die sich während der letzten Zeit in ihr Herz geschlichen, sie dachte nur daran, daß er ihr Vormund sei, Vaterstelle bei ihr vertrete und sie schützen müsse, und infolge dieses Antriebes trat sie neben ihn und legte die Hand auf seinen Arm.

Er sah sie überrascht, aber froh lächelnd an und drückte ihre

Hand unter schalkhaftem Augenblinzeln mit seinem Arme fest an das Herz. Die Hände hatte er nicht frei; er trug eine kleine Kiste, die er auf den Tisch stellte, hinter dem die Präsidentin saß. Sein Eintreten unterbrach einen unsäglich peinlichen Auftritt, und Henriette, die ihn herbeigeführt hatte, hätte dem Kommerzienrat jetzt um den Hals fallen mögen für den heiteren, frohmütigen Ton, den er in seiner Unbefangenheit anschlug.

»Nun bin ich getröstet, da ist endlich mein Angebinde für dich eingetroffen, Flörchen«, sagte er. »Mein Berliner Agent entschuldigt sein Zögern mit der Umständlichkeit des Fabrikanten.« Er lüftete den Deckel und entfaltete maisgelben Atlas und veilchenfarbenen Seidensamt. »Zwei Toiletten zu deinem ersten Auftreten als Frau Professorin auf dem Balle und in der Abendgesellschaft«, sagte er.

Er hatte seinen Zweck erreicht — der Glanz, den er hinbreitete, war zu verführerisch für Damenaugen. Selbst Henriette vergaß für den Augenblick ihren Groll, als auch noch elegante Fächer und Schachteln mit Pariser Blumen und Federn das reiche Geburtstagsgeschenk vervollständigten. Aber noch war der Inhalt der Kiste nicht erschöpft. »Die anderen Damen meines Hauses dürfen nicht leer ausgehen, um so weniger, als ich einstweilen eine Reise nicht in Aussicht und mithin für die nächste Zeit nicht Gelegenheit habe, etwas mitbringen zu dürfen«, fuhr der Kommerzienrat fort.

Die Präsidentin nahm mit süßem Lächeln einen kostbaren Spitzenschal in Empfang, und Henriette erhielt ein weißes Taftkleid, in Käthes widerstrebende Hand aber drückte der Kommerzienrat mit einem eigentümlich verständnisvollen, vielsagenden Blick ein ziemlich umfangreiches Etui.

Dieser eine Blick rief blitzschnell in der Seele des jungen Mädchens einen wahren Sturm der widerwärtigen Empfindungen wach, die sie in der letzten Zeit zu ihrem eigenen Befremden so sehr gegen den Schwager und Vormund eingenommen hatten. Nein, und abermals nein! So seltsam feurig und so innig vertraut, als gelte es ein Geheimnis, um das nur sie beide wüßten, durfte und sollte er sie nicht anblicken — sie wollte sich das ein für allemal verbitten. Scham, Abneigung und der fast unbezwingliche Drang, ihren Widerwillen gleich jetzt, vor aller Ohren, unverhohlen auszusprechen, das alles kämpfte in ihr und mochte sich wohl auf ihrem Gesicht spiegeln, wenn es auch mißverstanden wurde.

»Nun, Käthe, ist es dir etwas so Neues, beschenkt zu werden?« fragte Flora. »Was hat dir denn Moritz zugesteckt? — Einmal müssen wir es doch erfahren, das süße Geheimnis — gib nur her, Kind!« — Sie fing das Etui auf, das eben im Begriff war, auf die Erde zu fallen, und drückte auf die Feder. Ein blaßrotes Feuer entströmte den Steinen, die, als Halsband aneinandergereiht, auf schwarzem Samt lagen.

Die Präsidentin nahm die Lorgnette vor die Augen. »Prächtig gefaßt! Eigentlich zu künstlerisch, zu antik für die Imitation, wenn sie auch modern ist und selbst von hochgestellten Damen augenblicklich gebilligt wird ... Der Glasfluß ist merkwürdig rein und feurig.« Sie blinzelte angestrengt hinüber und streckte nachlässig die Hand aus, um sich das Etui zur näheren Besichtigung auszubitten.

»Glasfluß?« wiederholte der Kommerzienrat beleidigt. »Aber, Großmama, wie können Sie mich denn für so entsetzlich unnobel halten? Ist denn auch nur ein Faden hier unecht?« — Er fuhr mit der Hand durch die knisternden Stoffe. »Ich kaufe grundsätzlich nie Unechtes — das sollten Sie doch aus Erfahrung wissen.«

Die Präsidentin biß sich auf die Lippen. »Das weiß ich, Moritz — ich bin nur ganz verblüfft der Tatsache gegenüber. Das sind Rubine, wie sie, meines Wissens, unsere liebe Fürstin nicht einmal aufzuweisen hat.«

»Dann tut mir der Fürst leid, daß ihm die Mittel dazu fehlen«, rief der Kommerzienrat. »Übrigens müßte ich mich schämen, gerade Käthe etwas Wertloses zu schenken, Käthe, dem Goldkind, das in zwei Jahren aus dem eigenen Besitz jedes beliebige Kapital entnehmen und sich Juwelen anschaffen kann, so viel sie Lust hat. Wie würde sie dann die Imitation als eine Beleidigung verächtlich in die Ecke werfen!«

»Ich glaube das selbst«, fiel die Präsidentin mit kühler Ironie ein, »Käthe hat eine merkwürdige Vorliebe für alles Schwere, in dem recht viel Geld steckt. Aber, mein Kind« — sie heftete die Augen scharf auf das junge Mädchen — »auch die Art, sich zu kleiden, muß vom Taktgefühl, vom guten Ton ausgehen, wenn man denn einmal gern zur feinen Welt gehören möchte. Achtzehn Jahre und Brillanten passen nicht zusammen — an einen Mädchenhals gehört ein schlichtes Kreuz oder Medaillon

154

am Samtbande, allerhöchstens eine einfache Perlen- oder Korallenschnur.«

»Ich bitte dich, Großmama, Käthe bleibt doch nicht immer achtzehn Jahre und auch nicht immer ein Mädchen«, rief Flora mutwillig. »Das weiß ich am besten, gelt, Käthe?«

Die Augen des Mädchens flammten auf vor Unwillen. Sie wandte sich stolz ab, ohne auch nur mit einer Silbe zu antworten.

Die Präsidentin erhob sich. Sie raffte mit ungewohnter Hast und unsicheren Fingern Brief und Lorgnette auf und zog den Umhang über die Schultern, um zu gehen. »Magst du auch immer streng auf Echtheit halten, bester Moritz«, sagte sie vornehm gelassen, »der Champagner, den wir mittags auf Floras Wohl getrunken haben, war es nicht. Er macht mir unerträgliches Kopfweh. Ich muß mich für einige Stunden niederlegen.«

Mit kalter Strenge in den Zügen und einem hochmütigen Kopfnicken ging sie hinaus.

19.

Die drei Schwestern blieben allein. Flora schellte übelgelaunt nach ihrer Jungfer, damit sie die Geschenke des Kommerzienrates hinwegräume, und Käthe griff nach ihrem Sonnenschirm.

»Willst du ins Freie, Käthe?« fragte Henriette, die sich wieder in ihren Schaukelstuhl gekauert hatte.

»Es ist heute Arbeitsstunde bei der Tante Diakonus; ich habe mich schon verspätet und muß eilen — « Das junge Mädchen verstummte unwillkürlich, Schwester Flora warf einen Karton mit Blumen so heftig in die Korbwanne, die die Kammerjungfer herbeigeholt hatte, daß ein ganzer Regen zarter weißer Blütenglocken über die Stoffe hinflog.

»Wie mich dieses Tun und Treiben anekelt, kann ich gar nicht sagen«, rief sie ergrimmt. »Diese Tante hat meine heutige Einladung zum Kaffee abgelehnt, weil die kleinen Damen aus unserem verrufensten Stadtviertel beileibe nicht unverrichteterdinge fortgeschickt werden dürfen, und Fräulein Käthe beeilt sich selbstverständlich aus demselben Grund, zu der Posse eine ernsthafte Miene voll Pflicht und Tugend zu machen. Ich muß dir sagen, daß du mich durch dein Gebaren in eine Rolle drängst, die ich auf die Dauer unmöglich durchführen kann — bis zum September ist eine lange Zeit. Was liegt näher, als daß die Tante von der Braut ihres Neffen dieselbe heroische Selbstüberwindung verlangt, wie sie das Muster von Schwester an den Tag legt? — Ich soll die ungewaschenen Kinderfinger zwischen die meinen nehmen und lammgeduldig Masche um Masche von den Nadeln heben, bis solch ein vernagelter Taglöhnerkopf die Geheimnisse des Strickens begriffen hat. Ich soll nötigenfalls schmutzige Gesichter waschen, wirre Zöpfe strählen und stundenlang mit den unappetitlichen Menschenkindern Ringelreihe spielen — ich hab's versucht — brr! Und wenn ich daraufhin meine Mitwirkung einstelle, da geschieht es, daß ich durch die Ohrenbläsereien der guten Tante in Brucks Augen zu einem wahren Ungeheuer gestempelt werde, das — unweiblich und herzlos — die süße Kinderwelt nicht liebt. Aus diesem Grund verbiete ich dir nochmals ein für allemal diese Art Verkehr im Hause meines Bräutigams, kraft meines guten Rechtes — hörst du?«

»Ich höre, werde aber nichtsdestoweniger tun, was mir mein eigenes Gewissen nicht verbietet«, versetzte Käthe fest und ruhig und schob mit einer energischen Gebärde die Hand der Schwester von ihrem Arm.

»Komm, Käthe, wir wollen gehen«, sagte Henriette und schlang ihren Arm um die Hüften der großen, schlanken Schwester, um sie nach der Tür zu ziehen.

»Bah, ereifere dich nicht, Henriette!« lachte Flora. Sie reichte Käthe das Etui mit dem Geschmeide hin. »Hier, Kleine, du wirst doch die Steine nicht in dem offenen Salon liegen lassen, wo die Dienerschaft aus und ein geht?«

Käthe legte unwillkürlich und naiv wie ein Kind die Rechte, in die der Schmuck gedrückt werden sollte, auf den Rücken. »Mag doch Moritz sie wieder an sich nehmen«, sagte sie kurz und bestimmt. »Deine Großmama hat darin ganz recht — es ist ein unpassendes Geschenk, an meinen Hals gehört ein solcher Schmuck nicht.«

»Und an diese gutgespielte Unbefangenheit soll ich glauben?« rief Flora ärgerlich und wie gelangweilt. »Geh! Einem so großen Mädchen steht die kindische Ziererei nun einmal nicht an. Da liegt er noch, der Spitzenschal, den Moritz der Großmama mitgebracht hat — sie verschmäht ihn, sie ist empfindlicher als deine Schwestern, die es selbstverständlich finden, daß dein Geschenk alles, was er hier für uns ausgebreitet hat, an innerem Wert mindestens vierfach aufwiegt – und über das Warum dieser Auszeichnug wolltest du allein im unklaren sein? Mache dich nicht lächerlich! Hörst Tag für Tag das Hantieren drüben im Pavillon – alle im Hause, bis auf die aus und ein gehenden Handwerker hinab, wissen, daß die Wohnung für die Großmama hergerichtet wird, damit die junge Frau Kommerzienrätin in diese glänzenden Räume einziehen kann – nun, kleine Unschuld, soll ich noch deutlicher werden?«

Bis dahin hatte das junge Mädchen regungslos gestanden und mit zurückgehaltenem Atem und aufdämmerndem Verständnis die Redewendungen der Schwester so erschreckten Auges verfolgt, als sehe sie eine buntschillernde, gefährliche Schlange allmählich sich entringeln. Nun aber irrte ein stolzes Lächeln um ihre blaßgewordenen Lippen. »Bemühe dich nicht – ich habe dich endlich verstanden«, sagte sie bitter – dem Metallklang ihrer Stimme hörte man den inneren Schrecken an – »du hast es weit klüger angefangen als deine Großmama, mir den ferneren Aufenthalt in diesem Hause unmöglich zu machen.«

»Käthe!« schrie Henriette auf. »Nein, darin irrst du. Flora ist wie immer entsetzlich rücksichtslos gewesen, aber böse gemeint waren ihre Anspielungen sicherlich nicht.« Sie schmiegte sich eng an die Schwester und sah ihr zärtlich in das Gesicht. »Und wenn auch, weshalb sollten dich denn derartige Neckereien aus dem Hause treiben, Käthe?« fragte sie halb ängstlich in schmeichelndem Flüstertone. »Bist du wirklich so ahnungslos der Liebe gegenüber geblieben, die dir so unzweideutig gezeigt wird? Sieh, ich habe jetzt oft den heißen Wunsch zu sterben, wenn es aber wahr würde, daß du als Herrin hier in unserem väterlichen Heim einzögest, dann –« Käthe wand sich ungestüm aus den zarten Armen, die sie umstrickten. »Niemals!« rief sie, den Kopf heftig schüttelnd, zornig und erbittert.

Sie ging hinaus, ohne noch einen Blick auf Flora zu werfen.

20.

Käthe wanderte lange ziellos durch den Park, durch alle Laubgänge und Alleen, in die entlegensten Teile hinein. So aufgeregt, wie sie war, mochte sie der Tante Diakonus nicht unter die Augen treten, sie wußte, die alte Frau würde teilnahmsvoll fragen, und dann mußte sie beichten, und wahrscheinlich gehörte die alte Freundin auch zu denen, die ihre Verbindung mit dem Kommerzienrat wünschten — sie machten ja in dem Punkt alle Front gegen sie, Flora, Henriette, der Doktor. Das dachte sie bitter, mit finsterem Trotz, und blieb einen Augenblick mit müden Füßen vor der Ruine stehen, bis wohin sie sich verirrt hatte. Die Sonne stand schon tief — es war Abendsonnenlicht, das die Lüfte, den dunklen Tannenwald im Hintergrund und den flutenden Wasserring um die Ruine von zwei Seiten her mit Purpur- und Goldtinten glühend tränkte und färbte. Wie ein Gebilde aus schwarzem Marmor hob sich die Hügelform mit dem Turm von dem glitzernden Grund, und die vollbärtige Nußbaumgruppe stand vor ihr wie eine vielzackige dunkle Silhouette, durch deren Geäst nur da und dort die Farbengluten tropften.

Ihr Blick stieg an den geschwärzten Quadern empor ...

Käthe ging weiter am Flußufer hin, und bald mischte sich ferner Kinderjubel mit dem Rauschen des Wassers. Die kleinen Schülerinnen der Tante Diakonus spielten noch im Garten, und trotz der tiefen Niedergeschlagenheit, trotz der Seelenschmerzen, deren Wesen und Ursprung sie zum Teil nicht einmal begriff, weckten diese Laute ein warmes Freudengefühl in Käthe. Ach nein, die kleinen Geschöpfe da drüben mit den unschuldigen Augen und den jungen fröhlichen Herzen sahen nicht die Millionärin in ihr, sie wußten noch nichts von dem eisernen Geldschrank, sie nahmen unbefangen und dankbar das gereichte Vesperbrot und fragten nicht, wer es bezahlt habe. In den jungen Seelen lebte sie als Tante Käthe, um deren Liebesbeweise man sich stritt und zankte, der man sehnsüchtig entgegenlief und in deren Ohr das ängstliche Bekenntnis kleiner Vergehen oder die weinende Klage über ein erlittenes Unrecht vertrauensvoll geflüstert wurden. Nein, dort wurde sie geliebt, aufrichtig geliebt um ihrer selbst willen.

Sie verdoppelte ihre Schritte. Je näher sie dem Hause kam, desto mehr wurde ihr zu Sinne, als kehre sie heim aus der Irre.

Von den Kindern war nichts zu sehen, als Käthe über die Brücke kam — sie spielten hinter dem Haus.

Die Haustür stand weit offen, die Magd war ausgegangen, mithin befand sich die Tante im Hause. Käthe stieg eben die Stufen hinauf, als sie im Flur den Doktor sprechen hörte. Wie festgewurzelt blieb sie stehen.

»Nein, Tante, der Lärm belästigt mich. Meine Kopfschmerzen machen mir augenblicklich zu schaffen«, sagte er. »Wenn ich mich für Augenblicke in den grünen Winkel hier flüchte, so will ich ausruhen. Ich brauche Ruhe, Ruhe.« — War er es wirklich, der gelassene Mann, in dessen Stimme so viel nervöse Ungeduld, so viel zitternde Pein mitsprach? »Es ist ein Opfer, das ich von dir verlange, Tante, ich weiß es, aber trotz alledem bitte ich dich dringend, diese Unterrichtsstunden für die wenigen Monate, die ich noch hier sein werde, auszusetzen. Für diese Zeit will ich herzlich gern ein Zimmer in der Stadt mieten und eine Lehrerin bezahlen, damit deinen Schülerinnen kein Nachteil erwächst —«

»Um Gott, Leo, du brauchst ja nur zu wünschen«, unterbrach ihn die Tante erschrocken. »Wie konnte ich denn ahnen, daß dir dieser Verkehr plötzlich so unangenehm ist? Nicht ein Laut mehr soll dich stören — dafür laß mich sorgen! Mich dauert nur eins dabei — Käthe —«

»Immer dieses Mädchen!« brauste der Doktor auf, als verliere er bei dieser Klage den letzten Rest von Geduld und Selbstbeherrschung. »An mich denkst du nicht.«

»Aber ich bitte dich, Leo, was ficht dich an? Ich glaube gar, du bist eifersüchtig auf die Liebe und Zuneigung deiner alten Tante«, rief die alte Frau, erstaunt und ungläubig lachend.

Er schwieg. Das junge Mädchen draußen hörte, wie er einige Schritte nach der Haustür machte.

»Meine arme Käthe! Es ist völlig undenkbar, daß ihr geräuschlos wohltuendes Walten, ihre ganze Erscheinung irgendeinen Menschen auf Gottes Erde unangenehm sein könnte«, sagte die Tante, leisen Trittes ihm nachgehend. »Ich habe noch kein Mädchen gesehen, das so prächtig Kinderunschuld und Frauenwürde, Verstandesschärfe und Innigkeit des Gemütes in sich vereinte, und ich meine, so ungerecht dürfte auch mein Leo nicht sein, daß er neben seiner vergötterten Braut kein anderes weibliches Wesen gelten ließe.«

Käthe schrak zusammen — der Doktor brach in ein krampfhaftes Gelächter aus, so laut und erschütternd, daß sie sich davor entsetzte. Unwillkürlich hob sie den Fuß zur Flucht — nein, sie blieb. Das spöttische Lachen galt ihr — sie wollte wissen, wie der Doktor die gute Meinung der Tante widerlegen werde.

»Du bist sonst eine so kluge, klarsehende Frau, Tante, aber hier läßt dich dein Scharfblick kläglich im Stich«, sagte er, das

Lachen in jäher, unheimlicher Weise abbrechend. »Immerhin! Ich werde selbstverständlich deine Ansichten nicht anfechten – wer vermag sich denn selbst in das Gesicht zu schlagen? Ich habe dich nur um eins zu bitten: daß unser Zusammenleben bis zu meiner Abreise sich genau wieder so gestalte, wie es vordem war – wir wollen allein sein. Ich will niemand hier aus und ein gehen sehen.«

»Also auch Käthe nicht?«

Ein starkes Aufknirschen des über die Steinfliesen hingestreuten Sandes drinnen ließ das junge Mädchen vermuten, daß der Doktor ungeduldig mit dem Fuße auftrete. »Tante, soll ich denn durchaus gezwungen werden –«, rief er erbittert. Seine Stimme war kaum zu erkenen.

»Behüte Gott – alles, wie du willst, Leo«, unterbrach ihn die alte Frau erschrocken. »Ich werde mich bemühen, die Verbannung so schonend wie möglich einzuleiten, damit sie nicht allzu weh tut . . . Aber, mein Himmel, wie erregt du bist, Leo, und wie fieberisch deine Hand brennt! Du bist krank. Du opferst dich für deine Patienten. Nun, wenigstens hier in deinem Heim werde ich dir Ruhe verschaffen. Darf ich dir ein Glas Limonade mischen?«

Er dankte mit beruhigter Stimme und verabschiedete sich. Käthe hörte, wie die Tante nach der Küche ging. Gleich darauf trat der Doktor unter die Haustür.

21.

Da, dicht neben der Türeinfassung, lehnte das junge Mädchen an der Wand. Mit blassem Gesicht starrte sie neben dem herabsteigenden Mann in die leere Luft – sie wollte ihn nicht sehen.

Er schrak bei ihrem Anblick zusammen und blieb einen Augenblick wortlos vor ihr stehen, die unbeweglich wie ein Wachsbild in ihrer Stellung verharrte. »Käthe!« rief er leise und ängstlich zögernd, wie jemand, der einen in einem schweren Traum Befangenen zu erwecken sucht.

Sie richtete sich in ihrer ganzen Höhe auf und stieg langsam die Stufen herab. »Was wünschen Sie, Herr Doktor?« fragte sie, drunten auf dem Rasen stehend, über die Schulter nach ihm zurück.

Er errötete heiß und trat zu ihr. »Sie haben gehört — « fragte er unsicher, aber gespannt in jedem Zug seines Gesichts.

»Ja«, unterbrach sie ihn bitter lächelnd, »jedes Wort, und habe damit bewiesen, wie recht Sie tun, Ihr Haus von fremden Eindringlingen zu säubern — die Wände haben Ohren.« — Sie ging noch einige Schritte vom Haus weg, als könne sie nicht entfernt genug von der Schwelle stehen, die sie nicht mehr betreten sollte. Er hatte sich währenddessen gefaßt, es sah aus, als atme er auf, als sei es ihm erwünscht, daß ihm der Zufall zu Hilfe gekommen sei. »Die Furcht, belauscht zu werden, hat keinen Teil an dem, was ich vorhin meiner Tante ausgesprochen habe. Dieses stille Haus hat keine Geheimnisse, und das, was man in seiner Brust verschließen muß, wird auch nicht laut zwischen Wänden, die keine Ohren haben«, sagte er mit ruhigem Ernst. »Sie haben jedes Wort gehört — dann wissen Sie auch, daß mich nur der Wunsch nach zeitweiligem Ausruhen bestimmt, ungestörte Stille zu fordern. Ich muß es leider gleich von vornherein aufgeben, diese meine rohe Selbstsucht entschuldigend zu begründen. Sie können sich selber nicht denken, daß es Seelen gibt, die fortgesetzt gleichsam auf der Flucht vor Gedanken und — Gestalten, aber vielleicht wird es Ihnen leichter, sich den schmerzvollen Zorn, die Qual eines Verfolgten vorzustellen, der erschöpft dem schützenden Heim zueilt und gerade da sich vor denen sieht, die er flieht.«

»Sie haben gar keine Verpflichtung, Ihre strenge Maßregel zu begründen — Sie sind Herr hier, und das genügt«, versetzte sie frostig. »Aber welche unbegrenzte Verehrung müssen Sie für die Frau Baronin Steiner hegen, daß Sie ihr die heißersehnte Ruhe opfern und ihren ungebärdigen Enkel samt Erzieherin in das Haus nehmen wollen!« — Das war eine herbe Zurechtweisung aus dem Mädchenmunde. »Ach nein, tun Sie das nicht!« rief sie in plötzlicher leidenschaftlicher Steigerung und streckte die Hand gegen ihn aus, als er die Lippen zu einer Entgegnung öffnete. »Ich möchte nicht, daß Sie sich aus leidiger Höflichkeit zu einer Bemäntelung herbeiließen und anders sprächen, als Sie denken. — Weiß ich doch nur zu gut, welche Beweggründe Sie leiten!« Sie kämpfte sichtlich zornige Tränen nieder. »Ich habe einigemale ungeschickterweise Ihren Weg gekreuzt und begreife vollkommen die Erbitterung, mit der Sie vorhin sagten: ›Immer dieses Mädchen!‹ . . . Ich kann mir ja selbst mein Ungeschick nie verzeihen, obgleich ich in

Wahrheit nur ein einziges Mal schuldig gewesen bin, das heißt mit Vorbedacht mich eingemischt habe. Sie aber gehen noch unerbittlicher mit mir ins Gericht – Sie verfolgen mich dafür.«

Doktor Bruck widersprach mit keinem Wort, allein es war, als schließe er gewaltsam die Lippen gegen die Versuchung, zu sprechen. Seine Augen sahen seitwärts mit einem festen, ausdrucksvollen Blick auf sie nieder, und die Rechte, die er auf den Gartentisch gestützt hatte, zog sich wie im Krampf zusammen.

»Ich bin mit innerem Widerstreben hierher zurückgekehrt«, hob sie wieder an. »Die alte Dame da drüben« – sie zeigte in der Richtung nach der Villa Baumgarten – »hat mit ihrem Präsidentenstolz meine Kindheit vergiftet, wo es ihr irgend möglich war, und die bitteren Tränen, die sie mit ihrer fortgesetzten Bosheit meiner armen Lukas damals erpreßte, kann ich ihr nie vergessen. Sie wissen, wie mir bei meiner Ankunft vor dem Zusammentreffen mit meiner geistesstolzen Schwester Flora bangte und wie ich angesichts der Villa am liebsten kehrtgemacht und zur selben Stunde die Rückreise in mein Dresdener Heim angetreten hätte – wäre ich doch gegangen! Neben dem Beamtenstolz und der geistigen Überhebung macht sich nun auch der unerträgliche Gelddünkel breit – es weht eine von Goldstaub und Anmaßung erfüllte Luft dort drüben, in der auch das lebensfrischeste Denken und Empfinden verkümmern muß. Meiner ganzen Natur nach bin ich unfähig, in einem solchen Boden Wurzel zu fassen, aber hier«, mit aufgehobenem Arm deutete sie über Haus und Garten, »hier war ich heimisch. Hier hätte ich selbst meine Dresdener Heimat vergessen können, warum – ich weiß es ja selber nicht.«

Wie lieblich stand sie im schneeweißen Kleid da, den flechtengeschmückten Kopf sinnend gesenkt! »Die alte, prächtige Frau hat mir's angetan, glaub' ich«, setzte sie mit einem hellen Aufblick hinzu, »ihre edle, einfache Erscheinung verhilft mir immer wieder zu innerem Gleichgewicht, sie geht leise und geräuschlos ihren Weg, und wenn man auch nie einen eigentlichen Widerspruch von ihren Lippen hört, nie ein eigensinniges Beharren bemerkt, so weicht sie doch nicht um eine Linie von dem, was sie für gut und recht hält, ab. Das tut wohl im Hinblick auf so viel inhaltlose Vornehmtuerei, auf so viel lügenhafte Aufbauschung und Aufgeblasenheit und auch – so manche beklagenswerte Schwäche, in die leider selbst der männliche Geist verfallen kann.« Die Brauen finster faltend, warf sie einen kleinen, blütenschweren Zweig, den sie unterwegs gepflückt und spielend zwischen den Fingern gedreht hatte, verächtlich weit von sich.

Diese eine Bewegung reizte und empörte den vor ihr stehenden Mann sichtlich. Ein düsteres Feuer glomm in seinen Augen auf. »Sie haben vorhin eine Tugend der ›alten, prächtigen Frau‹ aufzuzählen vergessen: die Milde und Vorsicht im Richten«, sagte er scharf. »Nie würde sie ein so unbedingt verdammendes Urteil in der unfehlbaren Weise aussprechen, wie Sie eben getan, weil sie weiß, wie leicht man mißversteht und daß sich gar manchmal gerade hinter der vermeinten Schwäche ein Aufbieten aller inneren Kraft verbirgt.«

Sie fühlte sich im Recht. Er war schwach gegen sich selbst.

In diesem Augenblick kamen die kleinen Schülerinnen im Haschespiel um die Hausecke gelaufen. Käthe erblicken und jubelnd auf sie losstürmen, war eins. Daß der Doktor mit seinem tiefverfinsterten Gesicht neben dem Mädchen stand und die Hände abwehrend ausstreckte, kümmerte die fröhliche Schar nicht – im Nu war die schlanke weiße Gestalt umringt, die kleinen Hände stießen und drängten sich gegenseitig weg. Der Doktor aber ergrimmte, wie sie ihn noch nie gesehen hatte. Er schalt die Kleinen zudringlich, schob sie unsanft weiter und gebot ihnen mit harter Stimme, sich hinter das Haus zu verfügen und dort zu warten, bis man sie entlasse.

Die Kinder schlichen betrübt und eingeschüchtert davon.

Käthe biß sich auf die Unterlippe, und ihr umflorter Blick verfolgte die kleinen Mädchen, bis sie hinter der Hausecke verschwunden waren. »Wie gern ginge ich mit ihnen, um sie zu beruhigen, aber ich werde natürlich nicht einen Schritt auf dem Gebiet zurückgehen, das ich bereits für immer verlassen habe«, sagte sie mit einem Gemisch von Schmerz und heftigem Zürnen.

»Beruhigen!« wiederholte der Doktor in spottendem Ton. »Möchten Sie mich nicht auch noch zum Unmenschen stempeln, wie ich vorhin als Schwächling bezeichnet wurde? – Trösten Sie sich – solch ein Kindergemüt trägt das Beruhigungsmittel in sich selber, Lachen und Weinen wohnen eng zusammen. Hören Sie, wie dort drüben bereits wieder gekichert wird?« – Er zeigte mit einem flüchtig um seine Lippen spielenden Lächeln zurück. »Ich wette, das gilt mir und meiner

Strenge. Ich habe um Ihretwillen die ausgelassene Schar in die Schranken gewiesen — ich konnte das nicht sehen; wie mögen Sie es dulden, daß man Sie so heftig überfällt? Die Kinder sind schlecht erzogen —«

»Weil sie mich liebhaben? Gott sei Dank, daß es so ist! Oder wollen Sie mich vielleicht auch angesichts dieser Zuneigung glauben machen, daß der Zärtlichkeitsbeweis einzig und allein meinem Geldschrank gelte?«

Der Doktor fuhr wie entsetzt empor. »Um Gott, wie kommen Sie zu dieser grauenhaften Vorstellung?«

Sie lachte auf. »Das fragen Sie noch? Zwingt man mich nicht täglich, stündlich, diese grauenhafte Vorstellung mit der Gottesluft zu atmen, mit jedem Trunk zu schlürfen? Da soll man mir in meinem lieben Dresdener Heim nur schöntun, weil ich der ›Goldfisch‹ bin; meine Lehrer nähren das schwache Fünkchen des musikalischen Talentes in mir nur um des reichen, sicheren Honorars willen, das ich zahle, und der Vormund freit um die Mündel, weil er sie — am besten einzuschätzen versteht.«

Jetzt sah sie den Doktor an — er hatte eine Bewegung gemacht, als gehe ein elektrischer Schlag durch seinen Körper. »Ist das bereits Tatsache?« stammelte er und strich sich wiederholt über die Augen, wie wenn ihn ein Schwindel überkomme. »Und es macht Ihnen wohl tiefen Kummer, sich vorstellen zu müssen, daß auch Moritz so denke?« setzte er nach einem augenblicklichen Schweigen gepreßt hinzu.

Betroffen horchte sie auf. Seine Stimme klang so auffallend matt und gebrochen.

»Mehr noch verletzt es mich, daß sich jeder für berechtigt hält, in dieser Angelegenheit mitzusprechen«, entgegnete sie. Sie schüttelte den Kopf mit einem bitteren Spottlächeln. »Solch ein armer Goldfisch, wie muß er sich allen Ernstes wehren, wenn er nicht in den Händen der Egoisten zum erbärmlichen Spielball werden will, und ich will nicht — durchaus nicht! Sehen Sie sich vor, Herr Doktor! Sie gehören auch zu denen, die meinen, ein verwaistes junges Mädchen müsse sich lenken lassen, wie der Vorteil und das Behagen anderer erheische. Hier verbannen Sie mich und dort möchten Sie mir eine Kette um den Fuß legen, damit ich bleibe. Ich möchte wissen, was Sie zu dieser Willkür berechtigt, oder ich möchte mit Henriette fragen: ›Was habe ich Ihnen getan?‹«

Das letzte dieser in leidenschaftlicher Klage herausgestoßenen Worte erlosch ihr auf den Lippen — der Doktor hatte ihr Handgelenk umfaßt. Seine kalten Finger drückten wie Eisen.

»Kein Wort mehr, Käthe!« raunte er ihr in Lauten zu, die sie erschreckten. »Ich weiß zum Glück, daß nicht eine Spur von Falschheit in Ihnen lebt, sonst müßte ich glauben, Sie hätten die raffinierteste Folterqual ersonnen, um mir ein streng behütetes Geheimnis zu entreißen!« Er ließ ihre Hand fallen. »Aber auch ich will nicht — durchaus nicht!«

Er schlug die Arme über der Brust zusammen und entfernte sich einige Schritte, als wollte er rasch nach Hause gehen, aber plötzlich wandte er sich dem wie erstarrt dastehenden Mädchen wieder zu. »Es interessiert mich übrigens, zu erfahren, inwiefern ich Ihnen eine Kette um den Fuß legen möchte, damit Sie bleiben«, sagte er ruhiger. Er kam zurück und blieb vor ihr stehen.

Käthe errötete tief. Einen Augenblick zögerte sie in mädchenhafter Scheu, dann aber versetzte sie entschlossen: »Sie wünschen, daß ich die — Herrin in der Villa Baumgarten werde —«

»Ich — ich?« Er drückte die geballten Hände gegen die Brust und brach in jenes hohnvolle Lachen aus, das sie schon vorhin bei seiner Unterredung mit der Tante erschreckt hatte. »Und wie begründen Sie diese Beschuldigung? Warum soll ich wünschen, Sie als Herrin der Villa Baumgarten zu sehen?« fragte er, sich mühsam bezwingend.

»Weil Sie, wie Flora sagt, Henriette nicht so ohne weiteres ihrem Schicksal überlassen wollen«, antwortete sie mit der ganzen entschlossenen Aufrichtigkeit, die auf eine entschiedene Frage kein Ausweichen zuläßt. »Sie finden, daß ich meine arme Schwester mit hingebender Liebe pflege, und um ihr das Haus des Kommerzienrates, unser ehemaliges Vaterhaus, auch als fernere Heimat zu sichern, soll ich die schwesterliche Liebe und Hingebung noch weiter betätigen, indem ich — die Frau des Kommerzienrats werde.«

»Und Sie glauben, daß ich an der Spitze einer derartigen Familienintrige stehe? Sie glauben das ernstlich? Haben Sie vergessen, daß ich mich gleich zu Anfang dieser aufopfernden Pflege und Ihrem längeren Bleiben in Römers Hause widersetzt habe?«

»Seitdem hat sich vieles geändert«, entgegnete sie rasch und bitter. »Sie werden im September M. für immer verlassen. Dann kann es Ihnen gleichgültig sein, wer in der Villa schaltet und waltet, Ihr Behagen wird nicht mehr gestört durch eine unerwünschte Persönlichkeit —«

»Käthe!« stieß er heraus.

»Herr Doktor?« Sie hielt, den Kopf hebend, seinen Blick ruhig aus. »Der Gedanke einer solchen Anordnung liegt eigentlich sehr nahe, und nur einem so langsam begreifenden Wesen wie mir konnte es geschehen, so lange blind an dem allen vorüberzugehen«, setzte sie scheinbar gelassen hinzu. »Dann käme nichts Fremdes in den Familienkreis, die ganzen häuslichen Einrichtungen könnten bleiben, wie sie sind, Bequemlichkeiten und Gewohnheiten in der Villa wie drüben im Turm würden nicht berührt, nichts, nicht einmal ein eiserner Spind in Moritzens ›Schatzkammer‹ brauchte von seiner Stelle gerückt zu werden. Das ist so praktisch gedacht —«

»Und leuchtet Ihnen so sehr ein, daß Sie nicht einen Augenblick schwanken, zu bleiben«, ergänzte er fliegenden Atems mit einem so ungeduldig verzehrenden Blick, als zürne er den Lippen, daß sie nicht rasch genug bestätigten.

»Nein, Herr Doktor, Sie triumphieren zu früh«, rief sie mit einer Art von wilder Schadenfreude. »Der widerspenstige Goldfisch durchbricht das Netz. Ich gehe, ich gehe heute noch. Ich kam vorhin nur, um mich von der Frau Diakonus zu verabschieden, und würde daher gelächelt haben über das Verbannungsdekret, das Sie gegen mich richteten, wenn es mich nicht so schmerzlich berührt hätte.

Seit dem Tag, wo wir Henriette so schwer leidend in Ihr Haus brachten, besteht ein schönes Verhältnis zwischen der Frau Diakonus und meiner armen Schwester«, fuhr Käthe rascher fort, »ich kann ruhigen Herzens gehen, wenn die Tante sich Henriettes annimmt. Um diesen Liebesdienst wollte ich sie bitten, deshalb kam ich hierher. Ich werde ihr nun von Dresden aus schreiben, denn Sie begreifen wohl, daß die von Ihrem Grund und Boden Verbannte auch nicht einmal die kurze Strecke von hier bis zu dem Hausflur je wieder beschreiten wird.«

Mit diesen Worten ging sie an ihm vorüber. »Leben Sie wohl, Herr Doktor!« sagte sie mit einer leichten Verbeugung und schritt nach der Brücke.

Erschrocken fuhr das junge Mädchen zusammen, allein sie

fühlte ihr Herz von einem nie gekannten, beseligenden Zärt-
lichkeitsgefühl überströmen, und es schwebte ihr auf den Lippen zu sagen: »Nein, ich gehe nicht – du bedarfst meiner.« Da
stand er jedoch schon wieder hochaufgerichtet vor ihr und
winkte mit schmerzentstelltem Gesicht, und jetzt floh das Mädchen, als schreite der Engel mit dem feurigen Schwert hinter
ihr . . .

Einige Stunden später stieg sie in Hut und Schleier, eine Rei-
setasche in der Hand, eine Seitentreppe der Villa geräuschlos
herab – sie ging, wie sie gekommen war, plötzlich, unerwartet. Henriette hatte, wenn auch tödlich bestürzt und unter heißen Tränen, dennoch in die schleunige Abreise der Schwester
gewilligt, sie war auch damit einverstanden, daß Käthe stillschweigend gehe und von Dresden aus ihre Willensmeinung
äußere, während sie selbst es übernahm, die Verwandten von
der Abreise in Kenntnis zu setzen. Dafür stellte sie die Bedingung, daß Käthe zurückkehre, gleichviel wann, und möge sie
sein, wo sie wolle, sobald die kranke Schwester eine Stütze
brauche und sie rufe.

22.

Seitdem waren mehr als drei Monate verstrichen. Nie hatte
sich Käthe so eifrig in ihr Musikstudium versenkt wie in dieser
Zeit. Henriette hatte eine Art Tagebuch für sie angefangen, das
sie allwöchentlich schickte. Diese Blätter erzählten ihr, wie
sich seit ihrer Abreise das Leben in der Villa weiterspann. Sie
las nur zwischen den Zeilen, daß die Präsidentin förmlich neu
auflebte.

Der Kommerzienrat hatte gleich zu Anfang an Käthe und
die Doktorin geschrieben und »behufs einer Aussprache« seinen Besuch in Dresden für den Juni angekündigt, allein das Tagebuch teilte in jener Zeit mit, daß häufiger als je Depeschen in
der Villa einliefen, daß der Kommerzienrat weit mehr in Berlin
als daheim und mit Geschäften vollständig überbürdet sei. Der
Besuch unterblieb, nur selten kam ein flüchtiger Geschäfts-
brief von der Hand des Vormundes, und die letzte Geldsen-
dung hatte – was bisher nie geschehen – der Buchhalter abge-
schickt.

Käthe atmete auf, der gefürchtete Konflikt war ohne allen

Zweifel beseitigt, und das junge Mädchen hätte nun als Pflegerin zurückkehren können.

Käthe schauderte bei dem Gedanken an eine Rückkehr, solange die Übersiedlung nach L. . . . nicht stattgefunden hatte. Sie wußte nur zu gut, daß sie jetzt nicht mehr monatelang mit äußerer Ruhe inmitten der dortigen Verhältnisse ausharren könne – bedurfte es doch selbst in Dresden all ihrer Kraft, um nicht zu zeigen, daß sie ihren inneren Frieden verloren habe, daß sie fast übermenschlich ringe mit der süßen, zwingenden Gewalt, die sich ihrer Seele bemächtigt hatte.

Allmählich war der Zeitpunkt herangerückt, auf den man die Hochzeit festgesetzt hatte. Flora hatte es unterlassen, die ferne Stiefschwester einzuladen, sie habe den Kopf voll – schrieb Henriette – eine Reihe von Festlichkeiten, die ihr zu Ehren noch gegeben würden, lasse sie kaum noch zu Atem kommen. Dazu sei sie launenhaft wie immer, auch bezüglich ihrer Aussteuer und der Vermählungsfeierlichkeiten – es werde fortwährend noch ausgewählt und geändert zur Verzweiflung der Lieferanten. Henriette befand sich in unbeschreiblicher Aufregung, sie betonte wiederholt, daß sie in dem Hochzeitstrubel um keinen Preis allein bleiben wolle. Die Tante Diakonus werde ihr »in den entsetzlichen Tagen« voraussichtlich keine Stütze sein, da sie selbst schon unter der Trennung leide und oft auffällig verstimmt und bewegt sei. Diese Klagen steigerten sich von Blatt zu Blatt, bis eines Abends, wenige Tage vor der Hochzeit, ein Telegramm einlief. »Komm sofort! Ich bin auch körperlich sehr elend!«

Da galt kein Zögern, auch die Doktorin war damit einverstanden, daß Käthe gehe – und das junge Mädchen selbst? Ein Nervenschauer um den anderen durchschüttelte sie aus Angst vor dem Kommenden, und dabei jubelte sie auf in unbeschreiblicher Seligkeit, daß sie den noch einmal sehen sollte, der – ihr Schwager wurde.

Da stand sie nun an einem Septembermorgen wieder in der Schloßmühlenstube. Sie war mit dem Nachtzug gefahren und eben angekommen. Nun schütterten die schneeweiß gescheuerten Dielen wieder unter den Füßen des jungen Mädchens, und durch die offenen Fenster kam das Rucksen der Tauben und das Tosen des fernen Wehrs – sie war daheim. Von hier aus wollte sie die kranke Schwester besuchen und um keinen

Preis die Gastfreundschaft im Hause des Kommerzienrates annehmen, mochte auch die Frau Präsidentin die Nase rümpfen.

Käthe war in einer seltsamen Stimmung. Furcht vor dem ersten Wiedersehen in der Villa, schmerzliche Sehnsucht nach dem Haus am Fluß, das sie nicht betreten durfte, leidenschaftliche Ungeduld, der hohen Gestalt, wenn auch nur noch ein einziges Mal, zu begegnen, die sie hier in der Mühle zum erstenmal gesehen und — das sagte sie sich ja täglich unter tausend Schmerzen — seit jenem Augenblick geliebt hatte; das alles wogte in ihr, und daneben schlich eine unklärliche Bangigkeit und Beklemmung. Schon seit Monaten füllten die Sensationsnachrichten in Wien und später in der preußischen Hauptstadt die Spalten der Zeitungen. An allen öffentlichen Orten, in allen Salons, war der welterschütternde Einsturz dieses modernen Turmes zu Babel das Tagesgespräch, und selbst in dem kleinen ästhetischen Zirkel der Doktorin hatte man die Ereignisse wiederholt erörtert. Während der Eisenbahnfahrt von Dresden nach M. waren sie auch das ununterbrochene Gesprächsthema der Mitreisenden gewesen — und nun sah Käthe mit eigenen Augen eine der Folgen dieser Kalamität. In das Gelärm der Tauben und das Rauschen des Wehres hinein klang das laute Durcheinander von Menschenstimmen, und schräg hinter der letzten Kastanie hervor konnte das junge Mädchen den großen Kiesplatz vor der Spinnerei überblicken: er wimmelte, genau wie an jenem Tage des Attentates, von Arbeitern, die bald wie mit allen Zeichen der Niedergeschlagenheit, bald heftig streitend und drohend untereinander verkehrten — die Aktiengesellschaft, die die Spinnerei von dem Kommerzienrat gekauft, hatte Bankrott gemacht. Eben war die Gerichtskommission erschienen.

Es schlug elf auf dem Turm der Spinnerei, als Käthe nach der Villa ging. Noch klang das verworrene Stimmengeräusch von der Fabrik her an ihr Ohr, als sie den Mühlenhof durchschritt, aber kaum war die kleine Bohlentür in der Mauer, die das Mühlengrundstück von dem Park trennte, hinter ihr zugefallen, als auch schon tiefe, vornehme Stille sie umfing.

Unter der kühlen Wölbung der Lindenallee hinschreitend, kam Käthe der Villa näher und näher. Noch nie war ihr das kleine Feenschloß so unnahbar erschienen als in dieser tiefgoldenen Morgenbeleuchtung, mit der aufgezogenen farbenglänzenden Flagge auf seiner Plattform. — Das flatternde Willkommenzeichen wogte, festlich einladend, hoch in den Lüften. Unwillkürlich legte das junge Mädchen die Hand auf das ängstlich pochende Herz — sie war nicht eingeladen, und doch kam sie.

Käthe schauerte in sich zusammen und stieg unbemerkt die Treppe hinauf. Im ersten Stock war es feierlich still — mechanisch schritt sie zuerst nach dem Zimmer, das sie bewohnt hatte, und öffnete die Tür. Die Baronin Steiner herrschte hier allerdings nicht mehr, aber das Zimmer war auch nicht angetan, einen anderen Gast aufzunehmen. Sämtliche Möbel waren ausgeräumt — dafür standen große, schönbehängte Tafeln die Wände entlang und trugen auf ihren Flächen eine förmliche Ausstellung von Ausstattungsgegenständen, den wahrhaft fürstlichen »Trousseau« der künftigen Professorin. In der Mitte des Zimmers aber wogte von einem Kleiderständer nieder milchweißer Atlas, umhaucht von Spitzenduft und mit Orangenblüten besteckt, und so hoch auch das Gestell war, der schwere Stoff schleppte doch noch weit über den Fußboden hin — Floras Brautgewand! Käthe drückte mit weggewandten Augen die Tür wieder zu — einige Sekunden später lag sie tieferschüttert in Henriettes Armen, die in einen so maßlosen Jubel ausbrach, als werde sie durch diese Ankunft aus namenloser Pein erlöst.

Die kranke Schwester war allein. Man habe heute im Hause keine Zeit für sie, klagte sie, der Kommerzienrat richte Flora die Hochzeit aus, und zwar mit einem beispiellosen Aufwand. Er wolle bei dieser Gelegenheit der Residenz wieder einmal zeigen, wie hoch er alle überrage, wenn er auf seinen Geldsäcken stehe — das sei nun einmal seine Schwäche . . . Ganz ihrer unabhängigen Art und Weise gemäß hatte sie es unterlassen, den Verwandten anzuzeigen, daß sie Käthe telegrafisch berufen habe. Das sei doch völlig überflüssig, meinte sie mit großen, erstaunten Augen auf Käthes betroffenes Kopfschütteln hin, sie habe es doch stets betont, daß die Schwester eines Tages zurückkommen werde, um sie zu pflegen, und was ein Zusammentreffen mit dem Kommerzienrat betreffe, so möge sie ganz ruhig sein, er habe jedenfalls »eine neue Flamme« in Berlin, er sei die beiden letzten Male ziemlich zerstreut zurückgekehrt, und habe auf Floras Neckereien hin nur schlau gelächelt und durchaus nicht geleugnet.

Käthe schwieg auf alle diese Mitteilungen. Sie hatte zuletzt nur den einen Gedanken, daß es allerdings die höchste Zeit für sie gewesen sei, zurückzukehren. Sie fand die Kranke maßlos aufgeregt, der hohle, erstickende Husten schüttelte den abgezehrten Körper viel häufiger als früher, die Hände brannten wie Kohlen, und der Atem ging so schwer, so mühsam aus und ein. Henriette hatte es bisher auch bei den heftigsten Leiden nie zu Tränen kommen lassen – sie hatte einen unglaublich starken Willen, heute aber waren ihre schönen Augen verweint. Sie verzehrte sich in Angst, daß Bruck bei all seiner Liebe für Flora doch vielleicht sehr unglücklich werden würde, klagte sie, ihr Gesicht an Käthes Brust verbergend, und obgleich nie ein unvorsichtiges Wort darüber gefallen, sei sie dennoch fest überzeugt, daß die Tante genauso denke und sich gräme . . . Käthe wies sie mit der schneidenden Antwort zurück, daß das einzig und allein Brucks Sorge sein und bleiben müsse, niemand habe mehr Anlaß gehabt, tiefe Einblicke in Floras selbstsüchtiges Wesen zu tun, als gerade er, und wenn er trotz alledem darauf bestehe, sie zu besitzen, so werde er sich auch mit seinem Schicksal abzufinden wissen, möge es fallen, wie es wolle . . . Henriette fuhr erschrocken empor, so rauh klang das Gesagte, es lag überhaupt etwas so Fremdes, eine Art starrer Zurückhaltung und Abgeschlossenheit in der Erscheinung der jungen Schwester, als sei auch sie mit ihrem Schicksal fertig – nach schweren Kämpfen . . .

23.

Kurze Zeit nachher stieg Käthe, die kranke Schwester vorsichtig stützend, auf der kleinen Treppe in das untere Stockwerk hinab, um sich zu melden.

Im Eßzimmer saß die Präsidentin mit Flora und dem Kommerzienrat beim Frühstück. Die Braut war im eleganten, rosabesetzten Schlafrock, und ein Morgenhäubchen bedeckte die aufgewickelten Locken.

»Mein Gott, Käthe, wie kommst du denn auf die Idee, uns gerade heute ins Haus zu fallen?« rief sie emporschreckend, in rückhaltlosem Ärger. »In welche Verlegenheit bringst du mich! Nun muß ich dich wohl oder übel ins Gefolge stecken. Ich habe schon zwölf Brautjungfern – eine dreizehnte kann ich nicht brauchen, wie du dir wohl selbst sagen wirst –« Sie unterbrach sich mit einem leisen Aufschrei und fuhr zurück.

Der Kommerzienrat hatte mit dem Rücken nach der Tür zu

gesessen und eben ein Glas Burgunder zum Mund geführt, als Floras Ausruf den Eintritt der Schwester verkündete. War ihm das Glas infolge der Überraschung entglitten, oder hatte er es unsicher, mit abgewendeten Augen auf den Tisch gestellt – genug, der volle, dunkelpurpurne Inhalt ergoß sich über das weiße Damasttuch und benetzte auch Floras Kleider.

Der reiche Mann stand einen Augenblick starr und verwirrt, aber er faßte sich rasch. Mit einer lebhaften Entschuldigung gegen Flora drückte er auf die Tischglocke, um helfende und säubernde Hände herbeizurufen, dann eilte er auf Käthe zu und zog sie in das Zimmer hinein. Und da ließ sich auch nicht eine Spur vom verschmähten Liebhaber in seinem ganzen Wesen entdecken, er war in jedem Wort, in seinem kühlen Händedruck ganz und gar der väterlich gesinnte Vormund, der sich freute, sein Mündel wohlbehalten zurückkehren zu sehen. Er klopfte ihr wohlwollend auf die Schulter und hieß sie willkommen.

»Ich habe nicht gewagt, dich einzuladen«, sagte er, »auch war ich in der letzten Zeit geschäftlich zu sehr überbürdet, um viel an Dresden denken zu können – du wirst das verzeihen –«

»Ich bin einzig und allein als Henriettes Pflegerin gekommen«, unterbrach ihn Käthe rasch, aber ohne den leisesten Anklang von Gekränktsein über Floras ungezogene Begrüßung.

»Das ist lieb und gut gemeint, mein Kind«, sagte die Präsidentin mit aufgehelltem Gesicht. Jede, auch die letzte Befürchtung erlosch in ihr angesichts dieser unbefangenen Begegnung. »Aber wohin mit dir? In deinem ehemaligen Zimmer ist Floras Brautstaat aufgestellt und –«

»Sie werden mir deshalb nun doch erlauben müssen, mich in meinem eigenen Daheim einzuquartieren, wie ich auch bereits getan habe«, fiel Käthe mit bescheidener Zurückhaltung ein.

»Es wird mir vorläufig nichts anderes übrigbleiben«, versetzte die alte Dame lächelnd und gutgelaunt. »Heute wird unser Haus zum Bersten überfüllt sein – dazu leben wir in einem Trubel, wie ich ihn noch nie gesehen habe, mit Mühe haben wir uns an den Frühstückstisch gerettet. Vom Morgengrauen an wird gehämmert, geprobt.«

»Ja, sie deklamieren drüben, daß die Balken zittern«, sagte Henriette und legte sich müde in einen Lehnstuhl zurück, den ihr der Kommerzienrat hingerollt hatte. »Im Vorübergehen

172

hörten wir ›Pallas Athene‹, die ›Rosen von Kaschmir‹ und die ›Neue Professur‹ in lieblichem Versegemengsel — «

»Hu!« stieß Flora heraus und legte zornig beide Hände auf die Ohren. »Es ist geradezu unverschämt, mir ein solches Dilettantenprodukt vorzuleiern, mir, die ich mit meinen reizenden Festspielen stets und immer geglänzt habe. Und da soll man nun stillsitzen und keine Miene verziehen, während man sich vor Spott und Lachen die Zunge abbeißen möchte.«

Die Präsidentin unterbrach sie mit einer hastigen Handbewegung, denn eben traten die darstellenden Damen, die vor der Probe Schokolade im Eßzimmer getrunken hatten, herein, um ihre zurückgelassenen Hüte und Sonnenschirme zu holen.

Mit affektierter Freude eilte die Hofdame, Fräulein von Giese, auf Käthe zu und begrüßte sie als eine »Langentbehrte«, auch dem Kommerzienrat reichte sie die Hand zum Gruß. »Schön, daß wir Sie hier treffen, mein bester Herr von Römer!« rief sie. »Da können wir Ihnen doch vorläufig danken für die bewunderungswürdige Art und Weise, mit der Sie unseren kleinen Polterabendscherz unterstützen. Wahrhaftig reizend, zauberhaft!« Sie küßte entzückt ihre Fingerspitzen. »Solche Ferien aus ›Tausendundeine Nacht‹ kann man allerdings auch nur in der Villa Baumgarten veranstalten, darüber ist sich die ganze Welt einig. — Übrigens, haben Sie schon von dem Unglück des Majors Bredow gehört? Er ist fertig, völlig zugrund gerichtet — alle Kreise sind beunruhigt. Mein Gott, in welcher entsetzlichen Zeit leben wir doch! Sturz folgt auf Sturz, in so rascher Folge — «

»Major Bredow hat aber auch wahnsinnig genug in den Tag hinein spekuliert«, sagte die Präsidentin gleichmütig. »Wer wird denn so toll, so ohne Sinn und Verstand vorgehen?«

»Die Frau, die schöne Julie, ist schuld — sie hat zu viel gebraucht, ihre Anzüge allein haben jährlich dreitausend Taler gekostet.«

»Bah, das hätte sie auch fortsetzen können, wenn der Herr Gemahl mit seinem Anlagekapital vorsichtiger gewesen wäre, aber er hat sich an Unternehmungen beteiligt, die von vornherein den Schwindel an der Stirn getragen haben.« Sie zuckte die Achseln. »In solchen Fällen muß man mit einer Autorität gehen, wie ich zum Beispiel. Gelt, Moritz, wir können ruhig schlafen?«

»Ich mein' es«, versetzte er lächelnd, füllte sein Glas mit Burgunder und leerte es auf einen Zug.

»Ach, da fällt mir eben ein, daß ich ja heute die Börsenzeitung noch nicht erhalten habe«, rief die Präsidentin. »Die kommt sonst pünktlich um neun Uhr in meine Hände.«

Er zog gleichgültig die Schultern empor. »Wahrscheinlich ein Versehen auf dem Postamt, oder das Blatt hat sich in mein Brief- und Zeitungspaket verirrt und ist mit hinüber in den Turm gewandert. Ich werde nachsehen.« Dabei stellte er sein Glas nieder.

»Verzeihung, meine Damen!« sagte er mit Hindeutung auf sein rasches Trinken. »Ich fühle plötzlich, daß mein gefürchteter Kopfschmerz im Anzuge ist, er kommt blitzschnell, und ich pflege ihn mit einem schnell genossenen Glas Wein aus dem Feld zu schlagen.«

Er entkorkte rasch eine Flasche Sekt und füllte mehrere auf der Anrichte stehende Gläser. »Ich bitte, mit mir auf das Gelingen unserer heutigen Abendvorstellung zu trinken«, sagte er, sein Glas erhebend, zu den Damen, die die Kristallkelche ergriffen und seinem Beispiel folgten. »Die Blumenfee mit ihrem reizenden Gefolge soll leben. Die Jugend und die Schönheit, und das herrliche Leben selbst, das ja keinem von uns feindlich ist, ja, auch der süßen Gewohnheit des Daseins ein Hoch!«

Die Gläser klangen, und die Präsidentin schüttelte leise lachend den Kopf.

Käthe war unwillkürlich in die Fensternische zurückgewichen, in deren Nähe Henriettes Lehnstuhl stand. Die junge Mündel hatte kein Glas genommen, und der Herr Vormund hatte ihr auch keines angeboten. Der Blick des Mädchens glitt dunkel und ernstspähend über seine lebhaft erregten Züge. Sie hatte nie geahnt, daß auch hinter diesem glatten, leidenschaftlosen Männerantlitz ein innerer Sturm aufwogen könne — und da war er in den unstet flackernden Augen, in dem leisen, krampfhaften Beben der Lippen, in der gezwungenen lustigen Stimme.

24.

Der Polterabendlärm im unteren Stockwerk steigerte sich nachmittags bis zur Unerträglichkeit. Aus der Stadt wurden Korbwannen voll »Theaterstaat« herbeigeschleppt — die Darsteller sollten sich in der Villa umkleiden. Haarkünstler und Schneiderinnen rannten aus und ein, und dazwischen trabten die Gärtnergehilfen immer noch von den Treibhäusern her nach der Villa, keuchend und schweißtriefend unter der Last mächtiger Palmen, Orangen- und Gummibäume.

Bei all dem dumpfen Geräusch unter ihrem Zimmer war Henriette doch in einen scheinbar erquickenden Nachmittagsschlummer gesunken. Im anstoßenden Raum saß Nanni, die Kammerjungfer, und nähte mit flinken Händen Silberflitter auf eine Tüllwolke. Käthe öffnete leise die Tür und empfahl dem Mädchen, wachsam zu sein und das Zimmer nicht zu verlassen, bis sie zurückkehre — dann ging sie hinab, um in der Mühle verschiedene Anordnungen zu treffen.

Sie vermied es, den Hauptgang zu betreten und bog in den neben dem Saal hinlaufenden Gang ein. Er war weniger belebt, aber in der schmalen Tür, auf die er mündete und die ins Freie führte, stand der Kommerzienrat, den Strohhut auf dem Kopf und augenscheinlich im Begriff, nach dem Turm zu gehen. Er gab dem Diener Anton einige Aufträge für die Stadt. »Laß dir Zeit!« rief er dem Forteilenden nach. »Erst nach sechs Uhr will ich mich umkleiden.«

Käthe schritt leise und langsam weiter; sie hoffte, er werde nun auch die Schwelle verlassen und in den Garten hinaustreten; allein er schob zerstreut die Hände in die Seitentaschen seines leichten Überziehers, und die Bewegung seines Kopfes zeigte, daß er die Augen rundum schweifen lasse, aber das junge Mädchen sah auch, daß sein Oberkörper unter fliegenden, gepreßten Atemzügen förmlich bebte, sie sah, wie sich seine Hände in den Taschen krampfhaft ballten, wie die Rechte plötzlich aufzuckend nach der Stirn fuhr und sich über die Augen legte.

Sie trat jetzt geflissentlich fester auf, und bei dem Geräusch fuhr er herum.

»Dein Kopfweh hat sich verschlimmert?« fragte sie teilnehmend.

»Ja — und ich habe in diesem Augenblick wieder einen beängstigenden Anfall von Schwindel gehabt«, antwortete er mit unsicherer Stimme und drückte sich den Hut tiefer in die Stirn. »Kein Wunder! Hätte ich eine Ahnung gehabt von den tausend Widerwärtigkeiten, die mit dieser Polterabendfeier verknüpft sind, ich hätte ganz gewiß davon abgesehen«, setzte er gefaßter hinzu. Er stieg die Stufen hinab, langsam und zögernd, als schwimme bereits alles wieder vor seinen Augen.

»Soll ich zurückgehen und dir ein Glas Selterswasser holen?« fragte sie, auf der Schwelle stehenbleibend. »Oder wäre es nicht besser, den Arzt zu holen?«

»Nein – ich danke dir, Käthe«, versetzte er in seltsam weichem Ton, dann aber flog ein sarkastisches Lächeln über seine Lippen. »Das beste Mittel habe ich selber« – sagte er gleich darauf – »meinen kühlen Turmkeller. Ich bin eben im Begriff, hinüberzugehen und die Weine für heute abend herauszugeben. Die frische Kellerluft wird wirken wie eine kühlende Kompresse.«

Käthe knüpfte die Hutbänder unter dem Kinn fester und trat hinaus auf die Türstufen.

»Und du gehst noch in die Mühle? Hoffentlich nicht weiter?« Diese einfache Frage klang so nachlässig hingeworfen, und doch kam es Käthe vor, als stocke ihm der Atem dabei.

Jetzt brauste es auch ihr durch das Gehirn, ein dunkles Angstfühl überkam sie. Der kranke Mann mit dem unsicheren Gebaren allein im Turmkeller! »Ich bitte dich, Moritz, sei vorsichtig mit dem Kellerlicht!« rief sie ihm angstvoll zu.

War er zu tief in Nachgrübeln versunken gewesen, oder hatte sich bereits jene nervöse Reizbarkeit seiner bemächtigt, die vor jeder lauten Menschenstimme erschrickt – er fuhr wild empor, als habe ihn ein Schuß getroffen.

»Was willst du damit sagen?« rief er heiser zurück. »Wie? Siehst du Gespenster am hellen Tag, Käthe?« setzte er gleich darauf hinzu. Er brach in ein schallendes Gelächter aus, das etwas tief Beschämendes für die jugendliche Warnerin hatte, und verschwand mit einem spöttisch grüßenden Handwinken und sehr aufrechter Haltung im nächsten Laubgang.

Kaum eine halbe Stunde später ging Käthe am Fluß hin. Sie hatte noch so viel Zeit, verstohlen das alte liebe Doktorhaus wiederzusehen. Wie schlug ihr das Herz, als sie durch das Laub der Uferbirken die in der Sonne glühenden Wetterfahnen flimmern sah! Wie erschrak sie bei jedem verräterischen Knirschen des Sandgerölls unter ihren Füßen! Sie kam wie eine Vertriebene, die einen letzten Blick in das gelobte Land werfen will. Und nun lehnte sie an der Pappel neben dem Holzbogen – an dieser Stelle hatte sie das letzte unverwischliche Bild in ihre Seele aufgenommen, wie auf Goldgrund hatten sich die

176

lauschenden Kinderköpfchen neben der Hausecke draußen von der strahlenden Landschaft abgehoben, und dort an dem Gartentisch war der kraftvolle, strenge Mann in unbegreiflicher Gemütserschütterung zusammengebrochen.

Nur einen einzigen Blick nach dem Eckfenster. Der Doktor war ja nicht daheim. Und in dem Zimmer wohnte er auch nicht mehr.

Starke Männerschritte hinter ihr machten sie aufschrecken. Der Müller Franz ging mit einer über die Schulter gelegten Eisenstange vorüber, um nach dem oberen Wehr zu sehen, wie er sagte. Diese Begegnung, die ihr das Blut in das Gesicht trieb, verscheuchte sie von ihrem Lauscherposten, und während Franz rasch weiter eilte, ging sie langsam am Ufer hin. Sie konnte sich noch nicht entschließen, in die Villa zurückzukehren. Hier war es so köstlich einsam. Niemand sah ihre geröteten Augen und wie sie zornig mit ihrem widerspenstigen Herzen rang, mit ihrer sündigen Sehnsucht, die sie hierhergetrieben hatte.

Der voranschreitende Müller war ihren Blicken entschwunden – sie kam der Ruine näher. Der Wasserring glitzerte von fern und das auseinandertretende Gebüsch ließ sie den anmutigen Brückenbogen übersehen, der sich über den Graben schwang . . . In diesem Augenblick beschritt ihn vom Turm her ein Mann mit großem, rotblondem, tief auf die Brust herabreichendem Vollbart. Er trug eine blaue Arbeiterbluse unter dem lässig übergeworfenen Rock und jagte mit seinem Stock die zwei Rehe vor sich her. Sie stoben förmlich über die Brücke und flohen in den Park hinein.

Käthe würde den Mann nicht weiter beachtet haben – Handwerker verkehrten ja oft im Turm –, wenn sein Gebaren sie nicht stutzig gemacht hätte. Der Kommerzienrat liebte die Rehe zärtlich. Er konnte sehr böse werden, wenn er eines im Park umherirrend fand – und nun jagte der Fremde die scheuen Tiere geflissentlich über das Wasser! War er einer jener Verbitterten, die dem beneideten Reichtum Schaden zufügen und Schabernack antun, wo sie können? . . . Er schlug den Weg ein, der nach dem großen Parktor und auf die Landstraße hinausführte. Sie verfolgte ihn mit den Augen, bis ihn das Dickicht aufnahm – welche Ähnlichkeit! Seiner Haltung und Größe, seinem ganzen Körperbau nach hätte der Mann im Arbeiterrock ein blonder Zwillingsbruder des Kommerzienrates sein können.

Sie blieb wider Willen gefesselt stehen und sah nach dem Turm, von wo er gekommen war. Wie herrlich gruppierte sich hier die Landschaft um die Ruine. Es war ganz still, nur das Flügelklatschen der Tauben, die über dem Turm kreisten, klang schwach herüber — wie kleine Silberkähne durchschifften sie den klaren, rot angehauchten Abendhimmel und schlüpften durch die Lücken der Mauerkrone, die scharfzackig in das Ätherblau hineinschnitt — nein, nicht die Mauerkrone! Ein urplötzlich speiender Krater war es, der unter donnerndem Krachen eine Garbe schwarzen Schwalles riesenhoch in den Himmel hinaufschleuderte. Der Boden wurde dem Mädchen buchstäblich unter den Füßen weggerissen, sie stürzte, dann schwemmten kühle Wassermassen an sie heran.

Was war das? . . . Alles, was laufen konnte, stürzte aus der Villa und rettete sich hinaus in den Garten — das Haus hatte in seinen Grundfesten bis zum Einsturz gewankt. — Ein Erdbeben! Wie entgeistert standen die Menschen draußen, jeden Augenblick erwartend, daß sich die Erde zu ihren Füßen auftun werde. Schon spie sie Wasserbäche dort über die niedriger gelegenen Rasenspiegel hin, die Lüfte atmeten Brandgeruch und streuten Teilchen zu Zunder gebrannter Stoffe auf den Kies . . . Die mächtigen Scheiben des stolzen Hauses waren zersprungen, und im großen Saal lagen die deckenhohen Spiegel zerschmettert auf dem Parkett; von dem luftigen Bau der Bühne war die Samt- und Seidenbekleidung abgeschüttelt, und die Arbeiter hatten sich nur mit Mühe vor den schwer niederstürzenden Bronzeverzierungen und Stangen gerettet.

Von der Straße her stürmten jetzt die Spaziergänger herein, unter ihnen Anton, der aus der Stadt zurückkehrte. »Dort, dort!« schrien die Leute der Präsidentin zu, die sich halb ohnmächtig auf Floras Schulter stützte, und zeigten über den Park hin. Dort brannte es — dicke schwarze Rauchwolken quollen auf, aus denen man besonders brennbare Stoffe wie Raketen einzeln in dunkler Nacht emporschießen sah.

»Das Pulver im Turm ist explodiert!« rief jemand aus der Mitte des Menschenknäuels.

»Unsinn!« antwortete Anton, obgleich ihm die Zähne vor Schrecken und Entsetzen zusammenschlugen. »Das taube Zeug explodiert längst nicht mehr, und die paar frischen Prisen, die der gnädige Herr aus Jux darüber hergestreut hat, heben keinen Ziegelstein von seinem Platz.«

Trotzdem rannte er wie toll parkeinwärts, quer über die schimmernden Rasenflächen – er wußte ja seinen Herrn dort drüben, wo es brannte. Der ganze Menschenschwarm brauste hinter ihm drein, während auf dem nahegelegenen Stadtturm die Feuerglocke zu läuten begann.

Es war ein Anblick, wohl geeignet, das Haar sträuben und die atemlos Herbeieilenden zurücktaumeln zu machen, als das letzte hohe, verbergende Buschwerk hinter ihnen lag. Das obere Gelaß war zerstückelt und nach allen vier Seiten hingeschleudert worden, von dem unteren Teil des Gemäuers dagegen hatte die Riesengewalt nur eine kleine Hälfte abzusprengen vermocht. Sie lag, herabgestürzt, aber noch festgefügt und unzerstörbar zusammenhaltend, nahe dem Graben, während der andere trutzig und dräuend wie zuvor in die Lüfte ragte. Aus ihrem Schlund loderten die bleichgelben Flammen empor, jeden Balkensplitter, jeden Zeugfetzen gierig von den Innenwänden leckend.

»Mein armer Herr!« stöhnte Anton und streckte die Arme verzweiflungsvoll über den Graben hin. Da unten gurgelten und brodelten die Wasser, die der furchtbare Stoß aus ihren Ufern gehoben und weithin über den Park verschüttet hatte; nun stürzten sie zurück in ihr niedriger gelegenes Gebiet, Sand- und Rasenstücke mit sich schleppend. Der zierliche Brückenbogen war verschwunden, und die alten Nußbäume lagen hingestreckt, die Äste wie die Geweihe zweier in erbittertem Kampf verendeter Hirsche ineinander verrannt.

Was half es, daß immer neue Menschenscharen zuströmten, daß die Feuerspritzen heranjagten? Da war nichts zu retten. Wer suchte noch dort in dem lodernden Krater die kostbaren Möbelstücke, die berühmte Humpensammlung, die Bild- und Skulpturwerke, die reichen Teppiche?

Und die Menschen raunten sich von aufgehäuften Gold- und Silberschätzen zu – oder nein, es waren ja Papiere gewesen, Papiere, die den Besitz von Fabriken, Grubenwerken, Landstrecken und dergleichen von unermeßlichem Wert verbürgten und die der alte, feste Turm mit seinen Mauern, seinen unbesieglichen Schlössern und seinem Wassergürtel wie ein Drache gehütet hatte. Wo waren sie? Wo die Eisenplatten, die sie umschlossen? Waren die Geldgespinde hinabgestürzt in das

179

Kellerwölbe, inmitten der Flammenglut eine Auferstehung trotzend?

Und was war aus ihm geworden, aus dem reichen Mann, von dem Anton bestimmt wissen wollte, daß er sich vor einer Stunde nach dem Turm begeben hatte, um Wein aus dem Keller zu holen? Alles starrte mit stockendem Atem in das Flammengewoge, während der treue Diener händeringend den Graben umkreiste und den Namen seines Herrn immer wieder über das Wasser hinüberrief. Es war doch eine unverzeihliche Unvorsichtigkeit gewesen, Schießpulver da aufzubewahren, wo man mit dem offenen Kellerlicht hantierte.

»Die verkommene historische Merkwürdigkeit hat das nicht getan, dazu ist ein ganz anderer Sprengstoff nötig gewesen«, sagte einer der zuerst herbeigeeilten Spaziergänger, ein Ingenieur, laut und sehr bestimmt in das Stimmengewirr hinein.

»Aber wie wäre denn der in den Keller gekommen?« stammelte Anton stehenbleibend, indem er den Sprecher blöde und verständnislos mit seinen angstverschwollenen Augen ansah.

Der Herr zuckte schweigend, mit einer zweideutigen Miene, die Achseln und wich mit den anderen zurück – die Spritzen begannen ihre Arbeit.

Und nun zischten die Wasserstrahlen empor, und die Glocke auf dem Stadtturm läutete unermüdlich, solange sich das Feuer ungebärdig gegen seinen Erzfeind aufbäumte, von der Villa her schleppte die Feuerwehr Bretter und Stangen, um eine Notbrücke über den Graben zu schlagen, und der Lärm und das Menschengetümmel wuchs und schwoll von Sekunde zu Sekunde. Da scholl mitten in das Getöse hinein ein markerschütternder Schrei – dort drüben, der Ruine ziemlich nahe, auf dem Weg vom oberen Wehr her, hatten sie den Müller Franz gefunden. Ein schwerer Stein hatte ihn zu Boden gerissen und ihm die Brust zerquetscht. Der Mann war tot.

Es war, als pflanze sich der Schrei, den die Frau des Müllers im Hinstürzen über den Entseelten ausgestoßen hatte, von Kehle zu Kehle fort – ein solch unbeschreiblicher Stimmenaufruhr wogte über den Park hin.

»Moritz – sie haben ihn gewiß gefunden!« murmelte die Präsidentin aufschreckend. Sie war unweit des Hauses auf einer Gartenbank zusammengesunken, weiter hatten sie ihre Füße nicht getragen, jetzt machte sie abermals eine krampfhafte Anstrengung, sich zu erheben – vergebens! »Haben sie ihn? Ist er tot? Tot?« lallte sie, und die sonst so kühl blickenden Augen irrten, weit aufgerissen, in wilder Angst den Weg entlang, der in der Richtung der Ruine den Rasenplatz durchschnitt. Dabei umklammerte sie Floras Arm, die neben ihr stand.

Die schöne Braut war die einzige, die ihre Fassung behauptete.

»Wenn du meinen Arm nur einmal loslassen wolltest, Großmama!« sagte sie ungedudldig. »Ich könnte dich möglicherweise überzeugen, daß du Gespenster siehst. Weshalb soll und muß denn Moritz durchaus verunglückt sein? Bah — Moritz mit seinem fabelhaften Glück? Ich bin überzeugt, er ist heil und ganz drüben mitten im Getümmel, und unsere kopflose Dienerschaft, diese beschränkten Menschen, sage ich, sehen ihren Herrn mit offenen Augen nicht.« — Ihr Blick streifte den nassen Boden, dann sah sie auf ihren Fuß, der sich im weißen Stiefelchen unter.dem Besatz ihres Kleides vorschob. »Man wird denken, ich sei auch ein wenig verrückt geworden«, meinte sie achselzuckend, »aber ich muß hinüber — «

»Nein, nein, du bleibst«, rief die Präsidentin und grub ihre Finger in die Falten des weißen Kleides. »Du wirst mich nicht allein lassen mit Henriette, die noch hilfloser ist als ich und mir nicht beistehen kann. O mein Gott, ich sterbe. Wenn er tot wäre — was dann?«

Henriette kauerte auf der anderen Seite der Bank, aschfarben vor Erregung und mit entsetzten Kinderaugen ins Weite starrend. »Käthe! Wo nur Käthe bleibt!« sagte sie mit bebenden Lippen immer wieder vor sich hin, als sei ihr der Satz eingelernt worden.

»Gott im Himmel, schenke mir Geduld!« murmelte Flora zwischen den Zähnen. »Es ist doch etwas Schreckliches um solche Frauenzimmer . . . Ich bitte dich, Henriette, warum schreist du denn immer nach deiner Käthe? Die wird dir doch niemand nehmen!«

Die Präsidentin schwankte wie eine Betrunkene und deutete mit einer unsicheren Armbewegung nach dem nächsten Gebüsch. »Da — da bringen sie ihn! Gerechter Gott! Moritz, Moritz!«

Dort wurde unter feierlichem Schweigen ein Gegenstand hergetragen, und in dem Kreise neugierig mitlaufender Menschen schritt Doktor Bruck. Er war ohne Hut, und seine hohe Gestalt überragte alle.

Flora flog hinüber, während die Präsidentin in ein lautes, krampfhaftes Weinen ausbrach. Beim Anblick der herbeieilenden Braut trat die Begleitung unwillkürlich auseinander. Nach einem raschen Blick über die hingestreckte Gestalt, die man auf einem Ruhebett trug, wandte sich Flora sofort zurück und rief beschwichtigend: »Beruhige dich doch nur, Großmama! Es ist ja nicht Moritz —«

»Käthe ist's — ich wußte es«, murmelte Henriette schluchzend, halb gespenstisch flüsternd mit ihrer heiseren Stimme und wankte hinüber, wo die Träger, Atem schöpfend, für einen Augenblick ihre Last niedergesetzt hatten.

Die Verunglückte lag auf einem altmodischen Ruhebett aus des Doktors Arbeitszimmer — ihre seitwärts niederhängenden Kleider troffen von Nässe. Weiche Bettkissen unterstützten Kopf und Rücken. Sie hätte mit ihren sanft geschlossenen Lidern und den zwanglos im Schoß ruhenden Händen ausgesehen wie eine friedlich Schlummernde, wären nicht das Blutgerinnsel an der linken Wange nieder und die Binde über der Stirn gewesen, die von einer Kopfwunde zeugten.

»Was ist mit Käthe, Leo? Was in aller Welt hat sie an der Unglücksstelle zu suchen gehabt?« fragte Flora, an das Ruhebett herantretend.

Der Doktor war vorhin bei ihrer beschwichtigenden Versicherung wie in jäh aufloderndem Zorn emporgefahren; jetzt schien es, als höre er gar nicht, daß sie spreche — so fest lagen seine Lippen aufeinander und so leer war der Blick, der neben ihr hinstreifte und dann auf Henriette niedersank.

Die arme Kranke stand, nach Atem ringend, vor ihm, und ihre tränenumflorten Augen sahen in Todesangst zu ihm auf. »Nur ein einziges Wort, Leo — lebt sie?« stammelte sie mit bittend gehobenen Händen.

»Ja, die Lufterschütterung und der Blutverlust haben sie betäubt, gefahrbringend sind augenblicklich nur die nassen Kleider. Die Stirnwunde ist ungefährlich. Gott sei Dank!« antwortete er, und liebreich wie ein Bruder legte er den linken Arm um ihre schwache Gestalt, die sich kaum auf den Füßen zu halten vermochte. »Vorwärts!« befahl er den ruhenden Trägern mit hörbarer innerer Angst und Ungeduld.

Der begleitende Menschenschwarm verlief sich, es war ja

keine Gefahr vorhanden, und die meisten kehrten nach der Brandstätte zurück. Das Ruhebett wurde über den Kiesweg getragen, an der Präsidentin vorüber, die völlig geistesabwesend auf die Ohnmächtige stierte und nichts mehr zu begreifen schien. Der junge Arzt schritt neben dem Ruhebett. Noch hielt er mit der linken Hand Henriette umschlungen, die Rechte aber hatte er auf Käthes Stirn gelegt, um jeder schmerzenden Erschütterung vorzubeugen. Der sonst so scheu sein Inneres verbergende Mann, den man in der letzten Zeit nur noch mit tiefverfinsterten Augen und gezwungenem Wesen gekannt hatte, sah unverwandt behütend, mit unverhohlener Zärtlichkeit auf das erblaßte Mädchengesicht nieder, als gebe es nichts anderes mehr für ihn, als habe er unter Todesqualen sein Liebstes und Heiligstes auf dieses Ruhebett gerettet.

Flora ging der schweigenden Gruppe nach, abseits, wie wenn nicht das geringste Band sie mit den drei Menschen verkette, die das Unglück plötzlich vor aller Augen in so innige Beziehung brachte, aber ihr funkelnder Blick maß unausgesetzt die stattliche Gestalt des Bräutigams – man sah, sie erwartete von Sekunde zu Sekunde, daß er sich nach ihr umwende, und so folgte sie ihm Schritt für Schritt über den weiten Platz, über die Schwelle des Hauses. Die Präsidentin rief nach ihr. Ein abermaliges erderschütterndes Gerassel, dem ein emporbrausendes Toben von Menschenstimmen folgte, dröhnte von der Ruine herüber – sie sah nicht zurück. Mochte auch hinter ihr die Welt zusammenbrechen – sie ging in unerbittlicher Entschlossenheit »ihren Rechten« nach.

25.

Auf diesen grauenvollen Tag folgte eine dumpfschweigende Nacht voll todesbanger, atemloser Spannung. Niemand ging zu Bett, alle Gasflammen im Hause brannten; die Dienerschaft schlich ruhelos auf den Zehen umher oder hockte flüsternd in den Ecken zusammen, und nur wenn drüben vom Turm her die Schritte eines Feuerwächters näher klangen oder eine der nach außen führenden Türen leise geöffnet wurde, fuhren alle wie elektrisiert empor und rannten hinaus in die Korridore, denn der Herr des Hauses sollte und mußte noch kommen, aber die Nacht verging, und das Frührot brach durch die Fenster – und er kam nicht wieder.

Flora dagegen hatte bei ihrer merkwürdigen Sammlung und sachlichen Ruhe, die sie angesichts des grauenhaften Ereignisses behauptete, die etwa möglichen Folgen bedacht, die die völlige Vernichtung der Dokumente für ihre Stiefschwester herbeiführen konnte.

Es hatte etwas Zornmütiges, Verbissenes in ihrem schönen, bleichen Römergesicht gelegen, als sie gegen zehn Uhr aus dem ersten Stockwerk herabgekommen war. Sie, der gefeierte Mittelpunkt der geselligen Kreise, das schöne Mädchen, dessen geistiges Übergewicht, dessen scharfes Urteil für alle Bekannten maßgebend war, sie hatte zu ihrer tiefsten Entrüstung die klägliche Rolle einer Überflüssigen droben in dem »sogenannten« Krankenzimmer spielen müssen. Außer Henriette, die, auf einem Sofa liegend, um keinen Preis Käthe verlassen wollte, war auch die Tante Diakonus als Pflegerin erschienen. Sie hatte zugleich ein Unterkommen in der Villa suchen müssen, denn auf dem Haus am Fluß, das ja der Unglücksstätte am nächsten lag, waren die Schornsteine eingestürzt; an der südlichen Hausmauer zeigten sich bedenkliche Risse und Sprünge; die Fenster lagen in Trümmern, und keine der Türen paßte mehr in Schloß und Angel. – Die neueingezogene Dame war mit der Köchin in der Schloßmühle bei Suse untergebracht worden, und für die Nacht hatte der Doktor zwei Wächter an dem verlassenen Haus aufgestellt.

Am Bett der Verletzten war kein Raum für Flora gewesen. Der Doktor war nicht von seinem Platz gewichen – er hatte Käthes Hand nur aus der seinen gelassen, wenn der Umschlag auf ihrer Stirn erneuert werden mußte. Ein solch besorgnisvolles Gebaren um das robuste Mädchen mit den Nerven und Gliedern der ehemaligen Holzhackerstochter widerspruchslos mit anzusehen, dazu hatte denn doch für Flora ein vollgerütteltes Maß Geduld und Selbstüberwindung gehört.

Des ewigen bangen Geflüsters müde und einsehend, daß sich heute mit all den verwirrten Menschen kein vernünftiges Wort reden lasse, war die schöne Braut hinabgestiegen, allein und tief ergrimmt – der Doktor hatte sie nicht einmal bis zur Zimmertür, geschweige denn die Treppe hinabbegleitet. Zu Bett war sie selbstverständlich auch nicht gegangen, sie hatte das verunglückte Polterabendkleid abgestreift, ihre schmiegsamen Glieder in den weißen Kaschmirschlafrock gehüllt und

sich gegen Morgen ein wenig auf das rote Ruhebett hingestreckt.

Mit Tagesanbruch hatte sie hinaufgeschickt und den Doktor
zu sich bitten lassen — sie hörte ihn sicheren, militärisch festen
Schrittes durch den Gang kommen. Mit eiligen Händen die
verschobenen Stirnlöckchen unter den Spitzen des Morgen-
häubchens noch einmal zurechtzupfend, drückte sie das weiße
Marmorgesicht tiefer in die roten Polster und sah blinzelnd
nach der Tür, durch die er eintreten mußte.

Er schritt über die Schwelle. Sie hatte ihn noch nie so gesehen, und deshalb erhob sie sich unwillkürlich, als trete ein
fremder Mann herein.

»Ich fühlte mich unwohl, Leo«, sagte sie unsicher und ohne
den Blick des Erstaunens von dem Gesicht wegzuwenden, das
bleich, überwacht und dennoch wie von einem inneren Licht
belebt und durchleuchtet, plötzlich einen so völlig veränder-
ten Ausdruck angenommen hatte. »Mein Kopf brennt — der
Schrecken und durchnäßte Füße haben mir jedenfalls ein Fieber zugezogen.« Sie setzte das stockend hinzu, während seine
Augen kalt prüfend mit der beobachtenden Ruhe des Arzts
über ihre Züge hinstreiften. Dieser eine Blick machte ihr das
Blut sieden.

»Nimm dich in acht, Bruck!« sagte sie mit völlig beherrsch-
ter Stimme, aber ihr Busen wogte unter gepreßten Atemzügen
und die schöngeschwungenen Brauen hoben sich, so daß zwei
strenge, tiefe Querfalten die weiße Stirn durchschnitten. »Ich
ertrage es nun schon monatelang geduldig, daß deine Praxis
die Geliebte ist, der ich mich unterordnen muß.« Sie zuckte die
Achseln. »Ich sehe ein, daß das mein Schicksal bleiben wird,
und denke groß genug, um mich darüber hinwegzusetzen,
denn diese Hingebung an seinen Beruf macht den Mann bedeutend, dessen Namen ich tragen werde. Aber ich verwahre
mich entschieden gegen jede Zurücksetzung, sobald ich selbst
deinen ärztlichen Rat brauche«, fuhr sie fort. »Wir alle haben
unter dem furchtbaren Ereignis zu leiden gehabt — ich armes
Opfer mußte bei allem Schrecken noch die halb wahnwitzige
Großmama und Henriette in ihrem trostlosen Zustand unter
die Flügel nehmen — eine nicht zu beschreibende Aufgabe.
Und doch ist es dir bis zu dieser Stunde nicht eingefallen, auch
nur einmal zu fragen: ›Wie trägst denn du das Unglück?‹«

»Ich habe nicht gefragt, weil ich weiß, daß bei dir dergleichen seelische Eindrücke durch den Verstand kontrolliert werden und weil ich auf den ersten Blick hin sehe, wie wenig dein körperliches Befinden in Wahrheit beeinträchtigt ist.«

Sie horchte befremdet auf den Ton seiner Stimme — er sollte gelassen wie immer klingen, und doch bebte er hörbar, wie infolge ungestümer Herzschläge.

»Was deine zweite Behauptung betrifft, so irrst du«, sagte sie nach einem augenblicklichen Schweigen, »ich habe in der Tat nervöses Klopfen an den Schläfen, bezüglich der ersten aber magst du recht haben. Ich suche mich jedem Ereignis gegenüber — gleichviel welchem — stets so rasch wie möglich zu sammeln, um es mit klarem Blick übersehen zu können. Du scheinst diese meine Taktik zu mißbilligen, wie ich aus deinem seltsamen Ton entnehme, und doch hast du gerade heute alle Ursache, sie zu preisen. Ich habe mich nie überreden lassen, mit meinen von Papa geerbten Papieren zu spekulieren — hätte ich mithin nicht auch bei überschwenglichen Glücksfällen den Kopf oben behalten, dann stände ich heute hier vor dir mit leeren Händen — meine Mitgift wäre verpufft, wie das unermeßliche Papiervermögen, das gestern in alle Lüfte geflogen ist. Ja, sieh mich nur scheu an, Bruck!« sie dämpfte ihre Stimme. »Ich lasse mich nicht irreführen und nenne die Dinge beim Namen. Die Großmama rennt drüben auf und ab und ringt die Hände, daß der riesige Besitz Fremden zufallen, unsere lieben Gäste haben die halbe Nacht hindurch den reichen Mann beklagt, den die boshafte Ironie des Schicksals in so tragischer Weise mitten aus seinem Erdenhimmel gerissen habe. Ich aber sage: der theatralische Abgang war mittelmäßig in Szene gesetzt, in den Kulissen ist eine Lücke geblieben, durch die man der Wirklichkeit auf den Leib gehen wird. In Kürze, vielleicht in den nächsten Tagen schon, werden die Gerichte festgestellt haben, daß Römer anfangs vielleicht nur ein sehr leichtsinniger Spekulant, schließlich aber — ein Schurke gewesen ist.«

Flora hatte recht, sie nannte allerdings die Dinge beim Namen — sie sprach das aus, was der Mann da vor ihr in seinem Inneren nicht leugnete, was ihn seit gestern in eine namenlose Seelenpein versetzt hatte, aber daß der fein geschnittene, zarte Frauenmund sich vor den nacktesten Ausdrücken nicht scheute, um den Scharfsinn, »der sich nicht irreführen lasse«, an den Tag zu legen — das war wohl geeignet, Unwillen in einer feinfühlenden Menschenseele hervorzurufen.

»Ach, wie ich sehe, habe ich heute das Unglück, dir in allem, was ich sage, zu mißfallen«, hob sie nach einem sekundenlangen Verstummen halb spöttisch, halb schmollend wieder an. »Möglich, daß mein gerechtes Urteil ein wenig zu drastisch ausgesprochen war, vielleicht hätte ich auch, dankbar für manche kleine Annehmlichkeit, die mir Römer hier und da verschafft hat, weniger wahr und aufrichtig sein sollen, aber ich bin nun einmal eine geschworene Feindin aller schmählichen Bemäntelung und habe dabei auch alle Ursache, empört zu sein. Meine Schwester Henriette, mit deren Erbteil Römer spekuliert hat, wird mit dem Zusammensturz bettelarm, und Käthe? — Sei versichert, daß ihr von ihrem ganzen ungeheuren Vermögen nicht ein Papierschnitzel bleibt!«

»Desto besser!« kam es wie ein Hauch von den Männerlippen, die so jünglingshaft rot und keusch unter dem vollen Bart schimmerten und in diesem Augenblick sanft zu lächeln schienen.

So schwach die zwei Worte auch geklungen hatten, Floras Ohr hatten sie doch aufgefangen. »Desto besser?« fragte sie erstaunt und schlug, halb und halb lachend, die Hände zusammen. »Sehr angenehm ist mir unsere Jüngste allerdings auch nicht, aber was hat sie denn verbrochen, daß du ihr Unglück in so befremdlicher Weise aufnimmst?«

Er biß sich wie in innerem Kampfe heftig auf die Unterlippe und preßte die Stirn an das Fensterkreuz.

»So schlimm wie Henriette ergeht es Käthe allerdings nicht — die Schloßmühle bleibt ihr, und die mag schon ein hübsches Stück Geld wert sein«, setzte sie nach einer Pause hinzu. »Dorthin kann sie sich retten, wenn hier alles zusammenbricht, und auch für unsere arme Brustkranke wüßte ich keinen besseren Zufluchtsort. Beide Schwestern lieben sich ja und würden sich gewiß vertragen. Es wird uns auch nichts anderes übrigbleiben. Die Großmama mit ihrem schmalen Einkommen kann unmöglich für Henriette sorgen, und dir werde ich selbstverständlich nie zumuten, die kranke Schwester in unsere junge Häuslichkeit mitzunehmen —.« Sie schlang plötzlich ihren Arm in den seinen und sah verführerisch zärtlich zu ihm auf. »Ach Leo, wie will ich Gott danken, wenn wir morgen im Wagen sitzen werden, all das Schreckliche, das nun hier erfolgen muß, im Rücken —«

Mit einer leidenschaftlichen Gebärde, mit einem Ingrimm, wie sie ihn noch nie in diesem stillen, ernsten Männergesicht gesehen, riß er sich von ihr los. »Möchtest du wirklich alle im Stich lassen, die Armen, die in den nächsten Tagen rat- und hilflos inmitten der schrecklichen Schicksalsschläge dastehen werden?« rief er wie außer sich. »Geh, wohin du willst — ich bleibe!«

»Leo!« schrie sie auf — dann stand sie einen Augenblick sprachlos und rang mit einer unbeschreiblichen Erbitterung. »Du hast gewiß die Tragweite deiner allzu raschen Worte selbst nicht ermessen«, sagte sie endlich, »ich will sie deshalb nur insoweit gehört haben, als sie eine Bemerkung meinerseits nötig machen: wenn wir nicht morgen, bevor der Ausbruch erfolgt, unsere Reise antreten — und niemand wird es uns verargen, daß wir das nun einmal Vorbereitete in aller Stille ausführen — dann muß unsere Verbindung überhaupt hinausgeschoben werden.«

Er schwieg und verharrte, wie zu Stein geworden, in seiner abgewendeten Stellung, und diese wortlose Unbeweglichkeit reizte sie sichtlich. Ihr ganzes leidenschaftliches Naturell funkelte in den großen grauen Augen.

»Ich habe dir vorhin erklärt, daß ich zeitlebens gutwillig deiner Praxis, der Liebe zu deinem Berufe nachstehen will«, setzte sie dringender hinzu. »Nie aber werde ich mit meinen Interessen anderen Frauen weichen — das merke dir, Leo! Ich kann nun und nimmer einsehen, weshalb ich der Großmama und meiner Schwester wegen den furchtbaren Zusammensturz hier mit durchkämpfen soll, da mir doch das Recht zusteht, mich in die ruhige, schützende Häuslichkeit zu flüchten, die du mir zu geben gelobt hast, ein solches Opfer solltest du mir gar nicht zumuten.«

Sie durchmaß aufgeregt das Zimmer. »Du hast mir gegenüber für dein Bleiben hier nicht die leiseste Entschuldigung«, hob sie, fern von ihm stehenbleibend, mit finster zusammengezogenen Brauen wieder an, nachdem sie vergeblich auf einen Laut von seinen Lippen gewartet hatte. »Nicht einmal auf die Kranken im ersten Stock kannst du dich berufen. Henriette hättest du sowieso ihrem Schicksal überlassen müssen, und was Käthe betrifft, so wirst du mich nicht überzeugen, daß die

Stirnschramme, die du selbst für vollkommen ungefährlich erklärt hast, deine ganze ärztliche Kraft und Hilfe erheische. Wenn Henriette über die paar vergossenen Blutstropfen kindische Tränen weint, so mag das hingehen – sie ist krank und nervengereizt –, aber daß du dich gebärdest, als sei unsere Jüngste, dieser derbe, urgesunde Holzhackersproß, aus Duft und Schnee zusammengesetzt –« Unwillkürlich verstummte sie vor Leos Aussehen. Er hatte sich ihr zugewendet mit drohend gehobenem Finger, mit einer nicht mehr zu bezwingenden Aufregung in den Zügen.

Sie lachte zornig auf. »Glaubst du, ich fürchte mich? Ich habe deiner sehr unpassenden Handbewegung eine ganz andere entgegenzusetzen! Hüte dich – noch ist das ›Ja‹ am Altare nicht gesprochen, noch liegt es in meiner Hand, eine Wendung herbeizuführen, die dir schwerlich gefallen dürfte. Und nun gerade wiederhole ich, daß mich dein gestriges ärztliches Tun und Treiben um Käthe schließlich angewidert hat. Soll ich nicht spöttisch werden, wenn du sie pflegst und verziehst wie eine Prinzessin –«

»Nein, nicht wie ein Prinzessin – wie eine Geliebte des Herzens, wie eine erste und einzige Liebe, Flora«, fiel er in sichtlicher Bewegung ein.

Ein Schrecken durchfuhr sie, als habe ein Blitzschlag die Erde vor ihren Füßen gespalten. Unwillkürlich hoben sich ihre Arme gen Himmel, und so stürzte sie auf den Sprechenden zu.

Er streckte ihr abwehrend die Hände entgegen. Sonst stand er in unerschütterlicher Haltung. »Was ich bisher, unter unbeschreiblichen Kämpfen mit mir selbst, in meiner Brust verschlossen habe – aus Scham und von einem Grundsatze ausgehend, der sich als falsch, ja, als unmoralisch erwiesen hat –, ich muß es dir jetzt bekennen. Ich sehe ab von jeder Verteidigung, von jedem beschönigenden Wort« – die Stimme sank ihm – »ich bin treulos gewesen von dem Augenblick an, wo ich Käthe zum erstenmal gesehen habe.«

Flora ließ langsam ihre Hände sinken. So unumwunden und zweifellos auch das Geständnis lautete, es war dennoch das Unglaubwürdigste, das sie je gehört. Es war wohl oft genug geschehen, daß die gefeierte Flora Mangold Männerherzen unwiderstehlich an sich gezogen und sie dann in Augenblicken, wo es am wenigsten erwartet wurde, launenhaft und unbarmherzig von sich gestoßen hatte, aber daß ein Mann ihr die

Treue brechen könne – lächerlich! Da lag es doch weit näher, zu denken, daß Doktor Bruck endlich auch einmal den Mut zur Vergeltung finde. Sie hatte eben »ihre Feuerprobe« bis an die äußerste Grenze geführt, sie hatte in ihrem wohlbegründeten Verdrusse gedroht, noch wenige Schritte vom Altar ihr »Ja« zurückzuhalten. Das hatte ihn gereizt, hatte seine Langmut erschöpft, er wollte sie strafen, indem er sie eifersüchtig machte. Ihre bodenlose Eitelkeit, ihr Leichtsinn, halfen ihr noch für wenige Augenblicke über die bitterste Täuschung ihres ganzen Lebens hinweg.

Sie verzog spöttisch die Lippen und schlug die Arme unter. »Ah, also gleich beim ersten Erblicken!« sagte sie. »War das gleich draußen im Flur, wo sie nach Handwerksbrauch, den Reisestaub auf den Schuhen, mit dem poetischen Taschentuchbündelchen in der Hand hier ankam?«

Man sah, wie ihr spielender Hohn jeden Blutstropfen in dem Manne empörte, doch angesichts der furchtbaren Entscheidung wurde er lächelnd und übermütig ins Gebet genommen wie ein Schulknabe. Er bezwang sich mühsam; die Lösung dieser Lebensfrage mußte noch in dieser Stunde erfolgen.

»Da war ich schon ihr Führer und Begleiter gewesen, in der Mühle habe ich Käthe zuerst gesehen«, sagte er ziemlich gelassen.

Eine dunkle Röte der Überraschung überflog Floras Wangen. »Ei, davon erfährt man ja das erste Wort. Und auch die Duckmäuserin mit dem ›reinen‹ Herzen hat Grund gehabt, diese interessante Begegnung zu verschweigen.« Sie lachte kurz und hart auf. »Nun, und weiter, Bruck?« Die Arme noch fester unter dem Busen kreuzend, stemmte sie den Fuß sichtlich herausfordernd auf den Teppich.

»Wenn du in dem Ton verharrst, dann bleibt mir kein Weg zur Verständigung als der schriftliche.« Er wollte mit allen Zeichen der Entrüstung an ihr vorübergehen.

Sie vertrat ihm den Weg. »Mein Gott, wie du das tragisch nimmst! Ich bemühe mich ja nur, auf deine kleine Komödie einzugehen. Also in einen Federkrieg willst du dich mit mir einlassen? Lieber Leo, da ziehst du den kürzeren – darauf verlaß dich!«

Das übermütige Lächeln, das ihre Versicherung begleitete, erstarb ihr auf den Lippen, ein so eisig finsterer Blick begegnete dem ihren. Jetzt dämmerte allmählich die Ahnung in ihr auf, es könne ihm doch wohl bitterer Ernst sein. Nicht mehr mit seiner angeblichen Liebe für »die Jüngste« – wohl aber mit dem Entschlusse, bei aller Leidenschaft für sie, doch in der letzten Stunde noch mit der launenhaften Braut zu brechen. Sie bereute ihr Vorgehen, und dennoch siegte der wilde Trotz in ihr.

»So geh!« sagte sie, rasch zur Seite tretend. »Solche Blicke, wie du mir eben zugeworfen hast, vertrage ich nicht. Geh – ich rühre nicht einen Finger, dich zu halten.« Sie brach in ein schneidendes Hohngelächter aus. »O Männercharakter, viel berühmter und besungener! Es hat eine Zeit gegeben, wo ich fast auf den Knien um meine Freiheit gebettelt habe, man war würdelos genug, die widerstrebende Braut um so fester in Ketten zu legen. Da sieh und lerne von mir, was in solchen Augenblicken selbst für ›die schwache, eitle Frauenseele‹ einzig und allein maßgebend ist: der Stolz –«

»Es war auch Stolz, der mich damals unerbittlich bleiben ließ, unbändiger Stolz, wenn auch ein ganz anderer, als das Gemisch von Trotz und Grimm, das du als solchen bezeichnest«, unterbrach er sie mit maßvoller Ruhe, obgleich die letzte Spur von Farbe aus seinen Wangen gewichen war. »Ich bekenne mich ja dazu, schwer gefehlt zu haben. Der Grund meiner damaligen Handlungsweise war das Pochen auf die eigene Kraft, auf den Manneswillen, der mit allen Gefühlsausschreitungen der Seele fertig werden müsse, wie ich wähnte. Ich gab dir dein Wort nicht zurück, weil ich gewohnt war, das meine, einmal gegeben, in allen Lebenslagen als unverbrüchlich bis in alle Ewigkeit anzusehen. Von dem Standpunkt aus erschien mir unser Verlöbnis so unlösbar wie dem Katholiken die Ehe . . . Auch wollte ich nicht in die Schar derer zurücktreten, die an deinem Siegeswagen gezogen und dann plötzlich entlassen worden waren. Ich wiederhole, daß ich diese Anschauung jetzt als jugendlich unreif verwerfe.«

Sie wandte ihm mit einem zornflammenden Blick den Rükken und ließ ihre Finger in leisem, unregelmäßigem Getrommel auf der Tischplatte spielen. »Ich habe dir nie verschwiegen, daß meine Hand unzähligemal begehrt und erstrebt worden ist, ehe ich mich mit dir verlobte«, sagte sie stolz nachlässig.

»Du darfst aber nicht vergessen«, fiel er ein, daß du das unnahbare Ideal meiner Jugend gewesen bist. Auf der Universi-

tät und noch im letzten Feldzuge hat mich der Gedanke ange-
spornt, daß das stolze Herz der Vielumworbenen sich noch
keinem zugeneigt, daß es den hoch beglücken müsse, der es er-
ringe —«

»Und möchtest du dem entgegen behaupten, ich hätte auch
nur einen aus dem Troß dieser unvermeidlichen Anbeter geliebt?« brauste sie auf.

»Geliebt? Nein, Flora, keinen von allen — auch mich nicht«,
rief er, doch wieder fortgerissen. »Geliebt hast du stets nur die
unvergleichliche Schönheit, die gesellschaftliche Gewandt-
heit, den vielbewunderten Geist, den künftigen Ruhm der gefeierten Flora Mangold.«

»Sieh, sieh — die Schmeichelei des Liebenden habe ich stets
auf deinen Lippen schmerzlich vermißt. Selbst beim bräutli-
chen Kosen hast du nie einen bezeichnenden Schmeichelna-
men für mich gefunden — und jetzt, in der Erbitterung, zeigst
du mir ein Spiegelbild, mit dem ich wohl zufrieden sein kann.«

Er errötete wie ein Mädchen. Es war lange her, daß er den
schönen Mund dort nicht mehr geküßt, und doch meinte er,
daß es überhaupt geschehen, sei eine Versündigung an der anderen, die, rein und unberührt an Leib und Seele, sein Frauen-
ideal verwirklichte. Er entzog unwillkürlich sein Gesicht den
Augen, die ihn mit einem heimlich lachenden Ausdruck mu-
sterten, und sah in den Garten.

Ah, sie hatte ihn im richtigen Augenblick an schöne Zeiten
erinnert — jetzt hatte sie gewonnenes Spiel. »Leo, bist du wirklich zu mir gekommen, um hart mit mir zu verfahren, um mich
anzuklagen?« fragte sie, rasch zu ihm tretend — sie legte ihre
Hand auf seinen Arm.

»Du vergißt, daß du mich zu dir beschieden hast, Flora«,
entgegnete er ernst. »Ich wäre nicht aus eigenem Antrieb gekommen — ich habe oben zwei Kranke, Henriettes Zustand ist
gegen Morgen bedenklich geworden, ohne deinen ausdrückli-
chen Wunsch würde ich sie nicht verlassen haben, so wenig,
wie ich in diesen Tagen voll Angst und namenloser Verwirrung
daran gedacht hätte, eine Entscheidung herbeizuführen, wie
du sie vorhin herausgefordert hast.«

»Eine Entscheidung? Weil ich dich in kindischem Trotz und
Ärger gehen hieß? . . . Geh, wie magst du Mädchenzorn so bit-
terernst nehmen!« Das sagte sie, die sonst jede mädchenhafte

Regung als ihres männlich gearteten Geistes unwürdig verleugnete.

Dem Doktor stieg die Glut in das Gesicht. Sie hatte ihn durch ihre unberechenbaren Einwürfe einen Kreislauf machen lassen — er stand wieder am Ausgangspunkt. »Ich messe dir auch darin die Schuld nicht bei«, antwortete er. »Ich habe mich hinreißen lassen, dir zu gestehen — «

»Ach ja, du sprachst von deinem Manneswillen, der mit allen Gefühlsausschreitungen fertig werden müsse — ist er dir dennoch treulos geworden?«

»Nein, treulos nicht, er hat sich nur einer besseren Überzeugung unterwerfen müssen. Flora, ich habe dir gleich zu Anfang gesagt, daß ich bei meiner Weigerung, unser Verlöbnis zu lösen, von einem falschen Grundsatz ausgegangen sei. Ich wußte damals längst, daß nicht eine Spur wahrer, hingebender Liebe für mich in deinem Herzen lebte, und auch ich hatte mit meinem Gefühl für dich vollkommen abgeschlossen, das schwärmerische Bewunderung von der Ferne aus, niemals aber warme, innige Herzensneigung gewesen war — wir hatten beide geirrt. Zwar litt ich schwer unter dem Bewußtsein, einer liebeleeren Zukunft entgegenzugehen, aber ich fügte mich, und klammerte mich um so angstvoller an die Unverletzlichkeit meines Wortes, je treuloser meine Gedanken von dir abirrten — «

»Ah — also doch?«

»Ja, Flora. Ich habe gerungen mit meiner Neigung wie mit einem erbitterten Todfeind.« Ein schwerer, gepreßter Atemzug hob seine Brust. »Ich bin vom ersten Augenblick an hart, grausam mit mir selbst und mit dem Mädchen verfahren, das mir diese unbesiegbare Neigung einflößte. Ich habe jede, auch die unschuldigste Annäherung streng von mir gewiesen — nicht einmal die Blumen, die sie in der Hand gehalten und achtlos vergessen hatte, litt ich in meinem Zimmer. Sie war gern in meinem Haus, und ich wehrte diesem Verkehr, als ob sie mir einen Feuerbrand unter das Dach trage. Ich war kalt, unhöflich ihr in das Gesicht hinein, das mich doch entzückte wie noch nie ein Menschenantlitz — «

»Mein Gott, ja — man begreift das! Entzückend für das Auge des Arztes, gesund und rund und weiß und rot, als habe die Natur den Tüncherpinsel dazu genommen.« Mit diesen Worten wich die Erstarrung, die über die atemlos horchende Frauengestalt gekommen war. »Und ein solches Bekenntnis wagst du mir gegenüber? Wie, Blumen wirft diese naive Jugend in das Zimmer der Männer, die sie kirren will – «

»Still!« Er hob die Hand mit jenem gebieterisch zwingenden Blick, der stets selbst diesen Mund verstummen machte. »Mich überschütte mit Vorwürfen – ich will sie widerstandslos über mich ergehen lassen, vor Käthe aber stehe ich in Wehr und Waffen. Sie ist nach Dresden zurückgekehrt und hat nicht gewußt, wie es um mich, wie es um – sie selbst steht. Weshalb sie damals gegangen ist, das weißt du am besten. Während man sie von einer Seite drängte, eine Ehe ohne Liebe einzugehen, wurde ihr von der anderen erschreckend deutlich nahegelegt, daß sie ihr Zimmer zu räumen und einem hochgeborenen Besuch Platz zu machen habe. Ich ließ sie erbarmungslos gehen, ich atmete auf – nun sollte es besser gehen mit mir und meiner inneren Qual – töricht, töricht! Ich sah nicht, wie in demselben Augenblick, wo sie hinter dem Ufergebüsch verschwand, etwas an mich herankroch, das sich festklammerte – es war nicht die Überbürdung durch meine Praxis, was mich hohlwangig und der Geselligkeit gegenüber finster und feindselig machte – in der anstrengenden Arbeit und Tätigkeit bin ich stets freudig und tatkräftig geblieben – es war die Sehnsucht, die sich von Tag zu Tag steigerte.«

Er hatte den Fensterbogen verlassen und durchmaß das Zimmer in sichtlichem innerem Aufruhr, und jetzt erhob sich Flora wieder wie mit einem gewaltsamen Ruck und schüttelte das nach vorn gefallene Lockengeringel wild aus der Stirn.

»Um Käthes willen?« rief sie bitter auflachend.

»Ich habe sie dann, nach dem furchtbaren Ereignis, im Park gesucht«, fuhr er fort, sich gewaltsam in eine ruhigere Redeweise zwingend, »und als ich sie vom Boden aufnahm, da sagte ich mir, daß der Tod an diesem schwachatmenden Leben nur vorübergegangen sei, damit ich doch noch glücklich werden solle. Da riß ich mich los von allen Banden des Herkommens und einer zweifelhaften Ehrenverpflichtung; ich stellte mich über das Basengeschwätz der lästernden Welt und verzichtete auf den Ehrentitel eines ›respektablen‹ Heuchlers.«

Schon während seiner letzten Schilderung hatte sich Floras Haltung verändert. Sie hatte verspielt – es war alles aus, und sie wäre nicht das ränkevolle Weib mit dem scharfen Blick und dem kalt berechnenden Geist gewesen, wenn sie sich nicht auch sofort dieser Lage zu bemächtigen gewußt hätte. Sie sah mit einem wahrhaft teuflischen Lächeln unter den tiefgesenkten Brauen empor und sagte, alle ihre scharfen, blitzenden Zähne zeigend, mit Bezug auf seine letzten Worte: »Wie, ohne mich zu fragen, mein Herr Doktor? Nun, immerhin! Im Hinblick auf die eben gehörten naiven Geständnisse frage ich mich, nicht ohne ein befreites Aufatmen: ›Was hätte aus dir werden sollen an der Seite eines solchen Gefühlsschwärmers!‹ Und drum ist's gut so, ganz gut so für uns beide, wie es gekommen ist. Ich gebe dir dein Wort zurück, allerdings nur ungefähr so, wie man einen Vogel am Fade fliegen läßt, dessen eines Ende man fest um — den Finger wickelt.« Sie tippte, abermals scharf lächelnd, mit der feinen Fingerspitze auf den Verlobungsring an ihrer Hand. »Freie um die erste beste junge Dame der Residenz — und sei es eine meiner glühendsten Neiderinnen, wie ich ja daran genug habe — und ich will den Reifen in ihre Hand legen, nur Käthe nicht, absolut nicht! Hörst du? Und wenn du mit ihr über das Meer flüchten oder an den entlegensten Dorfkirchenaltar treten wolltest: ich würde im richtigen Augenblick da sein, um Einspruch zu tun.«

»Gott sei Dank, dazu hast du nicht die Macht«, sagte er totenbleich und tiefatmend.

»Meinst du? Daß du niemals nach deinem Wunsch und Sinn glücklich wirst, dafür laß mich sorgen, Treuloser, Erbärmlicher, der ein stolzes Blumenbeet zertritt, um — eine Gänseblume zu pflücken! Du wirst von mir hören.«

Unter leisem Hohngelächter schritt sie nach ihrem Schlafzimmer, dessen Tür sie hinter sich verriegelte, und fast gleichzeitig klopfte ein Diener draußen und berief den Doktor in den ersten Stock, weil Fräulein Henriette eben wieder von einem sehr schlimmen Brustkrampf befallen worden sei.

26.

Zwei Tage waren verstrichen, und in diesen zweimal vierundzwanzig Stunden wandelte sich allmählich die bestürzte Klage, das Bejammern des verunglückten reichen Mannes in dumpfe, erschreckende Gerüchte, die vorzüglich die Geschäftsleute, den Handwerkerstand, beunruhigten — es stand da der Name des Millionärs noch mit vielen Tausenden rückständig in den Büchern. Und nun ging der Ausspruch, den der

Ingenieur schon beim ersten Anblick der entsetzlichen Zerstörung rückhaltlos getan, bestätigt und bekräftigt durch andere
Sachverständige, von Mund zu Mund, und die bisher vollkommen zuversichtlichen und vertrauensseligen Lieferanten und
Arbeiter mußten sich notwendig fragen, wie und wozu das Dynamit in den Weinkeller des Kommerzienrats von Römer gekommen sei, just unter die Räume, die alle seinen Besitzstand
nachweisenden Papiere und Bücher umschlossen. Die Antwort ließ nicht lange auf sich warten. Vertrauliche Briefe aus
Berlin sprachen von ungeheuren Verlusten, die der Kommerzienrat, um dessen entsetzlichen Tod dort noch niemand
wußte, bei den neuesten, rasch aufeinander folgenden Zusammenbrüchen erlitten haben müsse. Zwar hatte er es, wie selten
ein Spekulant, verstanden, vertraute Mitwisser von seinen Unternehmungen fernzuhalten. So wäre es ihm doch vielleicht
trotz der Nachricht von seinen Verlusten geglückt, auf immer
als Opfer seiner Liebhaberei für das historisch merkwürdige
Pulver im Turmkeller der Burgruine beklagt zu werden, wenn
er sich nicht in der Dosis des modernen Sprengstoffes vergriffen hätte − das war die »in den Kulissen gebliebene Lücke,
durch die man der Wirklichkeit auf den Leib gehen würde«,
wie Flora gesagt hatte.

Im Trauerhaus gingen unheimliche Wandlungen vor sich:
Noch ahnte die Frau Präsidentin nicht, daß nach dem furchtbaren Ereignis ein zweiter Sturz erfolgen werde, noch vereinigte
sich all ihr Sinnen und Denken auf das, was nach dem unrettbar Zerstörten von dem großen Vermögen geblieben war und
wem es zufallen würde. Mit der ganzen Selbstsucht des Alters
gingen ihre Gedanken bereits völlig über den Toten hinweg.

Flora hatte der Präsidentin sofort nach der Entscheidung in
kurzen Worten angezeigt, daß sie ihr bräutliches Verhältnis zu
Doktor Bruck gelöst habe, ohne die Gründe für diesen Entschluß auch nur zu berühren, und die alte Dame war nichts weniger als wißbegierig gewesen − sie hatte, für einen Augenblick aus ihrem fieberischen angestrengten Grübeln und Brüten aufgeschreckt, halb blöde emporgesehen und sich mit einem Achselzucken begnügt. Dann hatte sich Flora in ihre Zimmer zurückgezogen und hatte den ganzen ersten Tag mit Ordnen und Umpacken ihrer Sachen verbracht.

Im Untergeschoß aber, dem Aufenthaltsraum der Hausangestellten und der Küchenbedienung, herrschte an dem Tage, der der lange erwartete und lange vorbereitete Hochzeitstag hatte sein sollen, eine Verwirrung, eine Auflösung alles Bestehenden, wie sie nur ein Haufen fluchtbereiter Menschen hervorbringen kann.

Von dieser Wandlung der äußeren Verhältnisse wurden die Bewohner des ersten Stocks nicht berührt. Henriette lag droben im Wohnzimmer, fast nur noch kenntlich an den wunderschönen blauen Augen – wunschlos und willig den lebensmüden Leib der dunklen Gewalt endlich überlassend, die ihr seit Jahren Schritt für Schritt auf den Fersen gefolgt war. Sie war sich vollkommen bewußt, daß sie sterben müsse. Wie in Schnee gebettet lag sie in den weißen Kissen und Decken, unter den weich herabfließenden Mullvorhängen. Es blieb ihr erspart, den flüchtigen Fuß von der heimischen Schwelle zu wenden und, Floras Vorschlag gemäß, in der Schloßmühle eine Zuflucht zu suchen. Sie ging, noch ehe das Gericht im Namen der geängstigten Gläubiger seine Hand auf die Reste eines in alle Lüfte zerstobenen märchenhaften Reichtums legte . . . Und was sie stets so heiß gewünscht, es erfüllte sich nun doch noch: sie wurde bis zum letzten Atemzug von den Augen ihres Arztes behütet. Er hatte ihr gesagt, daß er bei ihr bleiben und nicht eher nach L . . . gehen werde, als bis es »besser um sie stehe«. Nun war sie wieder so unaussprechlich glücklich, wie sie es im Fremdenzimmer der Tante Diakonus gewesen: Doktor Bruck pflegte sie, und ihm zur Seite stand Käthe – die beiden Menschen, die sie auf Erden am meisten geliebt hatte.

Käthe erholte sich rasch. Schon am Nachmittag des zweiten Tages war sie aufgestanden. Die schmale, um den Kopf gelegte Binde und die über den Rücken hinabhängenden Flechten, die ihrer Schwere wegen nicht über der Stirn liegen durften, erinnerten daran, daß sie eine Genesende sei, sonst aber hätte wohl niemand geahnt, daß der fürchterliche Stoß der Explosion diese schlanke Mädchengestalt weithin geschleudert und mit erstickenden Wassermassen überschüttet habe, daß sie verloren gewesen wäre, hätte nicht das Auge der Liebe sie gesucht. Ihre Haltung war kraftbewußt und fest wie vorher, und die ihr eigene Sammlung und Sicherheit war in ihr ganzes äußeres Wesen zurückgekehrt, wenn es auch stürmisch genug in ihrer Seele aussah. Neben dem tiefen Leid um die sterbende Schwester, um Römers trauriges Ende, drängte sich ihr die furchtbare Gewißheit auf, daß ihr Schwager und Vormund bei dem grauenhaften Vorgang nicht ohne Schuld gewesen sei — auf eine derartige Andeutung, die sie angstvoll gegen Doktor Bruck gemacht hatte, vermochte dieser nicht »nein« zu sagen. Sonst war er still und schweigsam wie immer.

Die schöne Braut war auch nur ein einziges Mal oben erschienen, um nach der Schwerkranken zu sehen, genau zu der Zeit, wo sich Doktor Bruck infolge einer dringenden Aufforderung zum Fürsten begeben hatte. Es war zu sonderbar und verletzend, daß sie, Henriettes Wohnzimmer durchschreitend, an Käthes Lager vorüberschritt, als sei dort, wo sich die verwundete Schwester zu ihrer Begrüßung aufrichtete, die leere Wand. Sie hatte keinen Blick, kein Wort für »die Jüngste« und vermied es, auf demselben Wege zurückzukehren, indem sie sich von der Kammerjungfer die unmittelbar in den Gang führende Tür des Schlafzimmers aufschließen ließ. Zu alledem berichtete Nanni mit zweideutiger Miene, daß das gnädige Fräulein drunten sich zu schleuniger Abreise rüste.

Einigemale im Lauf des Tages kam auch die Präsidentin herauf, die schwarze Krepphaube über dem verstörten Gesicht und treulos verlassen von der kühlen, stolzen Ruhe eines wohlgeschulten Geistes, der sich, wie sie stets behauptet hatte, gerade in schlimmen Lebenslagen am glänzendsten bewähren müsse. Sie hatte nur Tränen und ein krampfhaftes Händeringen für die »fürchterliche Situation«, in die mit einem Schlage alle Bewohner der Villa geschleudert waren.

Es war am Morgen des dritten Tages nach dem Ereignisse, als die alte Dame plötzlich die Tür des roten Studierzimmers aufriß und, ein Zeitungsblatt in der Hand, über die Schwelle wankte. Flora war eben beschäftigt, Zettel für ihr Gepäck zu schreiben. Sie erhob sich und trat ahnungsvoll auf die Großmama zu, die in einen Armstuhl sank.

»Meine viertausend Taler!« stöhnte sie. »Kind, Kind, ich bin von Schurken betrogen um mein bißchen Hab und Gut, um das kärgliche Erbe, das mir der Großpapa hinterlassen hat . . . Meine viertausend Taler, die ich behütet habe wie meinen Augapfel —«

»Nein, Großmama, bleib bei der Wahrheit, sage lieber, deine viertausend Taler, mit denen du allzu leichtgläubig spekuliert hast!« fiel Flora in unerbittlichem Ton ein. »Wie habe ich dich gewarnt! Aber da wurde ich ausgelacht und verhöhnt, weil ich meine wohlgesicherten Staatspapiere nicht auch ›mitarbeiten‹ ließ. Das Unternehmen, bei dem du beteiligt warst, ist zusammengebrochen?«

»Ganz und gar! Schurkisch! Da lies! Ich glaube, nicht fünfzig Taler bleiben mir«, rief die Präsidentin mit brechender Stimme und schlug die Hände vor das Gesicht. »Nur eines fasse ich nicht«, fuhr sie, wieder emporschreckend, fort, während Flora die bezügliche Nachricht überflog, »das Blatt bezieht sich auf frühere Mitteilungen; der Sturz muß demnach schon vor etwa vier bis fünf Tagen erfolgt sein – und Moritz hat nichts davon gewußt – unbegreiflich.«

»Sollte das nicht mit der ausgebliebenen Börsenzeitung zusammenhängen?«

»Ah – du meinst, unser armer Moritz hat mir während der Hochzeitsfeier den Schreck ersparen wollen und das Blatt zurückgehalten? Ach, ja – jedenfalls! Und er hätte mir auch den Schaden ersetzt, ich weiß es – war er es doch selbst, der mir die Sache eingeredet hat . . . O mein Gott, das ist ein Gedanke von oben. Nötigenfalls kann ich's beschwören, daß Moritz mich zu dem Unternehmen verleitet hat. Wie – sollte ich nicht daraufhin doch vielleicht Anspruch auf Ersatz aus der Erbschaftsmasse haben?«

Flora warf die Zeitung auf den Tisch. Sie, die in allen Fällen rücksichtslos Vorgehende, war doch einen Augenblick in Verlegenheit, wie sie diesen unzerstörbaren Einbildungen gegenüber ihre Worte zu wählen habe. Sie hatte bis zur Stunde geschwiegen, voraussetzend, daß sehr bald einer der guten Freunde die Aufklärung übernehmen werde, aber die guten Freunde waren ja schon gestern ausgeblieben, es ließ sich keiner mehr blicken – und nun mußte sie es selbst tun. Sie durfte doch nicht zugeben, daß sich ihre Großmama mit dieser beispiellosen Zuversicht und Harmlosigkeit vor aller Welt bloßstelle.

»Großmama«, sagte sie mit gedämpfter Stimme und legte die Hand auf den Arm der alten Dame, »es fragt sich vor allen Dingen, wie hoch sich diese Erbschaftsmasse beziffern wird.«

»O Kind, sieh dich um, sieh nur zum Fenster hinaus, und du wirst wissen, daß man den Abzug meiner viertausend Taler an dem Nachlaß kaum merken wird. Mag auch das ungeheure Kapitalvermögen, mit dem Moritz arbeitete, unwiederbringlich verloren sein, weil alle darauf bezüglichen Bücher und Urkunden vernichtet sind, die Liegenschaften und anderen Wertgegenstände, die er hinterlassen hat, bedeuten immer noch einen Besitz, den man reich, ja, glänzend nennen darf.« – Ein tiefer, schmerzlicher Seufzer hob ihre Brust. »Ich wollte Gott danken, wenn ich den unbestrittenen Anspruch an diese Erbschaft hätte.«

Flora zuckte die Achseln. »Wer weiß, ob du sie antreten würdest –«

Die Präsidentin fuhr empor. »Bist du toll, Flora? So schwach ich auf meinen Füßen bin, ich wollte stundenweit laufen, ich wollte wochenlang hungern und dürsten und kein Auge schließen, wenn ich mir dadurch die Ansprüche der Alleinerbin erringen könnte. – Sollte man es glauben, daß das Geschick so teuflisch, so grausam sein könnte? Ich, ich in meiner Stellung, muß mich hinausstoßen lassen aus dem Hause, das seinen Glanz, seinen vornehmen Anstrich einzig und allein mir verdankt, und sie, eine ganz unbekannte alte Person, die jetzt noch ahnungslos altes Leinen für Fremde flickt, die es ihr Leben lang nicht besser gewußt und gehabt hat, sie wird sich hier breit machen.«

»Darüber brauchst du dich nicht aufzuregen, Großmama – die alte Tante am Rhein erbt so wenig wie du –«

»Ah, so treten doch noch andere Erben auf?«

»Ja – die Gläubiger.«

Die Präsidentin taumelte in den Armstuhl zurück.

»Still! Ich bitte dich, errege kein Aufsehen«, murmelte Flora. »Drunten im Untergeschoß gibt es Leute, die das noch viel besser wissen als ich. Sie sind im Begriff, das Haus zu verlassen, wie die Ratten das sinkende Schiff. Ich kann und darf es dir nicht länger verschweigen, wie die Sachen stehen. Jetzt heißt es sich der Lage gewachsen zeigen, wenn wir uns, als die Geprellten, nicht unsterblich lächerlich machen wollen.« – Sie zog die schwarze Kreppwolke um Kinn und Hals der alten Dame in die gehörige Faltenordnung und steckte die mit einer einzigen wilden Handbewegung völlig zerstörten weißen Lokkenpuffen wieder auf. »So darf dich niemand sehen, Großmama«, sagte sie streng. »Wir müssen uns so rasch wie möglich mit Haltung und Ruhe aus der Angelegenheit ziehen – sie ist zu gemein und entehrend. Darüber waltet kein Zweifel mehr, daß die Explosion eine Verzweiflungstat — auf deutsch gesagt: ein Schurkenstreich — von seiten Römers gewesen ist.«

»Der Elende! Der gemeine Betrüger!« schrie die Präsidentin aufspringend — die wahnsinnige Aufregung ließ sie plötzlich im Zimmer hin- und herlaufen, als sei ihr ein Räderwerk in die schwachen Füße gekommen.

Flora deutete nach dem einen Fenster, vor dessen zerschlagenen Scheiben kein schützender Laden lag. »Bedenke, daß man dich draußen hört!« warnte sie. »Seit dem Morgengrauen schleichen Geschäftsleute um das Haus. Die Aufregung in der Stadt soll grenzenlos sein. Es sind Leute, die die Angst um ihr Geld aus den Federn getrieben hat. Was wir während des letzten halben Jahres in unserer großen Wirtschaft gebraucht haben, steht noch in den Büchern der Lieferanten. Der Fleischer hat sich sogar in das Haus hereingewagt und in dreister Weise gefordert, daß man dich wecken möchte, er habe mit dir zu reden. Jedenfalls will er versuchen, von dir, weil du dem Haushalte vorgestanden hast, die ihm schuldigen sechshundert Taler zu erpressen, ehe die Gerichte einschreiten.«

»Pfui, in welchen Sumpf hat uns jener erbärmliche Wicht gelockt, um sich dann feig aus dem Staube zu machen!« rief die Präsidentin, halb erstickt vor Grimm und Erbitterung, und zog sich unwillkürlich von dem offenen Fenster zurück. Sie rang die Hände. »Gott im Himmel, welch entsetzliche Lage! Was nun tun?«

»Vor allen Dingen einpacken, was uns mit Fug und Recht gehört, und das Haus räumen, wenn wir nicht wollen, daß unser Eigentum mit versiegelt werde. Da könnten wir wohl lange warten, bis es uns zurückgegeben würde. Ich bin im Begriffe, hinaufzugehen und meinen« — sie unterbrach sich mit einem schneidenden Lachen — »meinen Brautschatz in Kisten und Koffer zu bringen. Dann will ich mit den Leuten die Hausbestände aufnehmen, und wenn du nicht selbst die Übergabe vollziehen willst —«

»Nun und nimmermehr —«

»Dann mag es die Wirtschafterin tun. Wir haben Grund genug, krank zu sein.« Sie nahm den Schlüssel zu dem Zimmer, in dem der Brautschatz aufgestellt war, aus ihrem Schreibtisch, während die Präsidentin mit verzweifelt gen Himmel gehobenen Armen davonstürzte, um das Ihrige vor den Gerichtssiegeln in Sicherheit zu bringen.

27.

Über den Baumwipfeln des Parkes wehte die Morgenluft und zog durch das weit offene Fenster; sie trug ein traumhaftes, halbverlorenes Wasserrauschen vom fernen Fluß her in die Kirchenstille des Schlafzimmers und hauchte das weiße Gesicht der schlummernden Kranken mit Reseda- und Levkojendüften an. Und das rote wilde Weinlaub, das draußen den Fensterrahmen umkränzte, bebte im leisen, samtweichen Zugwind; es sah aus, als habe es die dreifingrigen Purpurblätter im Vorüberstreifen gepflückt und über die weiße Bettdecke und das gelöste aschblonde Haar verstreut und die blassen Hände in das kühle Laub wohlig vergraben. Henriette hatte sich die Blätter pflücken lassen, »als letzte Grüße des Sommers, der sich nun auch zur Wanderschaft anschicke«.

Käthe saß am Bett und behütete den Schlaf der Schwester. Sie hatte selbst das dreist herbeifliegende Rotschwänzchen, das gewohnt war, Kuchenkrümchen auf dem Fenstersims zu finden, mit einer angstvollen Handbewegung fortgescheucht, sein zartes Gezwitscher klang fast erschreckend in das bange Schweigen. Doktor Bruck hatte seine Kranke für eine halbe Stunde verlassen müssen, der Fürst bestand darauf, den Arzt, der ihn nach so vielen fehlgeschlagenen Heilversuchen in kurzer Zeit vollkommen hergestellt hatte, bis zu dessen Abreise als Berater täglich zu empfangen. Und so war Bruck gegangen, die günstige Schlummerstunde benutzend, wo Henriette ihn nicht vermißte.

Die Kammerjungfer hatte mit einer Näharbeit hinter dem Bettvorhang Platz genommen, um nötigenfalls bei der Hand zu sein. Sie sah dann und wann verstohlen zu dem regungslosen jungen Mädchen dort im Armstuhl hinüber. Drunten im Untergeschoß hatten sie vorhin davon gesprochen, daß »das Fräulein aus der Mühle« bei »dem Streich des gnädigen Herrn« am schlimmsten wegkomme, und sie meinte nun, ein Menschenkind, dem eben eine halbe Million aus der Hand geschlüpft sei, müsse doch ganz anders verzweifelt aussehen als die junge Dame, die, den Verband über der Stirn und die schönen Glieder in ein weiches weißes Morgenkleid gehüllt, traurig ernst, aber still gefaßt, wie eine Bildsäule in ihrer aufmerksam beobachtenden Stellung verharrte. »So jung und so gesetzt, so frischblühend und lebensstrotzend, und doch so wenig für die Welt und alle ihre guten Dinge!« meinte die Beobachterin in ihren Zofengedanken weiter — da war die schöne Dame klüger, die jetzt drüben ihren Brautschatz einpackte: sie brachte vor allen Dingen ihre Sachen in Sicherheit; sie hetzte ihre Jungfer treppauf, treppab, nach jedem Taschentuch, das sich in die Hauswäsche verirrt hatte und mit gepackt werden sollte — sie wollte gar nichts verlieren. Nun reiste sie mit ihren Koffern und Kisten dem Bräutigam voraus nach L. . . und ging allen Schrecknissen, die jeden Augenblick über die Villa hereinbrechen konnten, aus dem Wege. Man hätte sich zu Tode ärgern mögen, daß ihr auch alles glückte, was sie durchsetzen wollte. Und jetzt wurde auch noch im Aussteuerzimmer so laut gepoltert, daß die Kranke aus dem Schlaf aufschrak.

»Das gnädige Fräulein kramt drüben und packt ihre Sachen«, sagte Nanni mit erkünsteltem Gleichmut, als Käthe entsetzt emporfuhr und die Hände beschwichtigend über die Halberwachte hinstreckte.

Henriettes Wohnzimmer trennte die beiden Räume.

Käthe erhob sich, und die nach dem Nebenzimmer führende Tür hinter sich schließend, ging sie in den Raum, wo gepoltert wurde.

Flora stieß einen leisen Schrei aus — es blieb unentschieden, ob vor Schreck oder aus Ärger über die Störung —, als die hohe, weiße Gestalt auf der Schwelle erschien und mit gedämpfter Stimme um Ruhe für die Schlummernde bat.

»Ich habe nicht geglaubt, daß das Aufstellen der Kisten bis zu Henriette hinüberschallte — wir werden vorsichtiger sein«, sagte sie kurz, aber mit erregter Stimme. Ein böses Lächeln stahl sich auf ihre Lippen. »Du schleichst ja so lautlos durch das Haus, daß man denken könnte, die Ahnfrau der Baumgarten habe, weil es in der Stammburg mit dem Wandeln aus und vorbei ist, ihren Sitz in der Villa aufgeschlagen. Unheil genug heftet sich an deine Fersen — wo du eintrittst, sollte ein rechtschaffener Christ drei Kreuze schlagen.«

Sie schickte die Kammerjungfer mit einer Handbewegung aus dem Zimmer. »Halt!« rief sie, als Käthe dem Mädchen schweigend folgen wollte. »Wenn ein Funken von Frauenehre in dir lebt, so stehst du mir jetzt Rede.«

Käthe streifte gelassen die Hand ab, die ihr Kleid festielt, und trat in das Zimmer zurück. »Ich stelle mich dir zur Verfügung«, sagte sie ruhig und heftete ihre ernsten Augen fest auf das leidenschaftlich erregte Gesicht der Schwester. »Nun bitte ich dich, nicht so überlaut zu sprechen, damit uns Henriette nicht hört.«

Flora antwortete nicht. Sie ergriff Käthes Hand und zog sie in die Nähe des Fensters. »Komm her! Laß dich einmal ansehen! Ich muß wissen, wie du aussiehst, nachdem du geküßt hast.«

Das junge Mädchen wich zurück vor dem funkelnden Blick, der ihr, im Verein mit der leichtfertigen Bemerkung, die tiefe Glut der beleidigten Scham in das Gesicht trieb. »Als ältere Schwester solltest du doch Abstand nehmen, einen solchen Ton anzuschlagen —«

»Ei, du heilige Unschuld! Und ich sage dir: Als jüngere Schwester solltest du dich schämen, deine Augen auf einen Mann zu werfen, der mit der älteren verlobt ist!«

Käthe stand wie vom Blitz getroffen. Wer hatte in die Tiefen ihres Herzens geblickt und das Geheimnis, das sie angstvoll, mit Aufbietung aller inneren Kraft hinabgedrängt hatte, an das Licht gezogen? Sie fühlte, wie sie sich entfärbte, sie wußte, daß sie in diesem Augenblick wie eine an dem schwersten Verbrechen Ertappte dastand, und doch brachte sie keinen Laut über ihre Lippen.

»Schau, das böse Gewissen! Man könnte es nicht besser darstellen«, lachte Flora und berührte mit dem Finger die Brust des Mädchens. »Ja, nicht wahr, Schatz, und wenn man es noch so schlau einfädelt, die ältere Schwester läßt sich nicht hinter das Licht führen! Sie sieht solch einer ›reinen‹ Mädchenseele bis auf den Grund, sie verfolgt mit klugem Blick die verschiedenen zarten Regungen von der ersten Blumenspende an, die man mit dem kindlichen Wunsch, Aufmerksamkeit zu erregen, dem Mann in sein Zimmer legt —«

Jetzt kam Leben in die förmlich versteinerte Gestalt des jungen Mädchens. Unwillkürlich schlug sie die Hände zusammen. War es möglich, daß man ihr aus dieser kleinen Nachlässigkeit, die ihr ja selbst Tränen des Verdrusses erpreßt hatte, einen solchen gehässigen Vorwurf machen konnte?

»Diese Vergeßlichkeit habe ich mir allerdings zuschulden kommen lassen«, sagte sie, ihre hohe Gestalt stolz aufrichtend. »Wer dir aber auch davon gesprochen haben mag —«

»Wer? Er selbst, Kleine.«

»Dann bist du es, die den Vorfall in ein völlig falsches Licht zieht —«

»Ah, Kind, nimm dich ein wenig zusammen! Die so lange verhaltene Leidenschaft bricht dir aus den Augen!« rief Flora mit kaltem Lächeln, aber ihre Fußspitze hämmerte in kaum zu bezähmendem Grimm auf dem Boden. »Also ich lüge? Nicht er, mein Fräulein, indem er sich der Eroberung rühmt?«

Es war abermals, als fliehe jeder Blutstropfen aus dem Mädchengesicht, während sie energisch den Kopf schüttelte. »Nein! Und wenn du mir das zu tausend Malen wiederholst, ich glaube es nicht. Eher werde ich irre an allem, was uns als gut und recht hingestellt wird. Er sollte eine Unwahrheit auch nur denken? Er sollte sich, wie nur irgendein charakterloser Geck, einer Eroberung rühmen? Er, der —« Sie unterbrach sich, als erschrecke sie vor ihrer bewegten Stimme. »Du hast ihn häßlich verdächtigt, als ich hierherkam«, setzte sie hinzu.

»Damals durfte ich dir nicht entgegentreten, obgleich ich unwillkürlich sofort für ihn Partei ergriff, aber jetzt, wo ich ihn kenne, leide ich nicht, daß er auch nur mit einem Wort verunglimpft wird. Geradezu unglaublich ist's, daß ich dir das sagen muß. Wie kannst du es übers Herz bringen, die Ehre dessen fortgesetzt anzugreifen, der dir in Kürze seinen Namen geben wird?«

Flora fuhr bei den letzten Worten herum und maß die Sprechende mit einem ungläubigen Blick, als traue sie ihren Sinnen nicht. »Entweder du bist eine vollendete Schauspielerin, oder — eine Liebeserklärung muß dir schwarz auf weiß überreicht werden, wenn du sie verstehen sollst. Du wüßtest wirklich nichts?« Mit einem unverschämten Lächeln legte sie beide Hände auf Käthes Arm und schob sie heftig von sich. »Bah, was will ich denn noch? Hast du nicht eben gekämpft und dich ereifert, als wolltest du den letzten Atemzug für ihn verhauchen?«

Käthe wandte ihr den Rücken und schritt nach der Tür. »Ich sehe nicht ein, weshalb du mich vorhin zurückgehalten hast«, sagte sie unwillig.

»Ach, war ich zu verblümt! Muß ich durchaus gut deutsch reden? Nun denn, meine Liebe, ich will nichts mehr und nichts weniger wissen, als was Bruck gestern und heute mit dir verhandelt hat.«

»Was er mit mir verhandelt hat«, fuhr Käthe fort, »das darfst du wissen, Wort für Wort. Er hat sich bemüht, und ich habe es ihm schwer genug gemacht, mein blindes Hoffen auf eine abermalige Besserung der Kranken zu zerstören — er hat sich bemüht, mich darauf vorzubereiten, daß« — ihre Stimme brach, und halb verhaltene Tränen glänzten in ihren Augen — »Henriette uns verlassen wird.«

Flora trat schweigend und sichtlich verwirrt an das Fenster. Bei aller Selbstvergötterung kam ihr doch vielleicht die Ahnung, daß sie diesen beiden Menschen gegenüber in allen Fällen eine klägliche, verlorene Rolle spiele. »Kind, weißt du das nicht längst?« sagte sie in gedämpftem Ton. Sie trat mit lautlosen Schritten wieder an das Mädchen heran. »Und war das wirklich Wort für Wort der Inhalt eurer Gespräche?«

Das Gefühl unsäglicher Verachtung stieg in Käthe auf. Sie meinte, das sei gemeine Eifersucht nicht der liebenden, sondern der eitlen Frau, die dem Mann nachschleiche und jedes seiner Worte zu überwachen suche. »Glaubst du, Bruck habe in solchen Stunden, wo er der armen Kämpfenden Trost und Stütze sein muß, für irgend etwas anderes Sinn und Teilnahme«, antwortete sie mit ernster Zurückweisung, »noch dazu an einem Schmerzenslager wie das da drüben, wo ihm die treueste Freundin auf Erden stirbt?«

»Ja, sie hat ihn geliebt«, sagte Flora kalt.

Eine Flamme schlug über Käthes Gesicht hin – Flora weidete sich förmlich an der mädchenhaften Unbeholfenheit, mit der die junge Schwester ihr Erglühen zu verbergen suchte. »Ei ja, der Mann kann sich beglückwünschen zu dem Zauber, der ihn, ihm selbst unbewußt, umgibt, der die Mädchenherzen anzieht wie die Lichtflamme einen Mückenschwarm. Und die Welt wird lachen, wenn sie erfährt, daß, so viele Töchter Bankier Mangold hinterlassen hat, auch ebenso viele in den Lichtkreis hineingetaumelt sind. – Bleib!« Sie hatte in fast spielendem Tone gesprochen, bis zu dem Augenblick, wo Käthe sich abermals abwandte und nach der Tür eilte – jetzt kam der herrische Befehl wie ein wilder Schrei von ihren Lippen. Das junge Mädchen blieb, als wäre es festgewurzelt, aus Furcht, daß der Aufschrei sich wiederholen und die Kranke erschrecken könne. »Auch unsere Jüngste, die schöne Müllerin, derb von Gliedern und tapfer von Gemüt, ist so schwach gewesen«, fuhr sie fort. »Oh, möchtest du protestieren mit dieser trotzigen Miene, mit diesem kläglichen Versuch, stolz und beleidigt auszusehen? Nun gut – ich will dir glauben. Du kannst dich reinwaschen, wenn du widerrufst, was du vorhin mit solch unvergleichlichem Nachdruck zu Brucks Verherrlichung ausgesprochen hat –«

»Nicht das geringste widerrufe ich.«

»Nun siehst du wohl, du Sünderin, daß du deiner sträflichen Liebe mit Haut und Haar verfallen bist? Sieh mir in die Augen!

Kannst du deiner verlobten Schwester ins Gesicht hinein ›nein‹ sagen?«

Käthe hob den gesenkten Kopf und sah über die Schulter zurück. Sie griff nach der Stirnwunde, die infolge der Nervenaufregung zu schmerzen begann, aber das geschah unbewußt — und wenn ihr Leben der Wunde entströmt wäre, sie hätte es nicht beachtet in diesem Augenblick, wo sich ihr ganzes Denken und Fühlen auf einen Punkt richtete. »Du hast kein Recht, mir eine solche Beichte abzuverlangen«, sagte sie fest und doch mit einer Stimme, aus der stürmisches Herzklopfen klang; »ich bin nicht verpflichtet, dir zu antworten. Aber du hast mich eine Sünderin genannt, du hast von Verrat gesprochen — das sind dieselben Worte, mit denen ich mich selbst beschuldigt und gestraft habe, bis ich mir klargeworden bin über die Neigung, die du eine sträfliche nennst —«

»Ah, ein Bekenntnis in bester Form!«

Ein weiches Lächeln spielte um den blaßroten Mund, ein verklärender Schimmer legte sich über das erbleichte Gesicht, das in diesem Augenblick weiß erschien wie die Binde über der Stirn. »Ja, Flora, ich bekenne, weil ich mich nicht zu schämen brauche, ich bekenne auch um unseres verstorbenen Vaters willen. Ich will die scheinbare Schuld, als griffe ich nach den heiligen Rechten einer meiner Schwestern, seinem Andenken gegenüber nicht auf meiner Seele haben. Für unsere Gefühle können wir nicht — verantwortlich sind wir nur für die Macht, die wir ihnen einräumen, das weiß ich nun, nach dem erfolglosen Kampf mit einer rätselhaften Neigung, von der man sich plötzlich sagt, daß sie mit einem geboren und immer dagewesen sein muß. Ist es Sünde, wenn ich liebe, ohne zu begehren? Ich will nichts von euch. Ich werde nie deinen und Brucks Weg kreuzen. Ihr sollt nie wieder von mir hören, sollt euch nicht einmal meiner erinnern. Was kann es eurem ehelichen Glück schaden, wenn ich liebe, so lange ich atme, und ihm die Treue halte wie einem Gestorbenen?«

Ein verletzendes Auflachen unterbrach sie. »Nimm dich in acht, Kleine! Im nächsten Augenblick wird dein dichterischer Schwung in Verse verfallen!«

208

»Nein, Flora, die überlasse ich dir. Und sprichst du dich ganz frei von Schuld, Flora?« fragte Käthe rasch mit fliegendem Atem. »Was war es, daß mich zu Anfang erfüllt hat? Mitleid, unsägliches, schmerzliches Mitleid mit dem Mann, den du nicht verstanden, den du vor unser aller Augen gemißhandelt und um jeden Preis abzuschütteln gesucht hast. Wäre es nicht eine schwere Schuld gewesen, wozu hättest du dann Abbitte geleistet? Ich habe dich als Büßende gesehen . . . Als du den Ring in den Fluß warfst —«

»Gott im Himmel, Käthe! Wärme doch nicht immer die alte Vision auf, die du einmal gehabt haben willst«, rief Flora und preßte sekundenlang die Hände auf die Ohren. Dann hielt sie dem jungen Mädchen den Goldfinger unter die Augen. »Da — da sitzt er ja. Und ich kann dir versichern, daß er echt ist — die gravierten Buchstaben lassen nichts zu wünschen übrig . . . Um aber der Sache ein Ende zu machen, will ich dir sagen, daß dieses Ding da in meinem Leben keine Rolle mehr spielt, es sei denn die eines Drahtes, an dem man eine Puppe lenkt — mein bräutliches Verhältnis zu Bruck ist gelöst —«

Käthe fuhr bestürzt zurück. »Die Lösung hast du ja schon früher erfolglos versucht«, stammelte sie verwirrt, atemlos.

»Ja, damals hatte der Erbärmliche noch einen Rest von Kraft in der Seele. Jetzt ist er windelweich geworden.«

»Flora — er gibt dich frei?«

»Mein Gott, ja, wenn du denn durchaus die Freudenbotschaft noch einmal hören willst —«

»Dann hat er dich auch nie geliebt. Dann hat ihn damals etwas anderes getrieben, auf seinen Rechten zu beharren. Gott sei Dank, nun kann er noch glücklich werden!«

»Meinst du? Wir sind auch noch da«, sagte Flora, sie legte ihre Hand mit festem Druck auf den Arm des jungen Mädchens, und ihr Blick tauchte drohend in die verklärten braunen Augen. »Ich werde ihm die Stunde nie vergessen, in der er mich vergebens um meine Freiheit betteln ließ. Nun soll er auch fühlen, wie es tut, wenn man den Becher zum ersehnten Trunk an die Lippen setzt und er wird einem aus der Hand geschleudert.

Ich gebe den Ring nicht heraus, und sollte ich ihn mit den Zähnen festhalten —«

»Den gefälschten —«

»Willst du das beweisen, Kleine? Wo sind deine Zeugen?«

Sie hatte einen der rings verstreuten Orangenzweige ergriffen und wiegte ihn zwischen den Fingerspitzen spielend hin und her. Sie sah aus wie ein schönes Raubtier, das ein Opfer mit geschmeidigen Windungen des schlanken Körpers umkreist.

»Nun, Käthe, du liebst ihn ja. Hast du nicht Lust, für ihn zu bitten — wie?« hob sie wieder an, die langsam gsprochenen Worte scharf betonend. »Schau, ich habe sein Glück in der Hand, ich kann es zerdrücken, ich kann es aufleben lassen, ganz nach Belieben. Diese Machtvollkommenheit ist für mich allerdings unbezahlbar, und doch — kaum kann ich der Versuchung widerstehen, sie hinzugeben, lediglich einmal zu erproben, inwieweit die hochgepriesene sogenannte wahre Liebe feuerfest ist . . . Gesetzt, ich legte diesen Ring mit der Befugnis in deine Hand, ihn zu verwenden, wie es dir gut dünkt — versteh mich recht: ich selbst hätte mich dann von diesem Augenblick an jedes Einspruchs, jedes Anrechtes begeben — würdest du bereit sein, dich jeder meiner Bedingungen zu unterwerfen, damit Bruck von dieser Stunde an freie Wahl hätte?«

Käthe hatte unwillkürlich die Hände verschlungen und drückte sie fest gegen die wogende Brust. Man sah, ein unbeschreiblicher Kampf arbeitete in dieser jungen Seele. »Ich unterwerfe mich jeder, auch der härtesten Bedingung sofort, wenn ich Bruck aus diesen Schlingen erlösen kann«, rang es sich heiser, aber entschlossen von ihren Lippen.

»Nicht zu lebhaft, meine Tochter! Du könntest mit diesem übereilten Opfermut leicht dein eigenes Lebensglück hinwerfen.«

Das junge Mädchen schwieg und legte die Rechte an die schmerzende Stirn. Man sah, der Starken brach eine Stütze nach der anderen, der Jugendmut, die Kraft, die auf sich selber pocht, der Glaube an das schließliche innere Überwinden —

nur der Wille blieb stark. »Ich weiß, was ich will – da braucht es kein Besinnen«, sagte sie.

Flora hielt den Blütenzweig vor das Gesicht, als atme sie den Duft der künstlichen Blumen ein. »Und wenn er nun – vielleicht nur um mich zu demütigen – dich selbst begehrte?« fragte sie mit einem blitzenden Seitenblick.

Der jungen Schwester stockte der Atem. »Das wird er nicht – ich war ihm nie sympathisch.«

»Das ist richtig. Ich will aber einmal annehmen, er sagte dir, daß er dich liebe, da wäre das Unterpfand seiner Freiheit denn doch sehr schlecht aufgehoben in deinen Händen – meinst du nicht? . . . Er würde eines Tages um die Geliebte freien, und sie könnte nicht widerstehen, und ich mit meinen unbestrittenen Anrechten hätte das Nachsehen – nein, ich behalte meinen Ring.«

»O Gott, darf es wirklich geschehen, daß eine Schwester die andere so entsetzlich martert?« rief Käthe in schmerzlicher Entrüstung. »Aber gerade in diesem Augenblick, der deine ganze beispiellose Selbstsucht, dein Herz ohne Erbarmen, deine unbezwingliche Neigung zu Ränken bloßlegt wie noch nie, fühle ich mich doppelt berufen, Bruck um jeden Preis von dem Vampir zu befreien, der nach seinem Herzblut trachtet – du darfst keine Gewalt mehr über ihn haben . . . Er soll ein neues Leben anfangen. Er wird sich eine Häuslichkeit schaffen, die ihn beglückt und befriedigt, er wird nicht mehr verurteilt sein, an der Seite einer herzlosen Gefallsüchtigen ein steifes Gesellschaftsleben zu führen – «

»Sehr verbunden für die schmeichelhafte Beurteilung! Du sprichst viel zu warm für sein Glück, als daß ich dir mein Kleinod anvertrauen möchte.«

»Gib es her – du kannst es getrost.«

Die Lippen des jungen Mädchens zuckten in unsäglicher Qual. Sie verschlang die Hände angstvoll ineinander, wie es die Verzweiflung tut, aber sie blieb standhaft. »Wäre es auch – ich bin nicht unersetzlich. Wie leicht wird es ihm werden, eine Bessere zu finden! Und daß er nicht wieder blindlings ein falsches Los zieht, dafür bürgt seine schmerzliche Erfahrung.

Gib mir den Ring, den gefälschten, von dem ich weiß, daß in Wahrheit auch nicht die leiseste Spur von einem Recht mehr an ihm hängt – ich verspreche dir, ihn zu achten wie den, der im Fluß liegt, weil er trotz alledem Brucks Befreiung verbürgt.« Sie streckte die Hand aus.

»So wie ich dich kenne, bist du ehrenhaft genug, ihn nie zu deinen Gunsten zu verwenden«, sagte Flora, den Ring abstreifend. Ein leises Zittern durchlief Käthes Glieder, als das Gold ihre Handfläche berührte – dann schlossen sich die Finger wie im Krampf über dem Reif; dabei stahl sich ein bitter-verächtliches Lächeln um den Mund des Mädchens – sie war zu stolz, auch nur mit einer Silbe ihre makellose Absicht zu beteuern.

»Nun?« rief Flora beunruhigt.

»Du hast mein Wort. Jetzt bin ich die Puppe, die du an diesem Draht lenkst«, – sie hob die geschlossene Hand mit dem Goldreif – »bist du zufrieden?« Damit ging sie.

In dem Augenblick, wo sie auf die Schwelle der geöffneten Tür trat, kam Doktor Bruck die gegenüberliegende Treppe herauf. Sein Blick überflog die zwei Gestalten, von denen die eine aufrecht, sieghaft inmitten des Zimmers stand und ihn kalt anlächelte, während das Mädchen bei seinem Anblick fast zusammenbrach.

Er eilte bestürzt herbei und legte rückhaltlos den Arm um die Schwankende. Die Tür hinter ihnen fiel zu.

28.

Nachmittags brach der Sturm los, den die wie die Möwen um das Haus schwirrenden Gerüchte verkündigt hatten – eine Gerichtskommission erschien. Sie kam für alle zu früh. Noch schleppten die Bedienten die altmodischen, blinden Mahagonitische und Kommoden der Präsidentin, die Sofas und Stühle mit den verstaubten und zerschlissenen Bezügen vom Dachboden herab in den Hauptgang, noch standen Floras Kisten mit dem eingepackten Brautschatz droben und harrten auf den säumigen Spediteurwagen.

Die Präsidentin hatte sich stolz und vornehm in ihr Schlafzimmer zurückgezogen — sie wollte die Herren nicht sehen, aber so höflich und rücksichtsvoll diese auch waren, sie durften auf die Nervenanfälle der gnädigen Frau keine Rücksicht nehmen, sie mußten fragen, ob die Zimmereinrichtung ihr eigen sei, und auf das Verneinen der Dame hin bitten, einstweilen in einen leerstehenden, heizbaren Vorraum überzusiedeln, weil das Zimmer versiegelt werden müsse. Nun wurden die alten Möbel aus dem Gang in das kleine, freundliche Zimmer geschoben, die außer Gebrauch gesetzten Federbetten gelüftet und bezogen und unter die verschossene, braunseidene Steppdecke gesteckt, die der Präsidenten seit Jahren nicht vor die Augen gekommen war. Die Jungfer richtete das Stübchen so wohnlich wie möglich ein, sie hatte den kleinen Mahagoniblumentisch am Fenster mit einigen aus dem Wintergarten eroberten Blattpflanzen gefüllt und manches aus dem Schlafzimmer herübergerettet, das ihrer verwöhnten Herrin besonders unentbehrlich war, aber die alte Dame sah die Bemühungen nicht — sie saß am Fenster und stierte nach dem Gartenhaus hinüber, dessen neuglänzendes Dach hinter dem Gebüsch auftauchte.

Dieser gefürchtete und verhaßte »Witwensitz« war ein wahres Feenschlößchen geworden. Dieses Kleinod hatte ihr Eigentum sein sollen bis an ihr Ende, und sie hatte es verächtlich mit dem Fuß fortgestoßen, aus Furcht, es werde sie von der Geselligkeit im Hause des Kommerzienrates trennen — und nun, und nun!!

Währenddessen kämpfte Flora um ihre Sachen, aber alle erschöpfenden Gründe, selbst das schließliche Sichberufen auf das Zeugnis der Dienerschaft waren vergeblich. Fräulein Mangold möge sich später melden, augenblicklich müsse alles Vorgefundene in Bausch und Bogen unter die Siegel — lautete die höfliche, aber sehr bestimmte Antwort. Und so ging es treppauf, treppab, stundenlang. Man hörte einen Zimmerschlüssel nach dem anderen im Schloß kreischen und die noch offenen Fensterladen vorlegen – es war schauerlich, wie sich so nach und nach hinter den Vollstreckern des Gesetzes her die Dunkelheit und das Schweigen in den verlassenen Ecken niederließ. Zwischen das Treiben hinein schimpfte und fluchte die Dienerschaft nunmehr ganz offen und jammerte um den rückständigen Lohn, aber jedes schnürte sein Bündel, um das Haus zu verlassen.

Und inmitten dieser Verwirrung hob die Mädchenseele droben im ersten Stock die Flügel, um nach jahrelangem Kampf den kranken Leib leise und klaglos abzustreifen.

Henriettes Zimmer blieben unberührt von dem Geräusch der Beschlagnahme – was die Sterbende umgab, war ihr Eigentum. Man bemühte sich auch, in ihrer Wohnung jeden Lärm zu vermeiden, und so drang nichts zu der scheidenden Seele, was sie noch einmal aufschrecken und in den irdischen Jammer zurückblicken machen konnte. Sie sah nur vor sich, durch das offene Fenster, in einen wahren Rosenhimmel hinein, sie sah die Schwalben mit ihren weißen Brust- und Flügelfedern wie silberne Kreuze unter den hochziehenden, rotglänzenden Abendwolken hinschießen, hastig, von dem erwachten Wandertrieb in der Brust beunruhigt. Noch gestern waren feine Rauchstreifen von der Ruine her vorübergezogen, und fernes Geräusch hatte die Gedanken des kranken Mädchens immer wieder auf sich gelenkt und schmerzbewegt um die Unglücksstätte kreisen lassen, wo die berstenden Mauern zusammengestürzt waren über »dem Unvorsichtigen«, an dem sie bei allen seinen Schwächen doch mit schwesterlicher Zuneigung gehangen hatte. In die jetzige feierliche Abendstunde aber, in das stille Hingehen des Tages und eines kurzen Mädchenlebens, mischten sich keine Anzeichen jener Schrecknisse mehr.

Der Doktor saß an Henriettes Bett. Er sah, wie der Tod dieses Antlitz mit erschreckender Schnelligkeit, Strich um Strich, kennzeichnete, an die Fingerspitzen der Kranken klopfte der entfliehende Lebensstrom in so vereinzelten Pulsschlägen, als

214

kéhre von fern her hier und da eine Welle zurück und spüle noch einmal an das verlassene Ufer.

»Flora!« flüsterte Henriette und sah ihn mit einem sprechenden Blicke an.

»Soll sie kommen?« fragte er, sofort bereit, nach ihr zu gehen.

Henriette schüttelte schwach den Kopf. »Du wirst mir nicht böse sein, wenn ich mit dir und Käthe allein bleiben möchte, bis — « Sie vollendete nicht und pflückte mit halbversagenden Fingern an dem welken roten Weinlaub auf der Bettdecke. »Ich will es ihr ersparen, und sie wird es dir Dank wissen« — noch einmal schwebte der Anflug eines Lächelns schattenhaft um ihren Mund — »sie kann Rührszenen nicht leiden . . . Du sollst nur einen Gruß bringen, Leo.«

Henriettes Augen schweiften über den Himmel hin. »Wie köstlich klar und rosig! Ein Hineintauchen der befreiten Seele muß himmlisch sein«, flüsterte sie innig. »Ob es ein Zurückblicken gibt? Ich will ja nur eines sehen . . .« — sie wandte mühsam den Kopf in den Kissen und sah zum erstenmal mit dem ganzen, unverhohlenen Ausdruck unaussprechlicher Liebe voll zu Bruck auf — »ob du glücklich wirst, Leo. Dann mag es mich fort, in Sonnenfernen tragen.« — Zu sagen: »Ich muß das wissen, um selig werden zu können, weil ich dich geliebt habe mit allen Kräften, mit jeder Faser meines Herzens«, das konnte die scheu verschlossene Mädchenseele selbst in der Todesstunde nicht über sich gewinnen.

Es war, als überfliege ein verklärender Schein die gesenkte Stirn des Doktors. »Es hat sich noch alles glücklich für mich gewendet, Henriette«, sagte er bewegt. »Ich wage zu hoffen, daß ich nicht mehr einsam und verbittert durchs Leben gehen werde, oder besser: ich weiß, daß sich in der zwölften Stunde noch mein Traum von wahrer Lebensbeglückung erfüllen wird — genügt dir das, meine Schwester?« Er zog die schmale erkaltete Hand, die er noch in der seinen hielt, an die Lippen. »Ich danke dir«, setzte er innig hinzu.

Ein Erröten, sanft rosig wie das Abendlicht draußen, kam und schwand in jähem Wechsel auf den Wangen der Sterbenden. Mit einem Ausdruck von scheuem Glück streiften ihre Augen unwillkürlich die Schwester, welche, die Rechte auf Brucks Armstuhl gelegt, sichtlich bemüht war, ihren Schmerz, aber auch eine unverkennbare Bestürzung zu bemeistern. Bei diesem Anblick war Henriettes Herz in Weh und Mitleid.

»Sieh meine Käthe an, Bruck!« sagte sie bittend, aber mit erlöschender Stimme und unaufhörlich von Atemnot unterbrochen. »Laß mich's noch aussprechen, was mich immer bedrückt und geschmerzt hat! Du bist immer so kalt gegen sie gewesen − einmal sogar hart bis zur Grausamkeit − und ihr kommt doch keine gleich, keine! Leo, ich habe dein Vorurteil nie begreifen können . . . Sei gut gegen sie − steh an ihrer Seite −«

»Bis zum letzten Atemzug! Bis über den Tod hinaus!« unterbrach er sie, kaum fähig, seiner stürmischen Bewegung Herr zu werden.

»Sieh, nun ist alles gelöst! Ich weiß es, hältst du sie in treuer Hut, dann wird meine starke, meine mutige Käthe stets zwischen dir und allem Ungemach stehen −«

»Wie eine treue Schwester, die ich ihm von dieser Stunde an sein werde«, vollendete Käthe mit halberstickter Stimme.

Ein geisterhaftes Lächeln irrte um Henriettes Mund − sie schloß die Augen. Sie sah nicht, daß durch die Glieder der Starken, Mutigen Schauer liefen, als schüttle sie das Fieber − sie sah nicht, daß sie Brucks dargebotene Rechte mit weggewendetem Gesicht von sich schob, als sei selbst ein Händedruck nicht statthaft. Das Lächeln erlosch und aus der Brust der Sterbenden rang sich ein röchelnder Laut. »Grüßet die Großmama! − Nun möchte ich Ruhe haben − schaff mir Ruhe um jeden Preis, Leo!« hauchte sie angstvoll.

»In zehn Minuten wirst du schlafen, Henriette«, sagte er in tiefen, beruhigenden Tönen. Er legte ihre Hand auf die Bettdecke zurück, und sich erhebend, schob er seinen Arm sanft und unmerklich unter das Kopfkissen − so lag sie wie ein Kind an seiner Brust.

Und nach zehn Minuten schlief sie. Die hereinnickenden Weinblätter wehten leise, als streife sanfte Berührung an ihnen hin, und das Rosenlicht draußen, in das zu tauchen die Seele sich gesehnt hatte, erglühte plötzlich wie angefacht zum tiefen Purpur. Und der kleine, kirre Vogel ließ sich wie immer zum Abendgruß auf dem Fenstersims nieder, er zwitscherte leise herein, nach dem wachsweißen Mädchengesicht hin – zum letztenmal, denn nun wurde auch dieser Fensterladen geschlossen, bis fremde Hände kamen und Besitz ergriffen vom Hause des Kommerzienrates.

Da kam die Präsidentin herein, gebeugt, als habe ihr das so lange nachschleichende Alter nunmehr mit doppelter Wucht einen Stoß in das Genick versetzt. Die weiße Schleierwolke lag wieder um Kinn und Hals, sie hatte die schwarze Krepphaube fortgeschleudert – um einen Schurken trauere man nicht, hatte sie gesagt. Sie trat an das Bett, und ein leichter Krampf machte ihre Lippen beben, als sie in das stille Totengesicht sah. »Ihr ist wohl«, sagte sie mit brechender Stimme. »Sie hat das bessere Teil erwählt. Nun braucht sie nicht in die Verbannung zu gehen – der bittere, bittere Kampf mit der Armut ist ihr erspart geblieben.«

Flora aber kam und ging wortlos. Die zwei treuen Wächter am Totenbette waren nicht für sie vorhanden. Sie küßte die heimgegangene Schwester auf die Stirn, dann schritt sie, den Kopf in den Nacken zurückgeworfen, wieder nach der Tür, durch die sie gekommen war, die Treppe hinab, um drunten Hut und Regenmantel anzulegen und nach dem nächstgelegenen Gasthof zu gehen, in dem sie Zimmer für sich und die Präsidentin gemietet hatte.

Als man die Tote nach hereingebrochener Dunkelheit fortgetragen hatte in die große Halle, wo sie alle im letzten Schmuck und blumenüberschüttet auf das Öffnen der letzten Pforte warteten, da wurde auch im ersten Stock die letzte Zimmertür verschlossen, und der Doktor und Käthe stiegen die Treppe hinab. Wie schollen ihre Schritte durch das schweigende, verlassene Haus! Wie gespenstisch schlich der Schein der Lampe über die einsamen Wände des Treppenhauses und der Gänge, an denen Tag für Tag die Fluten des üppigsten Lebens,

die übermütigen Zeugen der goldgleißenden Gründerzeit hin-
weggerauscht waren.

Die weiche Nachtluft legte sich wie Balsam auf Käthes heiße, verweinte Augen. Ein sternenfunkelnder Himmel breitete
sich über den schweigenden Park hin. Man konnte die einzel-
nen Baumgruppen unterscheiden, und der Teichspiegel glomm
schwach herüber wie mattes Silber durch schwarzes Schleier-
gewebe. Das Sandgeröll wich knirschend unter den Tritten,
und von fern her tosten die über das Wehr stürzenden Wasser,
aber kein Blatt in den Wipfeln und Büschen regte sich – es war
so lautlos still wie droben im Sterbezimmer, wo man während
der letzten Stunden nur flüsternd das Notwendigste beredet
hatte. Und deshalb schrak auch Käthe jetzt so zusammen und
brach fast in die Knie, als der Doktor mit seiner tiefen, vollen
Stimme das Schweigen unterbrach. Sie hatten gerade das tief-
dunkle Laubtor der Allee vor sich, und da blieb er stehen.

»Ich verlasse in wenigen Tagen die Residenz, und so wie ich
Sie kenne, werden Sie bis dahin weder zu meiner Tante kommen, noch mir gestatten, die Mühle zu betreten«, sagte er – eine unsägliche Beklommenheit und Spannung lag in diesen Tönen. »Ich muß mir also sagen, daß wir zum letztenmal nebeneinander gehen – das heißt für jetzt –«

»Für immer!« unterbrach sie ihn tonlos, aber fest.

»Nein, Käthe!« sagte er entschieden. »Eine Trennung für
immer wäre es allerdings, wenn ich das, was Sie vor wenigen
Stunden ausgesprochen haben, für unverbrüchlich halten
müßte, denn – eine Schwester will ich nicht . . . Glauben Sie,
ein Mann werde sich zeitlebens da mit wohlgemeinten schwesterlichen Briefen begnügen, wo er sich nach dem lebendigen
Wort von geliebten Lippen sehnt? . . . Aber nein, das wollte
ich ja heute nicht sagen. Die Selbstsucht reißt mich hin, Sie in
einem Augenblick zu bestürmen, wo Sie eine so bittere
Schmerzenslast zu tragen haben. Nur über eines muß ich mich
noch aussprechen. Sie haben heute nachmittag eine Begegnung in dem Zimmer gehabt, aus dem Sie mir in der heftigsten
Gemütsbewegung entgegentraten. Man hat Ihnen mitgeteilt,
was geschehen ist, und dabei ist selbstverständlich der ganze

mißliche Anschein, den eine solche gewaltsame Lösung stets gewinnt, auf mich allein gefallen — ich sah das an Ihren Mienen, und später, als Sie sich gegen eine innere Beziehung verwahrten, indem Sie Henriette zuliebe mir eine Schwester sein wollten, da hörte ich auch, daß böse Einflüsterungen Macht über Sie gewonnen hatten! — Gott sei Dank, nicht für immer! Ich weiß es — Ihr klarer, kluger Blick mag sich vielleicht vorübergehend trüben, aber er wird sich nicht hartnäckig verschließen. Käthe, ich war neulich an dem schreckensvollen Nachmittag, in meinem Garten, ich stand hinter dem Ufergebüsch, und drüben legte ein Mädchen die Stirn an einen Baumstamm und weinte bitterlich.«

Käthe machte eine Bewegung, als wolle sie in die Allee hineinfliehen, allein schon hatte Bruck ihre Hand gefaßt und hielt sie mit festem Druck. »Ich sah das Mädchen leibhaftig vor mir stehen, das ich eben in Gedanken voll Sehnsucht in meinen Armen gehalten und an das Herz gedrückt hatte. Ich war eben in dem letzten der Kämpfe, die ich monatelang durchlitten, Sieger geblieben, das heißt, ich hatte falsche Ansichten von mir geschüttelt und mir gesagt, daß ich ein Meineidiger sei, wenn ich, die unbezwingliche Leidenschaft im Herzen, eine verhaßte Ehe einging. Und da sah ich die Heimgekehrte stehen — und ich jauchzte, denn ihre weinenden Augen suchten nicht die Fenster der Tante —« Er schwieg und zog ihre Hand an seine Lippen, und sie lehnte an der nächsten Linde, unfähig, auch nur einen Laut herauszubringen.

»Ich darf der, die meine Braut gewesen ist, keinen Vorwurf machen, ich trage die Schuld, daß es zu einem solchen aufsehenmachenden Ende kommen mußte, ich, der ich, um der Welt willen, schwach genug war, nicht schon in dem Augenblick zurückgetreten, wo ich unter tödlicher Bestürzung erkannte, daß ich eine hinreißend schöne Form gewählt hatte, deren vermeintlich reicher Inhalt unter den prüfenden Augen zu Nichtigkeiten zerbröckelte — und das geschah schon in den ersten Wochen nach meiner Verlobung.«

Nein, es waren keine Nichtigkeiten, was »die hinreißend schöne Form« umschloß, es war ein Frauencharakter voll teuflischer Bosheit. Flora hatte um Brucks Liebe zu der Schwester gewußt, jedenfalls durch sein eigenes Geständnis – welch eine niederträchtige Schändlichkeit! Die Betrogene hatte den Ring in der Tasche, sie hatte ihn um jeden Preis erkauft, sie hatte selbst jeden listigen Einwurf der ränkevollen Schwester erkämpft und ihr Wort verpfändet, sogar auf die Möglichkeit hin, daß Bruck ihre Hand begehren könne. Die Augen des jungen Mädchens irrten verzweiflungsvoll über den gestirnten Himmel. Sie wußte, Flora gab ihr das Wort nicht zurück, und wenn sie sich in qualvoller Bitte zu ihren Füßen die Knie wund rieb. Sie wußte, daß sie und Bruck in den Augen aller verfemt sein würden, denn niemand hatte einen vorurteilslosen Einblick in die Sachlage. Es bedurfte nicht einmal Floras glänzender Beredsamkeit, die Welt zu überzeugen, daß sie die Hintergangene sei, der die jüngere Schwester den Verlobten weggelockt habe, und daß Flora diese Beleuchtung wählen würde, das stand fest wie der Himmel da oben. Wie sie flimmerten, die kreisenden Sternbilder! Auf welchen dieser goldenen Himmelsfunken hatten die rosig durchhauchten Abendlüfte den erlösten Geist der Schwester getragen? Sah sie jetzt zurück? Sah sie, wie das Glück des geliebten Mannes in Trümmer ging?

»Sie sind so still, Käthe. In Ihrer Seelenhoheit weisen Sie mich schweigend in die Schranken. Ich hätte heute nicht sprechen sollen«, hob er wieder an. »So will ich auch jetzt nicht weiter in Sie dringen. Ich verhehle mir nicht, daß meine Bitten und Wünsche mit schweren Bedenken in Ihrer Seele kämpfen müssen, denn sonst wären Sie nicht die peinlich gerechte, die ehrliche Käthe, die Sie sind, aber ich werde mein ersehntes Ziel erreichen, ohne daß ich zur stürmischen Überredung greifen muß – das weiß ich auch. Ich lasse Ihnen Zeit zur Prüfung und zur Überwindung des tiefen Schmerzes, der Sie jetzt erfüllt und in allem, was Sie denken und fühlen, mitspricht. Ich gehe jetzt unbeglückt, aber – ich komme wieder. Und nun wollen wir nach der Mühle gehen. Geben Sie mir getrost Ihren Arm! Ein Bruder kann seine Schwester nicht selbstloser führen, als ich in diesem Augenblick an Ihrer Seite gehe. Sie könnten sich ebenso ruhig mir und meiner Tante anschließen, wenn wir unsere Reise nach L . . . antreten.«

»Ich kehre nicht nach Sachsen zurück«, sagte sie. Sie hatte ihre Hand auf seinen Arm gelegt, und nun durchschritten sie die Allee. Ein Gefühl von tödlicher Erstarrung durchschlich die Glieder des Mädchens, und es war, als krieche es auch lähmend an das wildklopfende Herz und hauche die Stimme an, die so fremd, so hart und klanglos aus der Brust kam.

»Ich habe schon bei meiner letzten Anwesenheit in Dresden gefühlt, daß mir, so wie es jetzt in meinem Innern aussieht, mit dem ausschließlichen Versenken in das Sprachstudium und die Musik, mit der Besorgung kleiner Hausgeschäfte und dergleichen nicht geholfen ist – ich muß einen Wirkungskreis haben, der tüchtige, anstrengende Arbeit Tag für Tag von mir fordert. Bis vor wenigen Tagen noch zögerte ich, dieses Vorhaben auszusprechen, denn ich wußte, daß das eine Wort eine Reihe von Kämpfen mit meinem Vormund einleiten würde – der ›Goldfisch‹ hatte ja bereits seinen Beruf, den, mit tadellosem Schick seine Einkünfte zu verbrauchen. Das ist nun aus. Der Geldschrank ist nicht mehr vorhanden, oder eigentlich, sein papierener Inhalt war schon wertlos, ehe er zertrümmert in die Luft geschleudert wurde – das ist mir zur unumstößlichen Gewißheit geworden, seit mir Nanni heute nachmittag zuflüsterte, daß man drunten versiegle. Nicht wahr, meine vielen Hunderttausende sind nicht mehr?«

»Ich glaube schwerlich, daß sich etwas retten läßt –«

»Aber meine Mühle habe ich noch – und da will ich bleiben. Vielleicht erregt es Ihre Mißbilligung, wenn ich sage, daß ich nun mein Eigentum selbst verwalten will, denn es kann unweiblich erscheinen, wenn ein junges Mädchen als Inhaberin eines Geschäftes selbständig hervortritt.«

»So falsch urteile ich nicht. Ich befürworte sogar warm diese Art von Selbständigkeit der Frauen, ich weiß auch, daß Sie mit Ihrer Kraft und Energie sofort im richtigen Fahrwasser sein würden, aber das ist nicht Ihre Bestimmung, Käthe. Sie sind berufen, ein Familienglück zu begründen, nicht aber, den Kopf voll Zahlen und Berechnungen, ›Tag für Tag‹, einsam am Geschäftspult zu stehen. Fangen Sie lieber gar nicht an! Denn eines Tages wird man Sie wegholen und nicht danach fragen, wo Sie in den Büchern gerade mit Ihrem Soll und Haben stehen, und das könnte eine schlimme Verwirrung geben.«

Wäre nur ein einziger hell leuchtender Strahl des Sternenlichtes in das Dunkel des Baumgangs gefallen, dann hätte der Sprechende das Mädchen nicht mehr von seiner Seite gelassen – eine so trostlose Verzweiflung malte sich in dessen Zügen – er würde Käthe in seine Hut genommen und nicht gezögert haben, der eigentlichen Spur nachzugehen, die den Widerstand erklärte. So aber deckte die Finsternis den entsetzlichen Seelenkampf, der da neben ihm, ohne Laut, ohne auch nur einen verräterischen Seufzer, durchstritten wurde, und er führte die Entmutigung und Niedergeschlagenheit, die ihre Stimme so dumpf und eintönig machten, auf die tiefe Erschütterung zurück, die der Anblick eines Sterbenden hinterläßt.

Hier und da sprang ein Kiesel unter den Füßen der Weiterschreitenden auf, und das Wellengeräusch des nahen Flusses scholl stark in das Schweigen, das auf die Worte des Doktors gefolgt war. Die Linden des Baumganges traten zurück; der Nachthimmel breitete sich droben wieder hin, und in sein Flimmern stiegen die zwei schlanken Pappeln zu beiden Seiten der Holzbrücke.

Bei diesem Anblick drückte der Doktor unwillkürlich den Arm des jungen Mädchens an sich. »Dort, Käthe«, flüsterte er innig, »dort haben Sie stets die ersten Veilchen gesucht. Ich habe Ihnen versprochen, daß Sie das immer dürften, und ich kann Wort halten – ich werde meine Osterferien stets hier verleben.«

Käthe preßte die geballte Rechte auf die Brust. Sie glaubte ersticken zu müssen an dem heftigen Schlagen ihres Herzens, und doch fragte sie nach einer kurzen Pause anscheinend gelassen: »Die Frau Diakonus wird Sie nach L . . . begleiten?«

»Ja, sie will meinem Hauswesen vorstehen, solange ich noch allein sein werde. Sie bringt mir ein großes Opfer und wird Gott danken, wenn sie den Staub der großen Stadt wieder von den Füßen schütteln und in ihr geliebtes, grünes Heim hierher zurückkehren darf. Ich weiß, das edle, brave Herz, um das ich werbe, wird sie nicht allzu lange auf die Ablösung warten lassen«, setzte er mit weicher, bittender Stimme hinzu. Ein Licht in der Mühle tauchte vor ihnen auf. Dort hatten sie heute den Müller Franz hinausgetragen. Der Verunglückte hinterließ eine Witwe und drei Waisen.

Das Bogenfenster der Familienstube im Erdgeschoß, das nach dem Park hinausging, war dunkel. Schwarz und ungestalt ragten die Baulichkeiten der Mühle in die Luft, sie lag so einsam, so weltverlassen da. Das Gebell der Hofhunde, die beim Geräusch der näherkommenden Schritte anschlugen, klang verloren wie in eine öde, endlose Weite hinein.

Der Doktor zog das junge Mädchen näher an sich, ehe er die Mauerpforte öffnete. »Mir ist, als führte ich Sie in die Verbannung«, sagte er zögernd und gepreßt. »Sie sollten mir den Schmerz nicht machen, Sie gerade heute in diesen dunklen, schweren Stunden allein zu wissen. Kommen Sie mit mir! Die Tante wäre überglücklich, Sie aufnehmen und mütterlich pflegen zu dürfen.«

»Nein, nein!« stieß sie hastig heraus. »Glauben Sie ja nicht, daß ich mich nutzlosem Jammer leidenschaftlich hingebe, wenn ich allein bin – ich habe nicht einmal Zeit dazu, und ich will auch nicht. Ich muß dort« – sie zeigte nach dem Bogenfenster, wo jetzt hinter dem Kattunvorhang ein matter Lampenschein aufdämmerte – »sofort als Trösterin eintreten. Die vier armen Menschen sind auf meine Kraft, meinen Beistand angewiesen.«

»Liebe, liebe Käthe!« sagte er und zog mit beiden Händen ihre Rechte gegen seine Brust. »So gehen Sie denn in Gottes Namen! Ich würde es für eine schwere Sünde halten, Sie zu beirren, die Sie so tapfer den harten, aber unbefehlbaren Weg zur Überwindung unfruchtbaren Schmerzes wählen. Seien Sie aber in der ersten Zeit nicht ebenso streng gegen sich als Genesende! Tragen Sie die schützende Binde noch einige Tage auf der verheilenden Wunde, dann fort damit! Und nun: zu Ostern, wenn die letzten Winternebel fliehen, wenn Schnee und Eis tauen, dann gehen auch die Menschenherzen auf. Zu

Ostern, da komme ich wieder. Bis dahin gedenken Sie eines Fernen, eines sehnsüchtig Harrenden, und lassen Sie Verleumdung und Mißtrauen nicht zwischen uns treten!«

»Nie!« Dieses eine Wort brach fast wie ein Aufschrei aus ihrer Brust. Sie entzog ihm die Hand, die er an seine Lippen preßte, dann rasselte die Mauertür hinter ihr zu. Sie tat keinen Schritt vorwärts. An die kalte, feuchte Mauer gedrückt und das Gesicht in den Händen vergraben, horchte sie atemlos auf seine verhallenden Tritte, dann ging sie starren, tränenlosen Auges in das Haus, um ihre Aufgabe als Trösterin und Versorgerin zu beginnen.

Drei Tage später, sofort nach Henriettes Beerdigung, verließen Doktor Bruck und Tante Diakonus die Stadt. Ihn hatte Käthe nicht wieder gesehen, aber die Tante war wiederholt bei ihr gewesen. An demselben Tag reiste auch Flora in Begleitung der Präsidentin ab. Die alte Dame begab sich in ein stärkendes Bad, und Flora ging nach Zürich, wo sie, wie man sich in der Residenz erzählte, behufs medizinischer Studien eine Zeitlang leben wollte.

29.

Mehr als ein Jahr war vergangen seit jenem Märztage, wo Käthe Mangold, die Enkelin und einzige Erbin des reichen Schloßmüllers, auf dem Fahrwege von der Stadt her geschritten war, um sich im Hause ihres Vormundes in ihrer neuen Eigenschaft als »Goldfisch« vorzustellen.

Wer jetzt, von der mit vornehmen Villen besetzten Fahrstraße abbiegend, diesen Weg betrat, der sah rechts, und zwar ebenfalls an der Fahrstraße hin, eine Reihe hübscher kleiner Häuser liegen, sie gehörten den Arbeitern der Spinnerei und standen im ehemaligen Mühlengarten, auf dem Grund und Boden, den Käthe ihrem Vormund für die Leute abgetrotzt hatte.

Und die Bewohner der Stadt gingen so gern da vorüber. Früher hatte sich hier die alte, dicke, das Mühlengrundstück begrenzende Mauer aufgetürmt — in ihrem tiefen Schatten war der Fußsteig selten trocken geworden, nun dehnte sich hier ein anmutiger, mit Kugelakazien bepflanzter Spazierweg hin. Die kleinen Häuser sahen so nett und sauber aus mit ihrem fleckenlosen Ölanstrich, der luftigen Veranda neben der Haustür und dem schmalen Vorgarten, der schon im Herbst mit allerlei Reisern schönblühender Gebüsche besetzt worden war.

Die Schloßmühle lag hinter ihnen, altersdunkel, stolz in ihrer Ehrwürdigkeit, sie selbst hatte sich keiner Veränderung unterworfen, nur die alte, halbverwischte Sonnenuhr war aufgefrischt und die kleine Tür nach dem anstoßenden Park zugemauert worden. Aber der tosende Lärm, das klopfende Herz in dem ehrwürdigen Bau des Mittelalters klang in verjüngter erhöhter Kraft, und der in den Mühlhof mündende Fahrweg war befahrener als je. Das »herrenlose Geschäft« ruhte in starker, sicherer Hand und wurde mit klugem Blick geleitet. Käthe hatte Glück gehabt bei ihrem Unternehmen. Sie hatte für die Mühle einen braven, sachkundigen Geschäftsführer gefunden, und in der Buchführung stand ihr der gänzlich verarmte Kaufmann Lenz zur Seite.

Von der großen Hinterlassenschaft des Schloßmüllers war Käthe in der Tat nichts verblieben als die Mühle und einige tausend Taler, die sie mit dem Stück Gartenboden zugleich von ihrem Vormunde erbeten und erpreßt und den Arbeitern zu ihrem Häuserbau geliehen hatte. Die vielen Hunderttausende waren in den Flammen verschwunden, und das wenige Gold und Silber, das man geschmolzen später unter Schutt und Trümmern fand, rührte wohl eher von Eßgeräten und Trinkbechern her als von Münzen. Bei dem auf die Explosion folgenden geschäftlichen Zusammenbruch kamen viele Gläubiger, trotz der vorhandenen Liegenschaften und Wertgegenstände, um ihr Geld. Villa und Park waren wieder in altadelige Hände gekommen, und der neue Besitzer ließ die Turmtrümmer forträumen, das Wasser in den Fluß zurückleiten und den Graben zufüllen, selbst der alte, ehrwürdige Holzbogen, der nach dem

Haus am Fluß führte, war abgebrochen worden. Man ging jetzt über die der Spinnerei nahe gelegene Steinbrücke und einen hübschen Flußweg am jenseitigen Ufer entlang, wenn man nach dem Doktorhaus kommen wollte.

Das Haus, das im Spätherbst noch vollständig erneuert worden war, stand unbewohnt, die alte Freundin der Tante Diakonus war den Winter über in der ehemaligen Stadtwohnung des Doktors verblieben und wollte erst mit Beginn der schönen Jahreszeit wieder hinausziehen ... Dorthin wanderte Käthe fast jeden Tag. Ob die Herbstnebel dampften und Weg und Steg von Nässe triefen mochten, ob die Schneeflocken stöberten oder der Wind eisig von Norden herblies; sowie die Abenddämmerung hereinbrach, warf Käthe die Feder fort, hüllte sich warm ein und huschte ins Freie ...

Dann trat sie durch die schmale, knarrende Lattentür, die ins Feld hinausführte und auf die sie, Henriette auf den Armen, nach dem Überfall im Walde todesermattet zugeschritten war. Im Vorübergehen strich sie stets mit schmeichelnder Hand über den grünangelaufenen Steinsockel inmitten des Rasengrundes, neben dem sie einmal mit Bruck gestanden, und suchte dann die Stelle auf, wo der Gartentisch seinen Platz gehabt hatte. Dort hatte Bruck um ihretwillen schwer gelitten — das wußte sie nun. Sie umging das einsame Haus mit seinen verrammelten Fensterläden, seinen neuen, ungeheizten Schloten und knarrenden Wetterfahnen, und stieg die schlüpfrigen, winternassen Stufen hinauf, um das Ohr an das Schlüsselloch der Haustür zu legen. Jenes schwache, scheinbare Seufzen, das der von dem geöffneten Bodenraum herabkommende Zugwind verursachte, schlich durch den weiten Hausflur, neben und über der Tür raschelten dürre Weinranken, und manchmal flog ein Spatz unter den Dachvorsprung — das war alles Leben, das sich in der Verlassenheit regte, und doch horchte das junge Mädchen gierig darauf. Es war doch nicht Grabesstille, und das Recht, diese Tür wieder zu öffnen, lag ja noch in geliebten Händen, und eines Tages wurden auch wieder Schritte laut da drinnen, und liebe Gesichter sahen zu den Fenstern heraus — das war ja alles festgestellt, wenn Käthe sich auch dabei sagen mußte, daß sie selbst stets verreisen werde, bis – Bruck einmal ein weibliches Wesen am Arme führte, in dessen Hand sie den Ring legen durfte.

Er mochte wohl vielumworben sein in L . . . Der Ruf seines Namens wuchs von Tag zu Tag, eine große, auserwählte Zuhörerschaft drängte sich zu seinen Vorlesungen und die Nachricht von verschiedenen glücklichen Kuren machte die Runde durch die Welt. Die Briefe der Tante Diakonus an Käthe – sie schrieb ihr sehr oft – atmeten Glück und Seligkeit, sie waren für das junge Mädchen eine Quelle des Genusses, aber auch neu aufgerüttelter Seelenkämpfe, und deshalb antwortete sie sparsam und zurückhaltend. Der Doktor selbst schrieb nicht – er hielt streng an seinem Versprechen fest, sie nie zu bestürmen – und begnügte sich stets mit einem Gruß, den sie freundlich und pünktlich erwiderte.

So verlief ihr junges, einsames Leben Tag für Tag. Sie ahnte nicht, daß man sich in der Stadt viel mit ihr beschäftigte, daß sie jetzt, nach ihrer tatkräftig durchgesetzten Mündigsprechung, wo sie sich entschlossen und willensstark an die Spitze ihres Geschäftes gestellt hatte, weil mehr Teilnahme und Beachtung herausforderte als früher durch ihren unliebsamen Goldfischtitel . . . Dieser ausgezeichnete Leumund führte denn auch sehr oft einen Besuch in die Schloßmühle, den sie das erste Mal mit unverhohlenem Erstaunen begrüßte. Die Frau Präsidentin Urach verschmähte es durchaus nicht mehr, auf ihren Spaziergängen mit der ihr treu gebliebenen Jungfer in der Mühle einzukehren, um, »wie es ihre Pflicht gegen ihren verstorbenen teuren Schwiegersohn erheische, nach der Jüngsten zu sehen«.

Die alte Dame war in die Residenz zurückgekehrt. Sie hatte es draußen nicht ausgehalten. In einer engen Straße ein paar kleine, hochgelegene Zimmer bewohnend, lebte sie, ihren kargen Mitteln gemäß, zurückgezogen und halbvergessen von der Welt.

Sie fühlte sich mit einemmal so wohl »in der großen, weiten Schloßmühlenstube, in der man so recht aufatmen könne.« Sie ließ sich, ermüdet von dem zurückgelegten Weg und behaglich in das altmodische, federgepolsterte Kanapee des seligen Schloßmüllers gedrückt, den duftenden Kaffee vortrefflich schmecken, den Käthe bereitete, und widersprach durchaus nicht, wenn Suse auf den Wink ihrer jungen Herrin einen schweren Korb voll frischer Butter, Eier und Schinken an den Arm der Jungfer hängte.

Auf Flora war sie nicht gut zu sprechen. Die Enkelin, die im vollen Besitz ihres Vermögens geblieben war, bezahlte zwar die Mietwohnung für ihre Großmama und trug auch die Kosten für die Bedienung, alles übrige verbrauchte sie aber für sich selbst und konnte kaum auskommen, wie sie wiederholt brieflich versicherte. Zürich hatte sie sehr bald wieder verlassen – das ärztliche Studium erregte ihre Nerven »bis zum Wahnsinnigwerden«.

Nun war die Osterzeit herangekommen. Schon seit mehreren Wochen wurde im Garten des Doktorhauses gearbeitet. Der Doktor hatte einen Gärtner aus L . . . geschickt, der gab den Anlagen die frühere Gestalt zurück. Viele Hände waren beschäftigt, zu graben und zu pflanzen, und Plätze wurden vorgerichtet, wo einige Bildwerke aufgestellt werden sollten, die aus L . . . gekommen waren und noch verpackt in dem Hausflur standen. Am Hause waren alle Läden geöffnet, die Zimmer wurden tapeziert, und auf den First war eine Fahnenstange gekommen. Dann zog die Freundin der Tante wieder ein und brachte eine Schar Taglöhnerinnen mit, die das Haus vom Dachboden bis zum Keller spiegelblank machten.

Käthe hatte ihre Spaziergänge nicht unterbrochen. Auch heute, am Abend vor dem Osterfest, war sie in der Mittagsstunde noch einmal drüben gewesen. Im Garten wurde noch immer gepflanzt und gesät, aber die alten Taxusgruppen, die ihn früher als undurchdringliche Wildnis verdüstert hatten, standen gesäubert, und aus ihrem dunklen Grün traten leuchtend und anmutig die neuen Sandsteinfiguren hervor. Auf den Wegen lag heller Sand, an die Stelle der knarrenden Holztür im Zaun war ein schwarzes Eisengitter getreten, und hinter dem Haus umschloß ein Plankenzaun den neuen Hühnerhof.

Auf dem Steinsockel vor dem Haus hob sich eine Terpsichore, die Arme in anmutigem Schwunge emporgestreckt auf der Spitze ihres zarten Füßchens, genau so, wie sich Käthe die längst zertrümmerte Gestalt auf dem schmalen Fußrest sonst in Gedanken wieder aufgebaut hatte.

»Das Standbild ist sehr hübsch«, sagte der fremde Gärtner achselzuckend, »es müßte nur auf einem schöneren Grund stehen. Der Rasen« – er zeigte über den Grasplatz hin – »ist verwildert, aber der Herr Professor hat mir streng verboten, den Spaten da anzusetzen.« – Käthe bückte sich, helle Glut in den Wangen, und pflückte die ersten Veilchen, die sich im Schutz des Sockels köstlich duftend entfaltet hatten. »Ja, der Rasen starrt von Unkraut«, setzte der Gärtner über die Schulter hinzu und ging weiter.

Und das Haus – jetzt in der Tat ein Schlößchen – stand heute da, glänzend in Frische und Neuheit und so festlich und feierlich geschmückt, »als ob eine Braut einziehen sollte«, wie die alte Freundin ahnungsvoll lächelnd zu Käthe sagte. Das schneeweiße Kätzchen kam über den neuen Mosaikfußboden des Flurs leise gegangen, im Zimmer der Tante Diakonus, hinter den Vorhängen und umringt von den in der Stadt überwinterten Lorbeer- und Gummibäumen, schmetterte der Kanarienvogel aus voller, trillernder Kehle, und die Goldfischchen schwammen munter in der Glasschale – da war ja auch schon das gewohnte Leben und Treiben wieder eingekehrt, und die Tante Diakonus selbst sollte mit dem Nachmittagszuge eintreffen. Sie bringe auch einen Gast mit, hatte die alte Freundin, geheimnisvoll mit den Augen blinzelnd, gemeint: wen, das wisse sie nicht, sie habe nur den Auftrag erhalten, das Fremdenzimmer mit hübschen, neuen Möbeln zu versehen. Und dabei hatte sie stolz die breite, weißglänzende Flügeltür zurückgeschlagen, und Käthe war in einen Tränenstrom ausgebrochen – sie mußte an Henriette denken, die hier gelitten hatte und doch noch einmal in ihrem armen Leben so glücklich gewesen war. Neben dieser schmerzvollen Erinnerung rang sich aber auch noch eine nie gekannte, heißaufquellende Eifersucht empor. Wer war sie, die sich an das Herz der Tante gedrängt und die alte Frau so sehr für sich eingenommen hatte, daß sie als Besuch mitkommen durfte?

Die rosenbestreuten Vorhänge und die schaukelnden Blumenampeln waren an den Fenstern verblieben, die altmodische, mühsam zusammengesuchte Zimmereinrichtung dagegen hatte modernen, hübschen, wenn auch sehr einfachen Kirschbaummöbeln weichen müssen. Der, ach, so wohlbekannte Raum war in ein trauliches Wohnzimmer umgewandelt und ein anstoßendes, früher vollkommen leerstehendes Gemach als Schlafstube eingerichtet worden.

Dies alles hatte Käthe noch einmal mit tränenverdunkelten Augen überblickt, dann war sie heimgegangen, noch einige nötige Geschäftsbriefe zu schreiben. Kaufmann Lenz sollte am Abend von seiner geschäftlichen Rundreise zurückkehren. Bis dahin hatte die junge Herrin noch manches zu erledigen, um dann, abgelöst von ihrem Posten, auf vierzehn Tage nach Dresden zu ihren Pflegeeltern zu reisen.

Ach, wie entsetzlich zerstreut war sie doch heute! Wie klopfte ihr Puls, und wie abscheulich zerfahren kamen die sonst so sicheren Gedanken und Buchstaben aus ihrer Feder! Und nun trat auch noch die Jungfer der Präsidentin ein, sie hatte den großen, leeren Marktkorb am Arm, »weil sie eben das bißchen Bedarf für die Festtage in der Stadt einkaufen wollte.« Es sei ja nur ein kleiner Umweg über die Mühle, habe die gnädige Frau gemeint und ihr einen eben eingelaufenen Brief von Fräulein Flora zum Durchlesen für das »liebe Fräulein« mitgegeben.

Suse wurde sofort beordert, den Korb mit ihren schön geratenen Napfkuchen und allen möglichen guten Dingen aus der Speisekammer zu füllen, der Brief aber lag noch unberührt auf dem Schreibtisch, als die Jungfer längst in die Stadt zurückgekehrt war.

Die Präsidentin hatte dem jungen Mädchen schon einigemal die Zuschriften der Stiefschwester mitgeteilt — es war Käthe zwar stets zumute gewesen, als glühe das Briefblatt zwischen ihren Fingern, aber sie hatte pflichtschuldigst gelesen. Auch jetzt überschlich sie das Gefühl, als müsse aus dem starkduf-

230

tenden Umschlag da neben ihr eine Flamme züngeln, um sie zu verletzen. Unwillig schob sie das widerwärtige kleine Viereck mit dem Ellbogen weiter, so daß es unter einem Stoße von Rechnungen verschwand – sie sah nicht ein, weshalb sie sich auch noch durch das Lesen eines der meist sehr leichtfertigen und von Anmaßung und Übermut strotzenden Briefe aufregen solle.

Die Feder wurde wieder aufgenommen, aber nur für wenige Augenblicke. Erregt griff das junge Mädchen wie nach einem schützenden Talisman nach den Veilchen, die vor ihr im Glas standen, und atmete den Duft ein, dann trat sie an ihren Flügel und spielte zur inneren Beschwichtigung eine sanfte Weise. Sie öffnete eines der Fenster und streichelte die zahmen Tauben, die draußen auf dem Sims hockten, und dabei sagte sie sich wiederholt, daß die Übermittlung des Briefes ja nur ein versteckter Angriff auf ihre Speisekammer gewesen sei – aber es mußte ein böser Zauber in dem unseligen Umschlag stecken. Das Blut stürmte ihr immer heißer nach dem Kopf, bis sie die Papiere wegstieß und mit hastigen Fingern den Brief ergriff.

Beim Entfalten des Papierbogens fiel ein versiegelter Zettel heraus – sie bemerkte es nicht – ihre Augen irrten über den Anfang der Zuschrift, sie wurden groß und weit, und unwillkürlich griff das starke Mädchen nach einer Stütze. Flora schrieb von Berlin aus:

»– Du wirst wohl lachen und triumphieren, liebe Großmama, aber ich sehe ein, es ist besser so – ich habe mich vor einer Stunde mit Deinem ehemaligen Schützling, Karl von Stetten, verlobt. Er ist zwar häßlicher als je und trägt auch noch eine blaue Brille – abscheulich, es wird mir zeitlebens peinlich sein, an seinem Arm zu gehen, aber seine hündisch treue, wirklich närrische Leidenschaft für mich erweckte mir schließlich doch ein menschliches Rühren, und weil er durch den Tod seines jungen Vetters Majoratsherr auf Lingen und Stromberg geworden ist, hier zu Hofe geht und in der Gesellschaft gut angeschrieben zu sein scheint, hatte ich sonst nicht viel mehr gegen die Verbindung einzuwenden –«

Der Brief flog auf den Schreibtisch – Bruck war frei, von seiner Kette erlöst, daß er nun auch – in die Schloßmühle kommen durfte. War das denkbar? Eine so jähe, ungeahnte Wandlung, nachdem man sich sieben entsetzliche Monate hindurch gemartert, nachdem man alle innere Kraft aufgeboten hatte, um das widerspenstige Herz, ja, jeden abirrenden Gedanken zu knebeln, damit man endlich zu der Ruhe gelange, mit der man den verhaßten Ring in die Hand der Auserwählten legen und dann seinen rauhen Lebensweg einsam, aber ohne Schuld zu Ende gehen konnte!

Sie schlug die Hände vor das Gesicht, als sähe sie ein Gespenst mitten in dem Jubelrausch emportauchen – Gott im Himmel, wenn sie falsch gelesen hätte! Es war doch so? Flora, dieses unberechenbare Wesen, hatte sich verlobt? Sie wollte sich nun, nach so vielen fehlgeschlagenen Versuchen berühmt zu werden, in der zwölften Stunde in die Ehe retten? Käthe griff noch einmal nach dem duftenden Briefblatt – ja, da stand es wirklich und wahrhaftig. Und dann folgte eine genaue Anleitung, in welcher Weise die Verlobungsanzeige für die Residenzbewohner zu bewerkstelligen sei, es war die Rede von der Hochzeit, die man, gerade um der Vergangenheit willen, auf den zweiten Pfingstfeiertag festgesetzt habe – und dann kam die Einladung zu der Vermählungsfeierlichkeit für die Großmama selbst. Das war alles sonnenklar und unumstößlich, aber nun flog eine tiefe Blässe über ihr Gesicht und sie meinte, an der Lähmung, die über sie komme, müsse sie sterben. Flora schrieb weiter:

»Auf meiner Durchreise nach Berlin habe ich mich auch einige Tage in L . . . aufgehalten. Es wird Dir interessant sein, zu hören, daß einem gewissen Hofrat und Professor Bruck bei seinem fabelhaften Glück nicht nur die Berühmtheit in den Schoß, sondern auch eine schöne Gräfin zu Füßen gefallen ist. Man versicherte mir allgemein, er sei im stillen verlobt mit der reizenden Kranken, die er, nachdem alle anderen Ärzte sie aufgegeben hatten, durch eine kühne Operation dem Tode entrissen habe. Das gräfliche Elternpaar soll mit der Verbindung durchaus einverstanden sein, und die liebe, gottselige Tante Diakonus scheint ihren Segen auch nicht zu verweigern.

Ich sah sie neben dem Brautpaar im Theater sitzen, fried- und tugendsam wie immer, und, wenn ich nicht irre, Zwirnhandschuhe an den Händen. Das Mädchen ist sehr hübsch, wenn auch ein Puppengesicht ohne Geist – und er? Nun kann ich's ja sagen, Großmama: ich habe mir die Lippen blutig gebissen vor Grimm und Groll, weil das dumme Glück diesen Menschen zu einem Gegenstand der allgemeinen Vergötterung macht, weil er hinter dem Stuhl seiner Braut stand, so sicher, zuversichtlich und ruhig, als gebühre ihm alle Auszeichnung von Rechts wegen, und als wisse er nichts von Charakterschwäche – der Ehrlose! . . . Gib Käthe den einliegenden Zettel –«

Ach ja, da lag er wohlversiegelt auf dem Schreibtisch und trug die Adresse: »An Käthe Mangold.« – Und die Welt kreiste vor ihren Augen, und der schmale Papierstreifen flog in den wie von Fieberfrost geschüttelten Händen auf und nieder. Er enthielt nur die Worte: »Habe die Freundlichkeit, den Dir anvertrauten Ring nunmehr der Gräfin Witte zu übergeben – oder wirf ihn meinetwegen in den Fluß zu dem anderen! Flora.«

Käthe war plötzlich sehr ruhig geworden. Sie glättete zerstreut den Zettel und legte ihn zu dem Brief. Sollte die schöne Gräfin Witte der Gast sein, für den man das Fremdenzimmer eingerichtet hatte? Sie schüttelte den flechtengeschmückten Kopf, und die braunen Augen begannen aufzustrahlen, während sie die Hände gegen die tiefatmende Brust preßte. War sie es wert, ihm je wieder in die Augen zu sehen, wenn sie auch nur sekundenlang an ihm zweifelte? Er hatte gesagt: »Zu Ostern komme ich wieder.« Und er kam, und wenn die glänzendste Menschenberedsamkeit ihr das Gegenteil versicherte, sie glaubte, daß er sie liebe und daß er kommen werde.

Ein unbeschreiblicher Glückseligkeitssturm wogte in ihr auf und riß alle Gedanken in seinen Wirbel. Sie flog nach dem südlichen Eckfenster, um nur einen Blick nach dem alten Hause zu werfen – Himmel, dort von der Fahnenstange flatterte eine farbenglänzende Flagge über die Baumwipfel hin. Waren die Gäste schon da? Sollte sie hinübereilen, um die Tante Diakonus in ihre Arme zu schließen? Nein, in dieser stürmischen

Aufregung ganz gewiß nicht. Da mußte erst die verräterische Glut von den Wangen gewichen und der Herzschlag ruhiger geworden sein, wenn sie sich nicht vor den seelenvollen, klaren Augen der sanften Frau scheuen sollte . . . Ruhe, Ruhe! — Sie trat an den Schreibtisch.

Da lag aufgeschlagen das große, dicke Hauptbuch. Das Fach hier barg sechs Geschäftsbriefe, die heute noch beantwortet werden mußten, und drunten rasselte schwerfällig einer der Mühlenwagen mit Getreidesäcken in den Hof. Die Hunde bellten einen Bettler, dem Suse ein Stück Brot vom Vorsaalfenster zuwarf, wie toll an.

Käthe tauchte die Feder ein. »Herrn Schilling und Kompanie in Hamburg« — ach, das konnte ja niemand lesen! Verzweiflungsvoll fuhr sie mit der Hand über die glühende Stirn, so daß die braunen Locken wegflogen und eine schmale rote Narbe hervortreten ließen. Und so verharrte sie einen Augenblick unbeweglich, die Linke über die Augen gelegt und in der Rechten die ungeschickte Feder auf dem Papier festhaltend. Da streifte ein kühles Wehen ihre Wange. Die Zugluft kam durch eine offene Tür oder vom Fenster her. Sie sah auf — und da stand er, dort auf der obersten Stufe der in das Zimmer hinabführenden Holztreppe, lächelnd, strahlend in Wiedersehensfreude.

»Bruck! — Ich wußte es«, jubelte sie auf, und die Feder fortwerfend, breitete sie die Arme aus und lag im nächsten Augenblick an seiner Brust.

Draußen kam Suse über den Vorsaal. Was sollte denn das heißen? Die Tür stand weit offen, im April, wo man noch täglich das sündenteure Holz in den Ofen stecken mußte, und den Aufschrei hatte sie auch gehört. Sie fuhr mit dem blauen Schürzenzipfel, den sie gerade in der Hand hielt, um sich den Schweiß von der Stirn abzutrocknen, vor Schrecken in den Mund, denn da unten auf den weißgescheuerten Dielen ihrer heiligen Schloßmühlenstube stand der Herr Doktor Bruck und hielt ihr Fräulein in den Armen, so fest, als wolle er sie in seinem ganzen Leben nicht wieder loslassen – Herr Gott – und sie waren ja doch kein Brautpaar vor den Leuten.

Behutsam schlich sie näher, um die Tür sacht zu schließen, aber Käthe sah sie und bemühte sich unter heißem Erröten, der Umarmung zu entfliehen.

Der Doktor lachte – er lachte wieder so frisch und wohlklingend wie früher – und hielt sie nur um so fester. »Nein, Käthe, du kamst zwar freiwillig, aber ich traue dir doch nicht«, sagte er. »Ich wäre ein Tor, wenn ich dir Zeit ließe, dich möglicherweise in die Schwester zurückzuverwandeln. Kommen Sie nur herein, Jungfer Suse!« rief er über die Schulter – er hatte die alte Haushälterin sehr wohl bemerkt. – »Erst müssen Sie bestätigen, daß Sie eine Braut gesehen, dann soll sie ihre Freiheit haben.«

Suse wischte sich die Augen und wünschte sehr wortreich Glück, dann aber beeilte sie sich, die Tür zuzudrücken, um zu der Müllerfranzen über den Hof 'nüberzulaufen und ihr halb glücklich, halb klagend zu sagen, daß es mit der Herrlichkeit in der Mühle wieder aus sei, weil das Fräulein nun doch heiraten wolle . . .

Der Doktor trat an den Schreibtisch und schlug feierlich das Hauptbuch zu. »Die Karriere der schönen Müllerin ist geschlossen – Ostern ist da«, sagte er. »Wie habe ich die Tage gezählt bis zu dem Ziel, das ich mir damals selbst stecken mußte, wenn ich dich nicht ganz verlieren wollte! Du weißt nicht, wie es tut, ohne Gewißheit gehen zu müssen, wenn man für sein ganzes Lebensglück zittert. Mein einziger Trost waren deine Briefe an die Tante, diese klaren Briefe voll Willenskraft und strenger Weltanschauung, aus denen ich trotz alledem die heimliche Liebe las – aber wie spärlich kamen sie!« Er ergriff ihre Hand und zog sie wieder an sich. »Ich habe wohl begriffen, daß ein Zeitraum der Entsagung zwischen der schlimmen Vergangenheit und meinem neuen Leben liegen müsse, ich hatte ja deinen geschwisterlichen Gefühlen Rechnung zu tragen, aber bis zu dieser Stunde ist es mir doch rätselhaft geblieben, weshalb du gänzlich entsagen und einen einsamen Weg gehen wolltest.« Er verstummte, und eine tiefe Glut bedeckte sein Gesicht – da, neben dem zugeklappten Hauptbuch lag ein Zettel. Er kannte diese großen Schriftzüge nur zu gut: solche Papierstreifen waren ihm in der ersten Zeit seines Brautstandes genug zugeflogen.

Mit einer entschiedenen Bewegung legte Käthe die Hand auf die Papiere. Warum diese abscheulichen Ränke noch einmal an das Licht ziehen? Mochten sie doch begraben sein für immer, ihrem Glücke trat nichts mehr in den Weg. Aber tiefernsten Blickes zog der Doktor Brief und Zettel hervor. »Ich dulde kein Geheimnis zwischen uns, Käthe«, sagte er fest, »und hier liegt eins.«

Er las, und nun bestand er unerbittlich auf einer Beichte. Die Seelenkämpfe, denen das junge Mädchen unterworfen gewesen war, zogen an ihm vorüber, er sah aber auch in die Tiefen ihrer selbstlosen Neigung – sie hatte willig ihre ganze Zukunft hingeworfen, um ihn zu erlösen.

»Und wie steht es mit der schönen Gräfin Witte? Ich habe geglaubt, sie begleite die Tante Diakonus und werde drüben im Fremdenzimmer wohnen«, sagte Käthe schließlich unter Tränen lächelnd. Sie versuchte gewaltsam das unerquickliche Thema abzubrechen, das den sonst so gelassenen Mann in die furchtbarste Aufregung versetzt hatte, und es gelang ihr. Er lachte.

»Im Fremdenzimmer wohne ich«, versetzte er. »Ich hatte meine guten Gründe, dich meine Ankunft vorher nicht wissen zu lassen, und mein Gefühl hat mich richtig geleitet. Was aber die junge Gräfin betrifft, so ist sie, behufs einer Kur, drei Monate unsere Hausgenossin gewesen und legte ihre Dankbarkeit, weil es mir geglückt ist, sie herzustellen, ein wenig zu lebhaft an den Tag – das ist alles. In vierzehn Tagen wirst du sie kennenlernen, denn bis dahin, mein Lieb, will der Professor seine Professorin heimführen. – Unser Brautstand hat sieben Monate gewährt – das bedenke. Ist es dir recht, wenn wir da drüben« — er zeigte durch das Fenster nach einem nahe gelegenen Kirchturme — »an den Altar treten? Ich habe das Dörfchen immer so gern gehabt.«

»Du darfst mich führen, wohin du willst«, antwortete sie leise und innig, »aber ich habe hier noch Pflichten —«

»Bah, das Hauptbuch ist geschlossen, und ›Schilling und Kompanie in Hamburg‹ kann dein getreuer Lenz abfertigen.«

Sie mußte lachen. »Gut denn — wie du befiehlst!« erklärte sie. »Ich trete zurück, und damit bricht für den armen Lenz eine bessere Zeit an. Er soll die Mühle pachtweise bekommen — sie wird ihm rasch wieder zu Wohlstand verhelfen.«

Nun wurde auch die Schloßmühle geschlossen, und Käthe schritt an Brucks Arm den Fußweg entlang, den sie oft in Sturm und Unwetter zurückgelegt hatte. Heute war es himmlisch, unter den überhängenden, knospenden Zweigen hinzugehen. Die Blütenkätzchen der Weiden strichen schmeichelnd über die glühenden Wangen des Mädchens, ein weiches Abendlüftchen flog auf, und die Flußwellen zogen gesänftigt und leise plätschernd an den jungen, zitternden Ufergräsern vorüber. Drüben dehnte sich der Park hin, vornehm still wie immer. Man sah die Schwäne auf dem Teichspiegel langsam kreisen, und hoch über den Wipfeln der Parkbäume flatterte eine blaugelbe Fahne auf der Villa — »die Herrschaft« war zu Hause.

Was alles flutete bei diesem Anblick durch die zwei Menschenseelen, die sich eben Treue geschworen hatten für die Zeit und Ewigkeit!

»Weißt du auch, daß man Moritz in Amerika gesehen haben will?« flüsterte der Doktor.

Sie nickte. »Vor einigen Tagen wurden der Witwe Franz anonym fünfhundert Taler aus Kalifornien zugeschickt — sie zerbricht sich den Kopf über den Wohltäter, aber ich kenne ihn.« Und sie erzählte, wie der Arbeiter mit dem blonden Vollbart die Rehe vor sich hergejagt hatte, um — sie vor einem grauenhaften Tode zu bewahren, weil sie in glücklichen Zeiten seine Lieblinge gewesen waren . . .

Nun lag es vor ihnen, das liebe, alte Haus, von der Abenddämmerung umsponnen. Die Arbeiter hatten den Garten ver-

lassen. Es war so feierlich still — die weißen Götterbilder däm-
merten aus den Taxushecken, und die alte Frau kam lautlos,
mit ausgebreiteten Armen die Türstufen herab, um »die Liebste, Beste«, die sie so lange vom Himmel für ihren Liebling er-
fleht hatte, an das mütterliche Herz zu ziehen.

Da zitterte tief und voll der erste Glockenton von der Stadt
herüber — das Fest wurde eingeläutet — Ostern!

— ENDE —

FERNER SIND ERSCHIENEN:

152 Die Heilige und ihr Narr   DM 7,80
Der berühmte Roman von Agnes Günther

159 Ein bißchen Halleluja   DM 6,80
Die schönsten Geschichten von Herbert Reinecker

160 Diese Stadt gehört mir   DM 6,80
Er war einer der Mächtigen
Ein atemberaubender Roman aus den Tagen des
Goldrausches von Giles A. Lutz

164 Cécile   DM 5,80
Ein zeitloser Roman von Theodor Fontane

167 Die Frauen der Ärzte   DM 6,80
Ein faszinierender Roman von Frank G. Slaughter

168 Die weiße Bestie   DM 6,80
Das Buch zum Film – ein Welterfolg von Hank Searls

169 Operation K.   DM 6,80
Ein brandaktueller Agenten-Thriller von Marshall Goldberg

171 Motu und Miromotu   DM 4,80
Eine Bärengeschichte aus Alaska von Otto Boris

172 Die Goldspur führt nach Griechenland   DM 5,80
Ein spannungsgeladener Liebesroman
von Marguerite DeMoss

174 Die indische Erbschaft   DM 4,80
Der lustigste Roman des bekannten Schriftstellers
Horst Biernath

175 Ich hab vergessen Blumen zu besorgen   DM 6,80
Ein bunter Strauß neuer Geschichten von Herbert Reinecker

176 Nacht steh mir bei   DM 6,80
Ein Roman des weltberühmten Arztes Christiaan Barnard

177 Das chinesische Wunder   DM 6,80
Dieser große spannende Arztroman von Wolfgang Hellberg
wurde mit Heinz Rühmann verfilmt

179 **Schelmenmaskerade**   DM 5,80
     Ein amüsanter Roman von Margaret Summerville

193 **Der Kurier des Königs**   DM 6,80
     Historischer Abenteuerroman von Samuel Edwards

195 **Weber auf dem Welttheater**   DM 12,80
     Ein Freischützbuch von Hans Schnorr

200 **Der Graf von Monte Christo**   DM 6,80
     Weltberühmter Roman von Alexandre Dumas

206 **Rhapsodie der Liebe**   DM 6,80
     Ein Liszt-Roman von Charlotte Höcker

208 **Beinahe ein König**   DM 7,80
     Historischer Roman um Prinz Heinrich von Preußen

223 **Stefan Zweig und Meyer-Benfey**   DM 5,80
     Ein Psychogramm mit bisher unveröffentlichten Briefen

224 **Die heimliche Geliebte des Märchenkönigs**   DM 3,80
     Roman von Thea Sommerer

232 **Klettermaxe**   DM 5,80
     Der verfilmte Roman von Hans Possendorf

238 **Mümmelmann**   DM 4,80
     Tiergeschichten von Hermann Löns

243 **Der Forellenhof**   DM 4,80
     Roman von Heinz Oskar Wuttig

244 **Ich – Elizabeth Regina**   DM 5,80
     Historischer Roman von Claude Flor

245 **Unsterblicher Mozart**   DM 5,80
     Roman von Marianne Westerland

260 **Ein Menschheitstraum**   DM 6,80
     Voltaire-Biographie von Claude Flor

Deutscher Literatur-Verlag
Mühlenstieg 16-22 · 2000 Hamburg 70